Suhrkamp BasisBibliothek 15

Jurek Becker erzählt in seinem weltberühmten Roman die Geschichte des Juden Jakob, der im Ghetto zum Lügner wird, um anderen Hoffnung zu geben. Diese Ausgabe der »Suhrkamp BasisBibliothek – Arbeitstexte für Schule und Studium« bietet *Jakob der Lügner* zusammen mit zwei autobiografischen Essays Jurek Beckers: »Mein Judentum« und »Die unsichtbare Stadt«. Ergänzt wird die vorliegende Edition von einem Kommentar, der alle für das Verständnis dieses Buches erforderlichen Informationen enthält: eine Zeittafel, Ausführungen zum historischen Hintergrund und den Erzählstrategien des Romans, die Rezeptionsgeschichte, Literaturhinweise sowie detaillierte Wort- und Sacherläuterungen. Der Kommentar ist entsprechend den neuen Rechtschreibregeln verfasst.

Thomas Kraft, geboren 1959, ist freier Literaturkritiker. Zuletzt erschien: *aufgerissen. Zur Literatur der 90er Jahre* (2000).

Jurek Becker
Jakob der Lügner

Roman

Mit einem Kommentar
von Thomas Kraft

Suhrkamp

Der vorliegende Text folgt der Ausgabe:
Jurek Becker, *Jakob der Lügner. Roman.*
suhrkamp taschenbuch 2939.
Frankfurt am Main: Suhrkamp Verlag 1999.

Die beiden Essays »Mein Judentum« und »Die unsichtbare
Stadt« sind folgendem Band entnommen: Jurek Becker, *Ende
des Größenwahns. Aufsätze und Vorträge*, Frankfurt am Main:
Suhrkamp Verlag 1996, S. 9–21 und S. 114–117.

Originalausgabe
Suhrkamp BasisBibliothek 15
Erste Auflage 2000

Satz: Pagina GmbH, Tübingen
Druck: Ebner Ulm
Umschlaggestaltung: Hermann Michels
Printed in Germany

1 2 3 4 5 6 – 05 04 03 02 01 00

Inhalt

⌈Jakob der Lügner⌉

Ich höre schon alle sagen, ein ⌈Baum⌉, was ist das schon, ein Stamm, Blätter, Wurzeln, Käferchen in der Rinde und eine manierlich ausgebildete Krone, wenn's hochkommt, na und? Ich höre sie sagen, hast du nichts Besseres, woran du denken kannst, damit sich deine Blicke verklären wie die einer hungrigen Ziege, der man ein schönes fettes Grasbüschel zeigt? Oder meinst du vielleicht einen besonderen Baum, einen ganz bestimmten, der, was weiß ich, womöglich einer Schlacht seinen Namen gegeben hat, etwa der Schlacht an der Zirbelkiefer, meinst du so einen? Oder ist an ihm jemand Besonderer aufgehängt worden? Alles falsch, nicht mal aufgehängt? Na gut, es ist zwar ziemlich geistlos, aber wenn es dir solchen Spaß macht, spielen wir dieses alberne Spiel noch ein bißchen weiter, ganz wie du willst. Meinst du am Ende das leise Geräusch, das die Leute Rauschen nennen, wenn der Wind deinen Baum gefunden hat, wenn er sozusagen vom Blatt spielt? Oder die Anzahl an Nutzmetern* Holz, die in so einem Stamm steckt? Oder du meinst den berühmten Schatten, den er wirft? Denn sobald von Schatten die Rede ist, denkt jeder seltsamerweise an Bäume, obgleich Häuser oder Hochöfen weit größere Schatten abgeben. Meinst du den Schatten?

Alles falsch, sage ich dann, ihr könnt aufhören zu raten, ihr kommt doch nicht darauf. Ich meine nichts davon, wenn auch der Heizwert* nicht zu verachten ist, ich meine ganz einfach einen Baum. Ich habe dafür meine Gründe. Erstens haben Bäume in meinem Leben eine gewisse Rolle gespielt, die möglicherweise von mir überbewertet wird, doch ich empfinde es so. Mit neun Jahren bin ich von einem Baum gefallen, einem Apfelbaum übrigens, und habe mir die linke Hand gebrochen. Alles ist einigermaßen wieder verheilt, doch gibt es ein paar diffizile Bewegungen, die ich seitdem

Veralteter Ausdruck für Festmeter bzw. Kubikmeter

Spezifische Verbrennungswärme

mit den Fingern meiner linken Hand nicht mehr ausführen kann. Ich erwähne das deshalb, weil es als beschlossene Sache gegolten hat, daß ich einmal Geiger werden sollte, aber das ist an und für sich ganz unwichtig. Meine Mutter wollte es zuerst, dann wollte es mein Vater auch, und zum Schluß haben wir es alle drei so gewollt. Also kein Geiger. Ein paar Jahre später, ich war wohl schon siebzehn, habe ich das erstemal in meinem Leben mit einem Mädchen gelegen, unter einem Baum. Diesmal war es eine Buche, gut fünfzehn Meter hoch, das Mädchen hat Esther geheißen, oder nein, Moira, glaube ich, jedenfalls war es eine Buche, und ein Wildschwein hat uns gestört. Kann sein, daß es auch mehrere waren, wir haben keine Zeit gehabt, uns umzudrehen. Und wieder ein paar Jahre später ist meine Frau Chana unter einem Baum erschossen worden. Ich kann nicht sagen, was es diesmal für einer war, ich bin nicht dabeigewesen, man hat es mir nur erzählt, und ich habe vergessen, nach dem Baum zu fragen.

Und jetzt der zweite Grund, warum sich meine Augen verklären, wenn ich an diesen Baum denke, wahrscheinlich oder ganz sicher sogar der wichtigere von beiden. In diesem Ghetto sind Bäume nämlich verboten (⌐Verordnung Nr. 31⌐: »Es ist strengstens untersagt, auf dem Territorium des Gettos Zier- und Nutzpflanzen jedweder Alt zu halten. Das gleiche gilt für *Bäume*. Sollten beim Einrichten des Gettos irgendwelche wildwachsenden Pflanzen übersehen worden sein, so sind diese schnellstens zu beseitigen. Zuwiderhandlungen werden . . .«).

Hardtloff hat sich das ausgedacht, warum weiß der Teufel, vielleicht wegen der Vögel. Dabei sind tausend andere Sachen auch verboten, Ringe und sonstige Wertgegenstände, Tiere zu halten, nach acht auf der Straße sein, es hätte keinen Sinn, alles aufzählen zu wollen. Ich stelle mir vor, was mit einem geschieht, der einen Ring am Finger hat und mit einem Hund nach acht auf der Straße angetroffen wird.

Aber nein, das stelle ich mir gar nicht vor, ich denke überhaupt nicht an Ringe und Hunde und an die Uhrzeit. Ich denke nur an diesen Baum, und meine Augen verklären sich. Für alles habe ich Verständnis, ich meine, theoretisch kann ich es begreifen, ihr seid Juden, ihr seid weniger als ein Dreck, was braucht ihr Ringe, und wozu müßt ihr euch nach acht auf der Straße rumtreiben? Wir haben das und das mit euch vor und wollen es so und so machen. Dafür habe ich Verständnis. Ich weine darüber, ich würde sie alle umbringen, wenn ich es könnte, ich würde Hardtloff den Hals umdrehen mit meiner linken Hand, deren Finger keine diffizilen Bewegungen mehr ausführen können, doch es geht in meinen Kopf. Aber warum verbieten sie uns die Bäume?

Ich habe schon tausendmal versucht, diese verfluchte Geschichte loszuwerden, immer vergebens. Entweder es waren nicht die richtigen Leute, denen ich sie erzählen wollte, oder ich habe irgendwelche Fehler gemacht. Ich habe vieles durcheinandergebracht, ich habe Namen verwechselt, oder es waren, wie gesagt, nicht die richtigen Leute. Jedesmal, wenn ich ein paar Schnäpse getrunken habe, ist sie da, ich kann mich nicht dagegen wehren. Ich darf nicht soviel trinken, jedesmal denke ich, es werden schon die richtigen Leute sein, und ich denke, ich habe alles sehr schön beieinander, es kann mir beim Erzählen nichts mehr passieren.

Dabei erinnert ⌈Jakob⌉, wenn man ihn sieht, in keiner Weise an einen Baum. Es gibt doch solche Männer, von denen man sagt, ein Kerl wie ein Baum, groß, stark, ein bißchen gewaltig, solche, bei denen man sich jeden Tag für ein paar Minuten anlehnen möchte. Jakob ist viel kleiner, er geht dem Kerl wie ein Baum höchstens bis zur Schulter. Er hat Angst wie wir alle, er unterscheidet sich eigentlich durch nichts von Kirschbaum oder von Frankfurter oder von mir oder von Kowalski. Das einzige, was ihn von uns allen unterscheidet, ist, daß ohne ihn diese gottverdammte Geschichte nicht hätte passieren können. Aber sogar da kann man geteilter Meinung sein.

Es ist also Abend. Fragt nicht nach der genauen Uhrzeit, die wissen nur die Deutschen, wir haben keine Uhren. Es ist vor einer guten Weile dunkel geworden, in ein paar Fenstern brennt Licht, das muß genügen. Jakob beeilt sich, er hat nicht mehr viel Zeit, es ist schon vor einer sehr guten Weile dunkel geworden. Und auf einmal hat er überhaupt keine Zeit mehr, nicht eine halbe Sekunde, denn es wird hell um ihn. Das geschieht mitten auf dem Damm der ⌐Kurländischen⌐, dicht an der Ghettobegrenzung, wo früher die Damenschneider ihr Zentrum hatten. Da steht der Posten, fünf Meter über Jakob, auf einem Holzturm hinter dem Draht*, der quer über den Damm gezogen ist. Er sagt zuerst nichts, er hält Jakob nur mit dem Scheinwerfer fest, mitten auf dem Damm, und wartet. Links an der Ecke ist der ehemalige Laden von Mariutan, einem zugewanderten Rumänen, der inzwischen wieder nach Rumänien zurück mußte, um die Interessen seines Landes an der Front wahrzunehmen. Und rechts ist das ehemalige Geschäft von Tintenfaß, einem einheimischen Juden, der inzwischen in Brooklyn*, New York, steckt und weiter Eins-a-Damenkleider näht. Und dazwischen, auf Kopfsteinpflaster und allein mit seiner Angst steht Jakob Heym, eigentlich schon zu alt für solche Nervenproben, reißt seine Mütze vom Kopf, kann nichts in dem Licht erkennen, er weiß nur, irgendwo in dieser Helligkeit sind zwei Soldatenaugen, die ihn gefunden haben. Jakob geht die naheliegendsten Verfehlungen durch und ist sich keiner bewußt. Die Kennkarte hat er bei sich, auf der Arbeit hat er nicht gefehlt, ⌐der Stern auf der Brust⌐ sitzt genau am vorgeschriebenen Ort, er sieht noch einmal hin, und den auf dem Rücken hat er vor zwei Tagen erst festgenäht. Wenn der Mann nicht gleich schießt, kann ihm Jakob alle Fragen zur Zufriedenheit beantworten, er soll doch nur fragen.

Stacheldraht-
zaun

Südl. Stadtteil
von New York,
auf dem West-
ende von Long
Island

»Irre ich mich, oder ist es verboten, nach acht auf der Straße zu sein?« sagt der Soldat endlich. Einer von der gemütlichen Sorte, die Stimme klingt nicht einmal böse, eher milde, man hätte Lust, ein wenig zu plaudern, der Humor soll
5 nicht zu kurz kommen.

»Es ist verboten«, sagt Jakob.

»Und wie spät ist es jetzt?«

»Ich weiß nicht.«

»Das solltest du aber wissen«, sagt der Soldat.

10 Jakob könnte jetzt sagen »das ist wahr«, oder er könnte
fragen »woher«, oder er könnte fragen »wie spät ist es
denn?« Oder er könnte schweigen und warten, und das tut
er, das scheint ihm am zweckmäßigsten.

»Weißt du wenigstens, was das für ein Haus da drüben
15 ist?« fragt der Soldat, nachdem er wohl festgestellt hat, daß
sein Partner nicht der rechte Mann ist, um ein Gespräch in
Schwung zu halten. Jakob weiß es. Er hat nicht gesehen,
wohin der Soldat mit dem Kopf gewiesen hat oder mit dem
Finger gezeigt, er sieht nur den grellen Scheinwerfer, hinter
20 ihm stehen viele Häuser, aber beim augenblicklichen Stand
der Dinge kommt nur eins in Frage.

»Das Revier«, sagt Jakob.

»Da gehst du jetzt rein. Du meldest dich beim Wachhabenden, sagst ihm, daß du nach acht auf der Straße gewesen
25 bist, und bittest um eine gerechte Bestrafung.«

Das Revier. Jakob weiß nicht sehr viel über dieses Haus, er
weiß, daß dort irgendeine deutsche Verwaltung sitzt, so
erzählt man sich jedenfalls. Was dort verwaltet wird, darüber ist nichts bekannt. Er weiß, daß dort früher das Fi-
30 nanzamt war, er weiß, daß es zwei Ausgänge gibt, einen
nach vorne und einen aus dem Ghetto hinaus. Und vor
allem weiß er, daß die Aussichten, als Jude lebend aus diesem Haus herauszukommen, sehr gering sind. Bis heute
kennt man keinen solchen Fall.

35 »Ist was?« fragt der Soldat.

»Nein.«

Jakob dreht sich um und geht. Der Scheinwerfer begleitet ihn, macht ihn auf die Unebenheiten im Pflaster aufmerksam, läßt seinen Schatten immer länger werden, läßt den Schatten die schwere Eisentür mit dem runden Guckfensterchen erreichen und an ihr wachsen, wenn Jakob noch viele Schritte zu gehen hat.

»Und worum bittest du?« fragt der Soldat.

Jakob bleibt stehen, dreht sich geduldig um und antwortet: »Um eine gerechte Bestrafung.«

Er schreit nicht, nur unbeherrschte oder respektlose Menschen schreien, er sagt es aber auch nicht zu leise, damit ihn der Mann in dem Licht deutlich über die Entfernung hin verstehen kann, er gibt sich die Mühe, genau den richtigen Ton zu treffen. Man muß merken, daß er weiß, worum er bitten soll, man muß ihn nur fragen.

Jakob öffnet die Tür, schließt sie schnell wieder zwischen sich und dem Scheinwerfer und sieht auf den langen leeren Gang. Er war schon oft hier, früher hat gleich links neben der Tür ein kleiner Tisch gestanden, dahinter hat ein kleiner Beamter gesessen, seit Jakob sich erinnern kann, immer Herr Kominek, und hat alle eintretenden Besucher gefragt: »Womit können wir dienen?« – »Ich möchte meine Steuern für das Halbjahr bezahlen, Herr Kominek«, hat Jakob gesagt. Aber Kominek hat so getan, als ob er Jakob noch nie gesehen hätte, obwohl er von Oktober bis Ende April fast jede Woche in Jakobs Diele gewesen ist und dort Kartoffelpuffer gegessen hat. »Berufssparte?« hat Kominek gefragt. »Kleine Gewerbetreibende«, hat Jakob gesagt. Den Ärger hat er sich nicht anmerken lassen, nicht den geringsten, Kominek hat jedesmal mindestens vier Puffer geschafft, und manchmal hat er noch seine Frau mitgebracht. »Name?« hat Kominek dann gefragt. »Heym, Jakob Heym.« – »Buchstabe F bis K Zimmer sechzehn.« Aber wenn Kominek zu ihm in die Diele gekommen ist, dann hat er nicht etwa Puffer bestellt, sondern er hat gesagt: »Wie immer.« Denn er war Stammgast.

An der Stelle, wo früher der Tisch gestanden hat, ist jetzt kein Tisch mehr, aber dort, wo seine Beine waren, sieht man immer noch die vier Abdrücke im Fußboden. Der Stuhl dagegen hat keine Spuren hinterlassen, wahrscheinlich weil er nicht so beharrlich auf ein und demselben Fleck gestanden hat wie der Tisch. Jakob lehnt sich gegen die Tür und ruht ein wenig aus, die letzten Minuten waren nicht leicht, aber was spielt das noch für eine Rolle. Der Geruch in diesem Haus ist anders geworden, irgendwie besser. Der Gestank von Salmiak, der früher auf dem Gang gelegen hat, ist verschwunden, dafür riecht es auf unerklärliche Weise ziviler. Ein wenig Leder ist in der Luft, Frauenschweiß, Kaffee und ein Hauch von Parfum. Ganz hinten auf dem Gang wird eine Tür geöffnet, eine Frau in grünem Kleid kommt heraus, geht ein paar Schritte, sie hat hübsche gerade Beine, sie geht in ein anderes Zimmer, zwei Türen stehen offen, man hört sie lachen, sie kommt wieder aus dem Zimmer, geht zurück, die Türen sind wieder zu, der Gang ist wieder leer. Jakob lehnt immer noch an der Eisentür. Er hat Lust hinauszugehen, vielleicht wartet der Scheinwerfer nicht mehr auf ihn, vielleicht hat er sich etwas Neues gesucht, vielleicht wartet er aber immer noch, es ist ziemlich unwahrscheinlich, daß er nicht mehr wartet, die letzte Frage des Soldaten hat so endgültig geklungen.

Jakob geht in den Flur. Auf den Zimmertüren steht nicht geschrieben, wer dahinter sitzt, nur Zahlen. Womöglich hat der Wachhabende das Zimmer, in dem früher der Amtsvorsteher gesessen hat, aber das ist nicht sicher, und es empfiehlt sich nicht, an die falsche Tür zu klopfen. Was willst du, eine Auskunft? Habt ihr das gehört, er will eine Auskunft! Wir haben das und das mit ihm vor, und da kommt er hier einfach rein und will eine Auskunft!

Hinter der Fünfzehn, einst Kleine Gewerbetreibende,

Buchstabe A bis E, hört Jakob Geräusche. Er legt sein Ohr an die Tür, versucht zu horchen, kann nichts verstehen, nur einzelne Worte, die keinen Sinn ergeben, aber auch wenn das Holz dünner wäre, hätte er nicht viel davon, denn kaum ein Mensch redet einen anderen mit »Herr Wach-habender« an. Plötzlich geht die Tür auf, ausgerechnet die Fünfzehn, zum Glück gehen die Türen hier nach außen auf, so daß der Mensch, der herauskommt, Jakob nicht sieht, weil er von der Tür verdeckt wird. Zum Glück auch läßt der Mensch die Tür offen, er wird gleich zurückkommen, wenn man glaubt, daß man unter sich ist, läßt man die Türen offen, und Jakob hat seine Deckung. Drinnen spielt ein Radio, es knackt etwas, sicher einer von ihren ⌈Volksempfängern⌉, aber keine Musik. Jakob hat, seit er in diesem Ghetto ist, keine Musik mehr gehört, wir alle nicht, nur wenn jemand gesungen hat. Ein Sprecher erzählt un-wichtige Dinge aus einem Hauptquartier, irgend jemand ist nach seinem Tode zum Oberstleutnant befördert wor-den, dann kommt etwas über die gesicherte Versorgung der Bevölkerung, und dann erreicht den Sprecher soeben diese Nachricht: »In einer erbitterten Abwehrschlacht gelang es unseren heldenhaft kämpfenden Truppen, den ⌈bolsche-wistischen⌉ Angriff zwanzig Kilometer vor ⌈Bezanika⌉ zum Stehen zu bringen. Im Verlaufe der Kampfhandlungen, die von unserer Seite . . .« Dann ist der Mensch wieder in sei-nem Zimmer, schließt die Tür, und das Holz ist zu dick. Jakob steht still, er hat viel gehört, Bezanika ist nicht sehr weit, kein Katzensprung, nein, aber nicht so unendlich weit. Er ist noch nie dort gewesen, hat gerade so etwas von Bezanika gehört, es ist eine ganz kleine Stadt, wenn man mit der Bahn über Mieloworno fährt, in Richtung Süd-osten, über die Kreisstadt Pry, wo sein Großvater mütterli-cherseits eine Apotheke geführt hat, dort umsteigt in Rich-tung Kostawka, dann muß man irgendwann nach Bezani-ka kommen. Es sind vielleicht gute vierhundert Kilometer, vielleicht sogar fünfhundert, hoffentlich nicht mehr, und da sind sie jetzt. Ein Toter hat eine gute Nachricht gehört und freut sich, er würde sich gerne länger freuen, aber die Lage, der Wachhabende wartet auf ihn, und Jakob muß weiter. Der nächste Schritt ist der schwerste, Jakob versucht ihn, doch vergeblich. Sein Ärmel sitzt fest im Türspalt, der Mensch, der in das Zimmer zurückgekommen ist, hat ihn gefesselt, ohne die geringste böse Absicht, er hat einfach die Tür hinter sich geschlossen, und Jakob war gefangen. Er zieht vorsichtig, die Tür ist gut gearbeitet, sie paßt genau, keine überflüssigen Fugen, da könnte kein Blatt Papier durchrutschen. Jakob würde gerne das Stück Ärmel abschneiden, sein Messer liegt zu Hause, mit den Zähnen, von denen die Hälfte fehlt, hat es keinen Sinn. Er kommt auf den Gedanken, die Jacke auszuziehen, einfach ausziehen und eingeklemmt lassen, wozu braucht er jetzt noch eine Jacke. Er hat schon einen Ärmel abgestreift, da fällt ihm ein, daß er die Jacke doch noch braucht. Nicht für den kommenden Winter, wenn man hier ist, schreckt die nächste Kälte nicht, die Jacke wird für den Wachhabenden benötigt, falls er noch gefunden wird, für den Wachhabenden, der sicher den Anblick eines Juden ohne Jacke ertragen kann, Jakobs Hemd ist sauber und kaum geflickt, aber schwerlich den Anblick eines Juden ohne Stern auf Brust und Rücken (Verordnung Nr. 1). Im letzten Sommer waren die Sterne auf dem Hemd, man kann die Nadelstiche noch sehen, jetzt aber nicht mehr, jetzt sind sie auf der Jacke. Und er zieht sie wieder an, bleibt bei seinen Sternen, zerrt fester, gewinnt einige Millimeter, aber nicht genug. Die Lage ist, wie man so sagt, verzweifelt, er zieht mit aller Kraft, etwas reißt ein, das macht Geräusche, und die Tür geht auf. Jakob fällt auf den Gang, über ihm steht ein Mann, in Zivil und sehr verwundert, dann lacht er und wird wieder ernst. Was Jakob hier zu suchen hat. Jakob steht auf und wählt seine Worte sehr genau. Er ist nicht etwa nach acht auf der Straße gewesen, nein, der Posten, der ihn angehalten hat, hätte gesagt, es sei schon acht, und er soll sich hier beim Herrn Wachhabenden melden.

»Und da horchst du hier?«

»Ich habe nicht gehorcht. Ich war noch nie hier und habe nicht gewußt, in welches Zimmer. Deswegen wollte ich gerade hier klopfen.«

Der Mann fragt nicht weiter, er deutet mit dem Kopf tiefer in den Gang hinein. Jakob geht vor ihm her, bis der Mann »hier« sagt, es ist nicht das Zimmer des Amtsvorstehers. Jakob sieht den Mann an, dann klopft er. Der Mann geht wieder weg, aber von drinnen antwortet niemand.

»Geh rein«, sagt der Mann und verschwindet in seiner Tür, als Jakob die Klinke heruntergedrückt hat.

Jakob im Zimmer des Wachhabenden, er bleibt an der Tür stehen, die Mütze hat er, seit er in den Scheinwerfer geraten ist, noch nicht wieder auf dem Kopf gehabt. Der Wachhabende ist ein recht junger Mann, höchstens dreißig. Er hat dunkelbraunes, fast schwarzes Haar, das sich leicht wellt. Sein Dienstgrad ist nicht zu erkennen, er ist im Hemd, seine Jacke hängt so an einem Wandhaken, daß man die Schulterstücke nicht sehen kann. Über der Jacke hängt das Lederkoppel* mit dem Revolver. Das ist irgendwie unlogisch, eigentlich müßte es unter der Jacke hängen, man macht wohl zuerst das Koppel ab und zieht dann die Jacke aus, aber es hängt darüber. Der Wachhabende liegt auf einem schwarzen Ledersofa und schläft. Jakob glaubt, daß er fest schläft, Jakob hat schon viele Leute schlafen hören, er hat ein Ohr dafür. Er schnarcht nicht, doch er atmet tief und gleichmäßig, Jakob muß sich auf irgendeine Weise bemerkbar machen. Gewöhnlich räuspert man sich, aber das geht nicht, das tut man, wenn man zu guten Bekannten kommt. Das heißt, wenn man zu einem ganz guten Bekannten kommt, da räuspert man sich auch nicht, da sagt man »wach auf, Salomon, ich bin da«, oder man tippt ihm einfach auf die Schulter. Aber Räuspern geht trotzdem nicht, es liegt ungefähr auf halbem Wege zwischen hier und Salomon. Jakob will gegen die Tür klopfen, läßt die Hand sinken, er sieht, daß auf dem Schreibtisch eine Uhr steht, mit dem Rücken zu ihm. Er muß wissen, wie spät es ist, es gibt nichts, was er jetzt so dringend wissen muß. Die Uhr zeigt sechs Minuten nach halb acht, Jakob geht leise wieder zu der Tür zurück. Sie haben sich einen Spaß mit dir gemacht, oder nicht sie, der eine bloß, hinter dem Scheinwerfer, der hat sich einen Spaß mit dir gemacht, und du fällst darauf rein.

Jakob hat noch vierundzwanzig Minuten Zeit, wenn man anständig ist, sogar vierundzwanzig Minuten plus die Zeit, die ihn der Aufenthalt hier schon kostet. Er klopft immer noch nicht, er erkennt das schwarze Ledersofa, auf dem der Wachhabende liegt. Er selbst hat darauf schon gesessen, es hat Rettig gehört, dem Makler Rettig, einem der reichsten Männer der Stadt. Jakob hat sich im Herbst Fünfunddreißig Geld bei ihm geborgt, zu zwanzig Prozent Zinsen, als der ganze Sommer so kühl war, daß man kaum Eis verkaufen konnte. Die Einkünfte waren klein wie noch nie, nicht mal sein berühmtes Himbeereis ist gegangen, Jakob mußte schon im August mit den Puffern anfangen, hatte aber so früh noch kein Geld für die Kartoffeln beisammen und mußte borgen. Und auf dem Sofa hat er im Februar Sechsunddreißig gesessen, als er Rettig das Geld zurückgebracht hat. Es hat bei ihm im Vorzimmer gestanden, Jakob hat eine Stunde darauf gesessen und auf Rettig gewartet. Er hat sich noch über die Verschwendung gewundert, aus dem Leder hätte man bequem zwei Mäntel oder drei Jacken machen können, und dann im Vorzimmer. Der Wachhabende dreht sich auf die Seite, seufzt, schmatzt ein paarmal, aus seiner Hosentasche rutscht ein Feuerzeug und fällt auf die Erde. Jakob muß ihn jetzt unbedingt wecken, es wäre nicht gut, wenn er aufwacht, ohne daß Jakob ihn weckt. Er klopft von innen gegen die Tür, der Wachhabende sagt »ja?«, bewegt sich, schläft weiter. Jakob klopft noch einmal, kann man denn so fest schlafen, er klopft stark, der Wachhabende sitzt, bevor er richtig aufgewacht ist, reibt sich die Augen und fragt: »Wie spät ist es denn?« »Es ist einige Minuten nach halb acht«, sagt Jakob.

Der Wachhabende ist fertig mit dem Augenreiben, sieht jetzt Jakob, reibt sich noch einmal die Augen, weiß nicht, ob er böse sein soll oder lachen, das hat es überhaupt noch nicht gegeben, das glaubt einem ja kein Mensch. Er steht auf, nimmt das Koppel vom Haken, die Jacke, zieht sie an, bindet das Koppel um. Er setzt sich hinter den Schreibtisch, lehnt sich zurück, streckt beide Arme weit von sich.

»Was verschafft mir die Ehre?«

Jakob will etwas antworten, er kann nicht, der Mund ist so trocken, so sieht also der Wachhabende aus.

»Nur keine falsche Scham«, sagt der Wachhabende, »immer raus mit der Sprache. Wo brennt's denn?«

Im Mund sammelt sich ein wenig Spucke, das ist ja ein freundlicher Mensch, vielleicht ist er neu hier, vielleicht kennt er gar nicht den schlechten Ruf des Hauses. Jakob kommt für einen Augenblick in den Sinn, daß er sich möglicherweise in der Entfernung verschätzt hat, womöglich ist Bezanika gar nicht so weit, am Ende keine dreihundert Kilometer, sondern noch ein hübsches Stück weniger, der Mann vor ihm hat vielleicht Angst, der kluge Mann baut vor, für alles muß es eine natürliche Erklärung geben. Aber dann fällt ihm ein, daß die Meldung den Sprecher soeben erst erreicht hat, der Wachhabende hat geschlafen, er kann sie noch nicht gehört haben. Andererseits mag es ganz nützlich sein, daß er sie nicht gehört hat, in der Nachricht war davon die Rede, daß die Russen aufgehalten worden sind, es ist ja gelungen, den Vormarsch zu stoppen, da ist euch was gelungen, vielleicht denkt er, daß sie immer noch näher kommen. Jakob rechnet zu lange, der Wachhabende wird ungeduldig, das ist nicht klug, auf seiner Stirn bilden sich Falten.

»Redest du nicht mit Deutschen?«

Selbstverständlich redet Jakob mit Deutschen, wie wird er nicht mit Deutschen reden, dieser Eindruck soll um Himmels willen nicht aufkommen, wir sind doch alle vernünftige Menschen, da kann man doch miteinander reden.

»Der Herr Posten auf dem Turm in der Kurländischen hat gesagt, ich soll mich bei Ihnen melden. Er hat gesagt, daß ich nach acht auf der Straße gewesen bin.«

Der Wachhabende sieht auf die Uhr, die vor ihm auf dem Tisch steht, er schiebt den Ärmel zurück und sieht auch auf seine Armbanduhr.

»Und sonst hat er nichts gesagt?«

»Er hat noch gesagt, ich soll um eine gerechte Bestrafung bitten.«

Die Antwort kann nicht schaden, denkt Jakob, sie klingt gehorsam, hinreißend ehrlich, jemand, der in seiner Offenheit so weit geht, könnte Anspruch auf gerechte Behandlung haben, vor allem wenn das Vergehen, dessen man ihn beschuldigt, gar nicht begangen worden ist, jede Uhr kann das bezeugen.

»Wie heißt du?«

»Heym, Jakob Heym.«

Der Wachhabende nimmt Papier und Bleistift, schreibt etwas auf, nicht nur den Namen, er schreibt mehr, er sieht wieder auf die Uhr, es wird immer später, schreibt weiter, fast eine halbe Seite, dann legt er das Papier weg. Er öffnet ein Kästchen, nimmt eine Zigarette heraus und sucht in seiner Hosentasche. Jakob geht zu dem schwarzen Ledersofa, beugt sich, hebt das Feuerzeug von der Erde, legt es auf den Tisch vor den Wachhabenden.

»Danke.«

Jakob stellt sich wieder vor die Tür, er hat gesehen, daß die Uhr auf dem Tisch schon bei drei Viertel acht vorbei ist, bei dieser Gelegenheit. Der Wachhabende zündet die Zigarette an, raucht einen Zug, seine Finger spielen mit dem Feuerzeug, er macht es ein paarmal an und läßt es wieder zuschnappen, die Flamme ist schon ganz klein.

»Wohnst du weit von hier?« fragt er.

»Keine zehn Minuten.«

»Geh nach Hause.«

Soll man das glauben? Zu wie vielen hat er das schon gesagt, und sie sind nicht hier herausgekommen? Was wird er mit seinem Revolver machen, wenn Jakob sich umdreht? Was ist draußen auf dem Korridor? Wie wird sich der Posten verhalten, wenn er sieht, daß Jakob seiner gerechten Bestrafung entgangen ist? Warum soll Jakob Heym, ausgerechnet dieser kleine, unwichtige, zitternde Jakob Heym mit den Tränen in den Augen der erste Jude sein, der erzählen kann, wie es im Revier aussieht? Es sind, wie man sagt, sechs neue Schöpfungstage nötig, das Durcheinander ist noch größer geworden, als es damals schon war.

»Na los, hau schon ab«, sagt der Wachhabende.

Der Korridor ist wieder leer, man kann sich fast schon darauf verlassen, rechne man ihn zu den kleineren Gefahrenquellen. Aber dann die Tür nach draußen. Hat sie eigentlich Geräusche gemacht vorhin beim Öffnen, ist sie lautlos aufgegangen, oder hat sie gequietscht oder geknarrt oder geschleift? Geh und achte auf alles, gar nicht möglich, wenn man wenigstens vorher wüßte, daß es später von einiger Bedeutung sein wird. Aber was heißt Bedeutung, nüchtern gedacht, ist es vollkommen unwichtig, ob sie sich lautlos bewegen läßt oder nicht. Quietscht sie nicht, wird sie geöffnet, und quietscht sie, soll Jakob dann vielleicht hierbleiben, zehn Minuten vor acht?

Die Klinke wird behutsam heruntergedrückt. Schade, daß es für behutsam kein anderes Wort gibt, höchstens sehr behutsam oder unendlich behutsam, alles genausoweit entfernt vom Gemeinten. Man kann vielleicht sagen, öffne die

Tür leise, wenn er dich hört, könnte es das Leben kosten, das plötzlich sinnvoll gewordene. So öffnet er. Und dann steht Jakob draußen, wie kalt es auf einmal ist, der weite Platz liegt vor dir, eine Lust, ihn zu betreten. Dem Schein-
5 werfer ist das Warten zu lang geworden, er vergnügt sich irgendwo, steht still, ruht sich am Ende aus für neue Abenteuer. Immer schön dicht an der Wand bleiben, Jakob, so ist es gut, wenn du an der Hausecke angelangt bist, dann die Zähne zusammen und die zwanzig Meter quer
10 über den Platz. Wenn er dann etwas merkt, dann muß er erst schwenken und suchen, aber dann ist schon die Ecke da, lumpige zwanzig Meter.
Es sind ziemlich genau zwanzig Meter, ich habe die Strecke nachgemessen, genau neunzehn Meter und siebenundsech-
15 zig Zentimeter. Ich bin dort gewesen, das Haus steht noch, vollkommen unbeschädigt, nur den Postenturm gibt es nicht mehr. Aber ich habe mir exakt die Stelle zeigen las-sen, mitten auf dem Damm der Kurländischen, dann bin ich den Weg abgeschritten, ich habe einen Meter gut im
20 Gefühl. Doch es war mir nicht genau genug, ich habe mir ein Bandmaß* gekauft, dann bin ich wieder hingegangen und habe nachgemessen. Die Kinder haben zugesehen und mich für einen wichtigen Mann gehalten, und die Leute haben verwundert geschaut und mich für einen Verrückten
25 gehalten. Sogar ein Polizist ist erschienen, hat mich nach meinem Ausweis gefragt und was ich hier zu messen hätte, jedenfalls sind es genau neunzehn Meter und sieben-undsechzig Zentimeter, das steht fest.
Das Haus ist zu Ende, Jakob setzt zum Sprung an, wenige
30 Minuten vor acht sind nahezu zwanzig Meter zu gewinnen, die Sache ist so gut wie sicher, und doch. Eine Maus müßte man sein? Eine Maus ist so unscheinbar, klein und leise? Und du? Laut Verordnung bist du eine Laus, eine Wanze, wir alle sind Wanzen, durch eine Laune unseres Schöpfers
35 lächerlich groß ausgefallene Wanzen, und wann hat sich je

> Dünnes Band
> mit Längen-
> maßeinteilung

eine Wanze gewünscht, mit einer Maus zu tauschen. Jakob entscheidet sich, nicht zu rennen, er schleicht lieber, man hat die Geräusche so besser im Griff. Wenn Bewegung in den Scheinwerfer kommt, kann man immer noch beschleunigen. Auf halbem Wege hört er die Stimme des Postens, keine Angst, nicht an ihn gerichtet, der Posten sagt »jawohl!« Dann sagt er noch einmal »jawohl« und noch einmal, die einzige Erklärung ist, daß er telefoniert. Vielleicht hat ihn ein anderer Posten angerufen, der sich auch langweilt. Aber zu dem sagt er nicht andauernd »jawohl«, das ist ausgeschlossen. Also der Anführer der Postensteher, der irgendwelche Anweisungen gibt? Eigentlich ganz unwichtig, aber nehmen wir den günstigsten Fall, der Wachhabende ist an der Leitung. Was fällt Ihnen ein, sind Sie verrückt geworden, armen unschuldigen Juden einen solchen Schreck einzujagen! (»Jawohl«) Haben Sie denn nicht gesehen, daß der Mann ganz verstört war, seine Beine haben vor Angst gezittert! Daß mir das nicht noch mal passiert, verstanden? (»Jawohl«) Beim vierten Jawohl ist die Ecke da, soll er weiterreden, bis er schwarz wird, dann ist Jakob, keine zehn Minuten, zu Hause.

Jakob teilt sich das Zimmer mit Josef Piwowa und Nathan Rosenblatt. Sie haben sich hier erst kennengelernt, in diesem Zimmer, keiner kann keinen besonders gut leiden, die Enge und der Hunger machen Unfrieden, doch um der Gerechtigkeit willen muß man sagen, daß schon die erste Begrüßung sehr förmlich gewesen ist.
Rosenblatt ist ein gutes Jahr vor Jakobs glücklicher Heimkehr gestorben, er hat eine Katze aufgefressen, die unvorsichtig genug war, die Warntafeln am Draht zu mißachten, und eines Tages lag sie verhungert auf dem Hof. Rosenblatt hat sie als erster gefunden, wie gesagt aufgefressen, und daran ist er gestorben. Piwowa ist erst seit drei Monaten tot. Sein Dahinscheiden ist von gewissen mysteriösen Um-

ständen begleitet gewesen, feststeht nur, daß er von einem Aufseher in der Schuhfabrik, in der er gearbeitet hat, erschossen worden ist. Er ist frech geworden, er hat Worte gesagt, die man sogar in normalen Zeiten einem Aufseher besser verschweigt, und folgerichtig hat ihn der Mann in seinem Zorn erschossen. Die eine Theorie baut darauf, daß Piwowa sein Temperament nicht zu zügeln wußte, er war schon immer unbeherrscht, und so mußte es einmal enden. Die anderen dagegen behaupten, mit Temperament und Emotionen wäre hier nichts geklärt, sie sagen, es handelte sich um einen ganz gewöhnlichen, wenn auch sehr geschickt in die Wege geleiteten Selbstmord. So oder so, Piwowa ist seit drei Monaten tot und Rosenblatt seit einem guten Jahr, sein Bett ist letzten Winter durch den Schornstein gegangen*, Piwowas Bett wartet noch Scheit für Scheit in Jakobs Keller auf kommende kalte Zeiten. Neuer Nachschub an Zimmergenossen ist bisher nicht gekommen, die Vorräte sind aufgebraucht, verflucht oder gesegnet seien alle Katzen und Aufseher, jedenfalls mochten sie sich nicht. Rosenblatt schweigt wenigstens, wenn er zu Hause ist, er sitzt mit geschlossenen Augen auf dem Bett und betet, er geht als letzter schlafen und steht als erster auf, weil seine Debatten mit Gott jede Menge Zeit verschlingen. Diese Gewohnheit hat er sogar nach seinem Tod nicht aufgegeben, doch er schweigt wenigstens, sitzt und schweigt mit geschlossenen Augen und riskiert höchstens mal einen Blick.

Piwowa ist streitsüchtig. Er ist als letzter einquartiert worden und tut so, als wäre er der erste hier gewesen. Richtet alles neu ein, muß mit den Füßen zum Fenster liegen, man muß vor ihm die Brotration verstecken. Sagen wir es ruhig, Piwowa hat vorher im Wald gearbeitet, als Wilddieb. Schon sein Vater war ein Wilddieb, er selbst war ein noch besserer, Kinder hat er keine.

Also, Jakob kommt nach Hause. Der Tag war aufreibend,

* verheizt worden

viel erlebt, durchgemacht, ausgestanden, gezittert, gehört. Freut euch, Brüder, werdet verrückt vor Freude, die Russen sind zwanzig Kilometer vor Bezanika, wenn euch das was sagt! Mach die Augen auf, Nathan Rosenblatt, hör auf zu streiten, Piwowa, die Russen sind unterwegs, begreift ihr nicht, zwanzig Kilometer vor Bezanika! Doch Rosenblatt betet weiter, Piwowa liegt weiter mit den Füßen zum Fenster, mögen sie liegen und streiten und beten und tot sein, Jakob ist zu Hause, und die Russen sollen sich beeilen.

Wir wollen jetzt ein bißchen schwätzen.
Wir wollen ein bißchen schwätzen, wie es sich für eine ordentliche Geschichte gehört, laßt mir die kleine Freude, ohne ein Schwätzchen ist alles so elend traurig. Ein paar Worte nur über fragwürdige Erinnerungen, ein paar Worte über das flinke Leben, wir wollen einen schnellen Kuchen backen mit bescheidenen Zutaten, nur ein Stückchen davon essen und den Teller wieder zur Seite schieben, bevor uns der Appetit auf anderes genommen ist.
Ich lebe, das ist ganz unzweifelhaft. Ich lebe, und kein Mensch kann mich zwingen, zu trinken und mich an Bäume zu erinnern und an Jakob und an alles, was damit zu tun hat. Im Gegenteil, man bietet mir schon etwas, ich soll mir ein paar schöne Tage machen, gelebt wird nur einmal, mein Lieber. Wo ich hinsehe Abwechslung, neue heitere Sorgen mit ein wenig Unglück dazwischen, Frauen, das ist noch nicht vorbei, aufgeforstete Wälder, gepflegte Gräber; die zu jedem Anlaß solche Mengen an frischen Blumen bekommen, daß es fast schon nach Verschwendung aussieht. Ich will nicht unbescheiden sein. Piwowa, den ich niemals gesehen habe, war unbescheiden, man mußte vor ihm den Wildbestand und die Brotration verstecken, aber ich bin nicht Piwowa.
Chana, meine streitsüchtige Frau, hat einmal zu mir gesagt »Du irrst dich«, so hat fast jeder Satz an mich angefangen,

»ein Mensch ist dann bescheiden, wenn er zufrieden ist mit dem, worauf er ein Recht hat. Nicht mit weniger.«

So gesehen, muß ich sehr zufrieden sein, manchmal fühle ich mich sogar beschenkt, die Leute sind freundlich, zuvorkommend, geben sich alle Mühe, geduldig auszusehen, ich kann mich nicht beklagen.

Manchmal sage ich, das war die ganze Geschichte, ich danke dir, daß du zugehört hast, du brauchst mir nichts zu beweisen.

»Will ich auch gar nicht. Aber du mußt wissen, daß ich neunundzwanzig ...«

»Du brauchst mir überhaupt nichts zu beweisen!« sage ich noch einmal.

»Ja doch. Aber als der Krieg zu Ende war, war ich gerade erst ...«

»Leck mich am Arsch«, sage ich, stehe auf und gehe. Nach fünf Schritten werde ich wütend über mich selber, weil ich so grob geworden bin, so unnötig ausfallend, und er hat sich nichts dabei gedacht. Aber ich drehe mich nicht um und gehe weiter. Ich bezahle beim Kellner meine Rechnung, im Hinausgehen sehe ich über die Schulter zurück zum Tisch und sehe, daß er verständnislos dasitzt, was ist in mich gefahren, und ich schließe die Tür hinter mir und will es ihm nicht erklären.

Oder ich liege mit Elvira im Bett. Damit das geklärt ist, ich bin sechsundvierzig, einundzwanzig geboren. Ich liege mit Elvira im Bett, wir sind in einer Fabrik beschäftigt, sie hat die weißeste Haut, die ich je gesehen habe. Ich glaube, wir werden einmal heiraten. Wir atmen noch schwer, wir haben noch nie darüber gesprochen, da fragt sie mich plötzlich: »Sag mal, stimmt es eigentlich, daß du ...«

Weiß der Teufel, wer es ihr erzählt hat, ich höre das Mitleid in ihrer Stimme und werde verrückt. Ich gehe ins Bad, setze mich in die Wanne und fange an zu singen, damit ich nicht etwas tue, wovon ich genau weiß, daß es mir nach fünf

Schritten leid tut. Als ich nach einer halben Stunde wieder-
komme, fragt sie mich verwundert, was ich denn auf einmal hätte, und ich sage »nichts« und gebe ihr einen Kuß
und mache das Licht aus und versuche einzuschlafen.

Die ganze Stadt liegt im Grünen, die Umgebung ist einzig-
artig, die Parks sind gepflegt, jeder Baum lädt mich ein zu
Erinnerungen, und ich mache ausgiebig Gebrauch davon.
Aber wenn er mir in die Augen sieht, der Baum, um nach-
zuschauen, ob sie sich verklären, dann muß ich ihn enttäuschen, denn er ist es nicht.

Jakob sagt es Mischa.

Er ist nicht mit der Absicht auf den Güterbahnhof gekommen, es irgend jemand zu erzählen, ebensowenig hat er sich
vorgenommen, es keinem zu erzählen, er ist ohne Absichten auf den Bahnhof gekommen. Er wußte, daß es schwer
sein würde, die Nachricht für sich zu behalten, kaum zu
machen, immerhin handelt es sich um das Beste vom Besten, gute Nachrichten sind dazu da, weitergegeben zu
werden. Andererseits weiß man, wie das ist, der Informant
wird für alle Folgen verantwortlich gemacht, die Mitteilung wird mit der Zeit zu einem Versprechen, du kannst
nichts dagegen tun. Am entgegengesetzten Ende der Stadt
wird es heißen, die ersten Russen seien schon gesichtet
worden, drei junge und einer, der wie ein ⌈Tatare⌉ ausgesehen hat, die alten Weiber werden darauf schwören und die
besorgten Väter. Man wird sagen, man weiß es von dem,
und der weiß es von dem, und irgendeiner in der Reihe
weiß, daß es von Jakob kommt. Von Jakob Heym? Man
wird Erkundigungen über ihn einholen, man muß alles
ganz akkurat nachprüfen, was mit dieser wichtigsten aller
Fragen in Zusammenhang steht, ein ehrbarer zuverlässiger
Mensch, macht einen soliden Eindruck, früher soll er hier
irgendwo eine bescheidene Restauration* besessen haben.
Es sieht aus, als dürfte man sich freuen.

28   Jakob der Lügner

Dann werden Tage vergehen, wenn Gott es für nötig hält
Wochen, dreihundert Kilometer oder fünfhundert sind ein
weites Stück Land, und die Blicke, die Jakob begegnen,
werden nicht mehr so freundlich sein, nicht mehr so. Auf
5 der anderen Straßenseite wird getuschelt werden, die alten
Weiber werden sich versündigen und ihm Schlechtes wünschen, das Eis, das er verkauft hat, wird allmählich schon
immer das schlechteste in der ganzen Stadt gewesen sein,
sogar sein berühmtes Himbeereis, und seine Kartoffelpuf-
10 fer noch nie ganz ⌐koscher⌐, das kann ihm passieren.
Jakob schleppt mit Mischa Kisten zu einem Waggon.
Oder nehmen wir eine andere Möglichkeit. Heym will gehört haben, daß die Russen auf dem Vormarsch sind, schon
vierhundert Kilometer vor der Stadt. Wo will er das denn
15 gehört haben? Das ist es ja eben, auf dem Revier. Auf dem
Revier?! Ein entsetzter Blick kann folgen, ein langsames
Kopfnicken kann antworten, ein Nicken, das den Verdacht
bestätigt. Das hätte man ihm nicht zugetraut, gerade Heym
nicht, niemals, aber so kann man sich in einem Menschen
20 täuschen. Und das Ghetto kann um einen vermeintlichen
Spitzel* reicher sein.

[*] Polizeiagent, Denunziant

Jedenfalls ist Jakob ohne feste Absichten auf den Bahnhof
gekommen. Schön wäre, wenn sie es schon ohne ihn wüß-
ten, wenn sie ihn mit der Neuigkeit empfangen hätten, das
25 wäre das beste. Er hätte sich mit ihnen gefreut, er hätte
nicht verraten, daß es drei Leute gibt, die schon unterrichtet sind, Rosenblatt, er und Piwowa, er hätte den Mund
gehalten, sich mit ihnen gefreut und höchstens nach Stunden gefragt, von wem die Nachricht denn stammt. Aber
30 gleich als Jakob auf das Gelände gekommen ist, hat er gesehen, daß sie es noch nicht wissen, schon auf ihren Rücken
hat er es gesehen. Der Glücksfall ist nicht eingetreten, man
konnte auch nicht mit ihm rechnen, zwei Glücksfälle in so
kurzer Zeit erlebt höchstens Rockefeller am Sonntag.
35 Sie tragen Kisten zu einem Waggon. Jakob ist beim Tragen

kein sonderlich begehrter Kompagnon*, niemand reißt sich um ihn, beim Pufferbacken wachsen die Riesen nur mühsam, und die Kisten sind schwer. Der Bahnhof ist voll von solchen Leuten, um die sich keiner reißt, die Riesen muß man mit der Lupe suchen. Um die Riesen reißt man sich, aber die lassen nicht um sich handeln, die tragen lieber zusammen. Kommt mir nicht und redet von Kameradschaft und ähnlichem Zeug, wer so redet, versteht nichts von hier, aber auch gar nichts. Ich selbst gehöre nicht zu den Riesen, ich habe sie verwünscht und gehaßt wie die Pest, wenn ich mit einem Burschen wie mir schleppen mußte. Aber wenn ich einer von ihnen gewesen wäre, hätte ich es genauso gemacht, ganz genauso und nicht anders.

Jakob und Mischa tragen eine Kiste zum Waggon.

Mischa ist ein langer Junge von fünfundzwanzig, mit hellblauen Augen, was bei uns eine große Seltenheit ist. Er hat einmal bei Hakoah* geboxt, drei Kämpfe bloß, von denen er zwei verloren hat, und einmal ist der Gegner wegen Tiefschlag disqualifiziert worden. Er war Mittelgewichtler, das heißt, eigentlich war er schon mehr im Halbschwergewicht, doch sein Trainer hat ihm geraten, die paar Pfund herunterzutrainieren, weil die Konkurrenz im Halbschwergewicht zu groß war. Mischa hat den Rat befolgt, aber es hat nicht viel geholfen, auch im Mittelgewicht ist er nicht groß herausgekommen, wie seine drei Kämpfe beweisen. Er hat schon mit dem Gedanken gespielt, sich ein Schwergewicht anzufressen, vielleicht wäre es dort besser gegangen. In der Gegend von hundertsiebzig Pfund ist ihm das Ghetto dazwischengekommen, und seitdem geht es mit seinem Gewicht langsam abwärts. Trotzdem ist er noch einigermaßen bei Kräften, er hätte eigentlich einen besseren Partner als Jakob verdient. Viele sind der Ansicht, daß ihn seine Gutmütigkeit noch einmal den Kopf kosten wird, aber keiner sagt es ihm, vielleicht kommt er selbst einmal in den Genuß.

»Glotz nicht in der Gegend rum und achte auf den Weg. Wir werden beide noch fallen«, sagt Jakob. Er ist wütend, weil die Kiste so schwer ist, trotz Mischa, und vor allem ärgert er sich, seit er weiß, daß Mischa der erste sein wird, dem er es erzählt, er weiß nur noch nicht, mit welchen Worten er anfangen soll.

Sie stellen die Kiste auf dem Waggonrand ab, Mischa ist wirklich nicht bei der Sache, sie gehen zurück zum Stapel, um eine neue zu holen. Jakob versucht, Mischas Blick zu folgen, Mischa macht ihn verrückt mit seinem Wegsehen, der Bahnhof sieht aus wie immer.

»Der Wagen da«, sagt Mischa.

»Welcher Wagen?«

»Auf dem vorletzten Gleis. Der ohne Dach.« Mischa flüstert, obwohl der nächste Posten mindestens zwanzig Meter entfernt steht und nicht einmal zu ihnen sieht.

»Und?« fragt Jakob.

»In dem Wagen sind Kartoffeln.«

Jakob meckert die ganze nächste Kiste über, dann sind eben Kartoffeln drin, was ist daran schon Besonderes, Kartoffeln sind erst dann interessant, wenn man sie hat, wenn man sie kochen oder roh essen oder Puffer aus ihnen machen kann, aber nicht, wenn sie in irgendeinem Waggon liegen, auf einem Bahnhof wie diesem, Kartoffeln in dem Waggon dort sind die langweiligste Sache von der Welt. Und wenn dort eingelegte Heringe wären oder gebratene Gänse oder Millionen Töpfe voll ⌐Tscholent⌐, Jakob redet und redet, Mischa soll auf andere Gedanken kommen und in Gespräche verwickelt werden.

Bloß er hört nicht hin, die Posten müssen bald abgelöst werden, sie machen immer eine kleine Zeremonie daraus, mit Strammstehen und Meldung und Gewehr über die Schulter, und das ist der einzige Moment, in dem man es versuchen könnte. Die Einwände Jakobs sind nicht ernst zu nehmen, natürlich ist es ein Risiko, schön, sogar ein großes

Risiko, und was weiter? Kein Mensch hat behauptet, daß die Kartoffeln schon so gut wie gegessen sind, jede Chance ist ein Risiko, muß man das einem Geschäftsmann erklären, wenn kein Risiko dabei wäre, dann wäre das auch keine Chance. Dann wäre das eine sichere Sache, sichere Sachen sind selten im Leben, Risiko und Aussicht auf Erfolg sind die zwei Seiten einer Medaille.

Jakob weiß, daß nicht mehr viel Zeit bleibt, der Junge ist in einem Zustand, in dem man nicht normal mit ihm reden kann. Und dann sieht er die Ablösung in einer Kolonne anmarschieren, und jetzt muß er es ihm sagen.

»Weißt du, wo Bezanika liegt?«

»Gleich«, sagt Mischa aufgeregt.

»Ob du weißt, wo Bezanika liegt?«

»Nein«, sagt Mischa, und seine Augen begleiten die Kolonne auf ihren letzten Metern.

»Bezanika ist ungefähr vierhundert Kilometer von uns . . .«

»Aha.«

»Die Russen sind zwanzig Kilometer vor Bezanika!«

Mischa gelingt es für einen Augenblick, seine Blicke von den marschierenden Soldaten frei zu machen, seine seltenen Augen lächeln Jakob an, im Grunde ist das ja sehr nett von Heym, und er sagt: »Das ist nett von dir, Jakob.«

Jakob trifft fast der Schlag. Da überwindet man sich, mißachtet alle Regeln der Vorsicht und alle Vorbehalte, die ja nicht aus der Luft gegriffen sind, da macht man einen blauäugigen jungen Idioten zum Auserwählten, und was tut die Rotznase? Sie glaubt einem nicht. Und du kannst nicht einfach weggehen, du kannst ihn nicht stehenlassen in seiner Blödheit, ihm sagen, daß ihn der Teufel holen soll, und einfach weggehen. Du mußt bei ihm bleiben, deine Wut für eine spätere Gelegenheit aufheben, nicht einmal die Gelegenheit kannst du dir ausmalen. Du mußt um seinen guten Willen betteln, als ob dein eigenes Leben davon

abhinge, du mußt deine Glaubwürdigkeit nachweisen, obwohl du das gar nicht nötig hättest, nur er hat es nötig. Und
alles das mußt du furchtbar schnell tun, noch ehe sie voreinander stehen, sich die Gewehre auf die Schultern knal-
len und sich mitteilen, daß es keine besonderen Vorkomm-
nisse gegeben hat.

»Freust du dich nicht?« fragt Jakob.

Mischa lächelt ihn freundlich an, »schon gut«, sagt er mit
einer Stimme, die ein wenig traurig klingt, der man aber
auch eine gewisse Anerkennung für Jakobs reizende Mühe
anhören soll. Und dann hat er wieder Wichtigeres zu beobachten. Die Kolonne kommt näher, an dem kleinen Steinhaus, in dem die Eisenbahner und die Posten ihren Aufent-
haltsraum haben, sind sie schon vorbei.

Mischa zittert vor Aufregung, und Jakob versucht, seine
Worte schneller laufen zu lassen, als es die Soldaten können. Er erzählt seine Geschichte in einer Kurzfassung, warum hat er nicht eher damit angefangen, er erzählt von dem
Mann mit dem Scheinwerfer, von dem Korridor in dem
Revier, von der Tür, die nach außen aufgegangen ist und
ihn versteckt hat. Die Nachricht, die aus dem Zimmer
drang, wortwörtlich die Formulierung, die er sich in der
Nacht tausendmal wiederholt hat, nichts hinzugefügt und
nichts verschwiegen. Die kurze Gefangenschaft im Türspalt läßt er weg, nur das Wesentliche, auch nichts von dem
Mann, der ihn zum Wachhabenden gebracht hat, ein Sta-
tist in der Geschichte, nur vom Wachhabenden selbst, der
ein Mensch gewesen sein muß und darum ein schwaches
Glied in der ansonsten logischen Beweiskette. Er hat auf
die Uhr gesehen wie ein Mensch, und dann hat er zu Jakob
gesagt, er soll nach Hause gehen, wie ein Mensch.

Und dann sieht Jakob mit Entsetzen, daß Mischa durch
nichts mehr aufzuhalten ist, nur noch durch Gewißheit,
und die Soldaten stehen schon voreinander, man muß den
Feind schlagen, wenn er am wenigsten damit rechnet,

wenn seine Aufmerksamkeit also am geringsten ist. Mischa hat sich geduckt und ist auf dem Sprung, weit sind Gewißheit und Russen, das letzte, was Jakob tun kann, ist nach ihm greifen und ihn am Bein festhalten. Sie fallen beide hin, Jakob sieht den Haß in Mischas Augen, er hat ihm eine Chance verdorben, zumindest versucht er es. Mischa macht sich los, nichts mehr kann ihn aufhalten, er stößt Jakob weg.

»Ich habe ein Radio!« sagt Jakob.

Nicht die Posten haben geschossen. Die haben bis jetzt nichts gesehen, die sind beschäftigt mit ihrem Abwechselspiel, Jakob hat geschossen und ins Herz getroffen. Ein Glücksschuß, von der Hüfte und ohne richtig gezielt zu haben, und doch hat er getroffen. Mischa bleibt reglos sitzen, die Russen sind vierhundert Kilometer von uns entfernt, bei irgendeinem Bezanika, und Jakob hat ein Radio. Sie sitzen auf der Erde und sehen sich an, es hat nie einen Waggon gegeben mit Kartoffeln, keiner hat je auf die Ablösung gewartet, ganz plötzlich ist morgen auch noch ein Tag. Es stimmt zwar immer noch, daß Aussicht auf Erfolg und Risiko zwei Seiten ein und derselben Medaille sind, aber man muß verrückt sein, wenn man übersieht, daß zwischen beiden irgendwie ein gesundes Verhältnis herrschen muß.

Sie sitzen noch ein bißchen, Mischa lächelt glücklich mit seinen Augen wie ein Goj*, so hat ihn Jakob zugerichtet. Jakob steht auf, man kann nicht ewig sitzen, er ist noch wütender als vorhin. Er ist gezwungen worden, verantwortungslose Behauptungen in die Welt zu setzen, der ahnungslose Idiot da hat ihn gezwungen mit seinem lächerlichen Mißtrauen, bloß weil er plötzlich Appetit auf Kartoffeln bekommen hat. Er wird ihm schon noch die Wahrheit sagen, nicht sofort, aber heute noch, egal ob morgen dieser Waggon noch da steht oder nicht. In einer Stunde schon, höchstens in einer Stunde, vielleicht sogar früher wird er ihm die Wahrheit sagen, soll er sich noch ein paar Minuten unbekümmert freuen, verdient hat er es nicht. Bald kann er nicht mehr ohne die Freude leben, dann sagt ihm Jakob die Wahrheit, und dann muß er die Geschichte auf dem Revier glauben, schließlich ändert das nichts an den Russen, er muß sie glauben.

»Nimm dich zusammen und steh auf. Und vor allem halt das Maul. Du weißt, was das heißt, ein Radio im Ghetto. Kein Mensch darf davon erfahren.«

Mischa ist es so egal, was das heißt, ein Radio im Ghetto. Sollen es tausend Paragraphen bei Todesstrafe verbieten, sollen sie, ist das jetzt noch wichtig, wo plötzlich morgen auch noch ein Tag ist?

»Ach Jakob . . .«

Der Anführer der Wachmannschaft sieht einen langen Burschen nutzlos auf der Erde sitzen, sitzt da, ist nicht einmal zusammengebrochen, stützt sich auf die Hände und starrt in den Himmel. Er zieht sich seinen Rock straff und macht sich auf den Weg, der kleine Kerl.

»Paß auf!« ruft Jakob und deutet mit dem Kopf in die Richtung, aus der die Gefahr würdevoll daherschreitet.

Mischa kommt wieder zu sich, gelangt unter Menschen, er erhebt sich, weiß, was gleich geschehen wird, aber er kann nichts dagegen tun, daß sein Gesicht sich weiter freut. Er macht sich an den Kisten zu schaffen, will eine auf die Kante stellen, da gibt ihm der Anführer eine von der Seite. Mischa dreht sich zu ihm um, der Anführer ist einen Kopf kleiner als er, und es bereitet ihm einige Mühe, bis zu Mischas Gesicht hinaufzuschlagen. Es sieht beinahe ein bißchen komisch aus, nichts für die deutsche ⌈Wochenschau⌉, eher wie ein Spaß aus der Stummfilmzeit, wenn der kleine Polizist Charlie* versuchte, den Riesen mit den buschigen Augenbrauen zur Strecke zu bringen, und er müht sich ab, und der Große merkt es gar nicht. Alle wissen, daß Mischa ihn hochheben könnte und in Stücke reißen. Wenn er nur

Ch. Chaplin (1889–1977)

wollte. Der Anführer schlägt noch ein wenig, die Hände müssen ihm schon weh tun, er schreit irgendwelches Zeug, das keinen interessiert und gibt erst Ruhe, als ein dünner Blutstrom aus Mischas Mundwinkel rinnt. Dann zieht er seinen Rock wieder gerade, merkt sehr spät, daß er in der Aufregung seine Mütze verloren hat, hebt sie auf, setzt sie auf den Kopf, geht zurück zu seinen Leuten und läßt die abgelöste Wache hinter sich herlaufen.

Mischa wischt sich mit dem Ärmel das Blut vom Mund, zwinkert Jakob zu und greift nach einer Kiste. »Los, komm«, sagt er.

Sie heben die Kiste auf, beim Tragen wird Jakobs Ärger wieder lauter und reißt ihm fast die Zähne auseinander. Er ist nicht abergläubisch, und eine höhere Gewalt gibt es nicht, aber auf unerklärliche Weise, vielleicht nur, weil es ein wenig komisch war, hat Mischa die Schläge verdient, meint er.

»Ach Jakob ...«

Wir wissen, was geschehen wird. Wir haben unsere bescheidenen Erfahrungen darin, wie Geschichten mitunter abzulaufen pflegen, wir haben einige Phantasie, und darum wissen wir, was geschehen wird. Mischa wird den Mund nicht halten können. Verbot hin und Verbot her, es wird kein böser Wille sein, der ihn das Schweigen brechen oder gar nicht erst versuchen läßt, keine Gehässigkeit wird es sein, um Jakob in Schwierigkeiten zu bringen, die Freude wird es sein, nichts anderes. Hört auf, euch das Leben zu nehmen, bald werdet ihr es wieder brauchen. Hört auf, keine Hoffnung zu haben, die Tage unseres Jammers sind gezählt. Strengt euch an zu überleben, ihr habt doch Übung darin, ihr kennt doch all die tausend Tricks, mit denen man den Tod ins Leere schlagen läßt, ihr habt es doch bis heute geschafft. Überlebt bloß noch die letzten vierhundert Kilometer, dann hört das Überleben auf, dann beginnt das Leben.

Das sind die Gründe, Mischa wird den Mund nicht halten können, man wird ihn nach den Quellen fragen, er wird sie preisgeben, was ist schon dabei. Bald werden sogar die Kinder im Ghetto das große Geheimnis kennen, natürlich unter dem Siegel der strengsten Verschwiegenheit, sie werden es erfahren, wenn ihre Eltern in der Freude das Flüstern vergessen. Die Leute werden zu Jakob kommen, zu dem Radiobesitzer Heym, und wissen wollen, was es an Neuigkeiten gibt, sie werden mit Augen kommen, wie Jakob sie noch nie vorher gesehen hat. Und was bloß wird er ihnen sagen?

Ein halber Tag ist vergangen, die großen Kisten sind in den Waggons verstaut, kleinere sind an die Reihe gekommen, solche, die ein Mann alleine tragen kann, und Jakob hat Mischa aus den Augen verloren. Das heißt, nicht direkt aus den Augen, sie sehen sich alle paar Minuten, aber immer ein paar Meter dazwischen, nur im Vorübergehen, den Rücken unter einer Last oder unterwegs zu neuer Ladung. Die Gelegenheit für ein klärendes Wort war noch nicht da, man kann ihn nicht einfach zur Seite nehmen und sagen, die Sache ist nämlich so und so. Jedesmal wenn sie sich sehen, zwinkert ihm Mischa zu oder lächelt oder schneidet eine Grimasse oder winkt heimlich, ob mit Kiste oder ohne, ihm macht das kaum etwas aus, jedesmal irgendwas Vertrauliches, wir beide wissen, was los ist. Einmal vergißt sich Jakob und zwinkert zurück, aber er besinnt sich gleich wieder, das ginge zu weit, das verbaut den Weg zu der Gelegenheit. Doch es liegt nicht in seiner Macht, von Mal zu Mal wird sein Ärger schwächer, der Junge hat ja recht mit seiner Freude, wie soll er sich nicht freuen nach allem, was passiert ist.

Der Tag ist blau, wie ausgesucht für das Fest. Der Posten an der Holzbaracke sitzt auf ein paar Ziegelsteinen, hat das Gewehr abgenommen, neben sich gestellt, lehnt den Kopf an die Wand, hält die Augen geschlossen und sonnt sich. Er lächelt, er könnte einem fast leid tun.

Jakob geht an ihm vorbei und betrachtet ihn, er geht ganz langsam, studiert das Gesicht mit den geschlossenen Augen, er hält das Lächeln fest, den großen Adamsapfel, den dicken Siegelring aus Gold am kleinen Finger des Postens. Jakob geht weiter und entdeckt, wie er mir gesagt hat, daß er anders geworden ist. Seine Sinne sind plötzlich viel wacher, von einem Tag auf den anderen, er beginnt zu beobachten. Die teilnahmslose Verzweiflung hat die Aufregungen der letzten Nacht nicht überlebt, nichts mehr von der Dumpfheit, es ist jetzt, als müßte man sich alles genau einprägen, um hinterher darüber berichten zu können. Hinterher.

Jakob denkt sich ein unschuldiges Spielchen aus. Auf dem Weg zum Waggon oder auf dem Weg zurück zu den Kisten geht er immer ganz dicht an dem dösenden Posten vorbei. Steigt fast über seine ausgestreckten Beine, so dicht, und nimmt ihm jedesmal für einen kurzen Augenblick die Sonne. Der Posten bemerkt es natürlich nicht, öffnet nicht einmal die Augen, obwohl er nicht schläft, bewegt einmal nur leicht den Kopf oder zuckt mit dem Mund, unwillig, will Jakob scheinen, oder tut gar nichts. Aber bei jedem Passieren geht ihm ein bißchen Sonne verloren. Jakob treibt das Spielchen so lange, bis ein anderer Kistenstapel an die Reihe kommt. Der Posten liegt nicht mehr auf dem Weg, man müßte einen Umweg machen, wofür der Spaß wieder zu klein ist und das Risiko zu groß. Jakob sieht mit Genugtuung, daß ein paar Wölkchen seinen Schabernack weitertreiben. Dann ist Mittag.

Aus dem Steinhaus tritt ein Mann in Eisenbahneruniform, seit wir hier arbeiten immer derselbe. Er hat ein steifes Bein, das bei jedem Schritt Geräusche macht wie ein kleiner Kiesel, der ins Wasser fällt, also ein Holzbein. Wir nennen ihn die Pfeife, keineswegs abwertend, denn über seine

menschlichen oder fachlichen Qualitäten ist uns nichts bekannt. Das einzige, was wir gegen ihn haben, er ist eben Deutscher, was bei Lichte besehen freilich kein Grund für eine schlechte Meinung sein darf, aber so ungerecht macht
5 mitunter die Not. Sobald er aus dem Haus kommt, zieht er aus der Brusttasche eine Trillerpfeife, die mit einer schwarzen Kordel am Knopfloch befestigt ist, und pfeift dabei mit beachtlicher Lautstärke, zum Zeichen, daß jetzt Mittag ist. Dies ist der einzige Laut, den wir jemals von ihm gehört
10 haben, vom Plätschern seines Holzbeins abgesehen, darum nennen wir ihn die Pfeife. Womöglich ist er stumm.

Wir stellen uns in einer Reihe auf, sehr beherrscht und ohne die geringste Drängelei. Das haben sie uns so beigebracht, unter Androhung von keinem Essen. Es muß aussehen, als
15 hätten wir im Moment gar keinen Appetit, schon wieder dieses Essen, kaum hat man sich richtig eingearbeitet, wird man schon wieder unterbrochen durch eine der vielen Mahlzeiten. Wir stellen uns also in einer Reihe auf, ohne Eile, du blickst dich um und richtest dich aus, bis alle auf
20 einer gedachten schnurgeraden Linie stehen, du überprüfst am ausgestreckten Arm den Abstand zum Vordermann, korrigierst ein paar Zentimeter, damit der Anschein entsteht, man befindet sich hier unter gesitteten Menschen. Der Eßlöffel wird aus der Hosentasche genommen, in die
25 linke Hand, an die linke Hosennaht. Dann kommt der Handwagen um die Barackenecke, der Stapel Blechschüsseln neben den zwei dampfenden grünen Feldkesseln. Der Wagen hält am Kopf der gefräßigen Schlange. Der erste Mann tritt vor, öffnet den Kessel, wobei er sich regelmäßig
30 die Finger verbrennt, und beginnt mit dem Austeilen. Die Pfeife steht stumm und mit fixen Augen daneben, daß es gerecht zugeht.

An diesem blauen Tag bin ich der Austeiler. Ich weiß von nichts, ich erfahre immer alles zuletzt, die Sonne fällt mir
35 auf den Wecker, ich bin wütend. Ich ärgere mich über die

zusätzliche Arbeit, die verbrannten Finger tun weh, ich komme als letzter zum Essen. Ich klatsche ihnen die Kelle mit Suppe in ihre Schüsseln, sie ziehen ab damit, ich entdecke nichts Ungewohntes in ihren Gesichtern, bei keinem, aber ich achte ja auch nicht darauf. Ich sehe nicht einmal, wem ich gerade die Suppe gebe, ich sehe nur auf die Schüsseln.

genommen Jakob hat sein Essen gefaßt*, wie sie sagen, er sieht sich nach Mischa um, der lange vor ihm in der Reihe gestanden hat. Mittag wäre so eine günstige Gelegenheit, ein ungestörtes Wörtchen zu zweit, eine kleine Berichtigung, die doch nichts am eigentlichen Sachverhalt ändert. Mischa ist nirgends zu entdecken, der Platz ist groß, man verläuft sich mit der Schüssel. Für langes Suchen ist die Pause zu kurz. Jakob setzt sich auf eine Kiste und ißt die heiße Suppe. Er ist auch nur ein Mensch, seine Gedanken bewegen sich weit weg von der Schüssel, was wird sein, und wie lange noch, und was danach, die Sonne scheint ihm eins, und niemand wirft Schatten. Da kommt Kowalski.

Kowalski kommt.

»Hier ist doch noch ein Plätzchen frei?« fragt Kowalski. Er setzt sich neben Jakob und beginnt zu löffeln. Kowalski ist himmlisch. Er hält sich für einen Fuchs und mit allen Wassern gewaschen, dabei kann sein Gesicht nichts verbergen, es ist geschwätzig. Wenn man ihn ein kleines bißchen kennt, weiß man genau, was mit ihm los ist, bevor er noch den Mund aufgemacht hat. Seine Worte sind immer nur die Bestätigung für längst gehegte Vermutungen, wenn man ihn nur ein kleines bißchen kennt. Auf dem Bahnhof kennt jeder Kowalski ein kleines bißchen. Und Jakob kennt ihn, seit sie zusammen zur Schule gegangen sind. Hier haben sie sich ein wenig aus den Augen verloren, in dieser finsteren Zeit, der Grund dafür ist leicht gesagt. Beide sind keine Riesen, eine Kiste wird nicht leichter, wenn der auf der anderen Seite ein alter Freund ist, so haben es die Umstände

einfach mit sich gebracht. Und sonst gibt es so gut wie keine Gelegenheiten. Man hat miteinander zu tun, oder man hat nicht miteinander zu tun. Man hat kaum, und jetzt kommt Kowalski mit seiner Schüssel, sagt »hier ist doch
5 noch ein Plätzchen frei«, setzt sich neben Jakob und ißt. Kowalski war Jakobs häufigster Gast. Nicht sein bester, sein häufigster. Tagtäglich gegen sieben ist die Ladenglocke gegangen, kein anderer als Kowalski ist gekommen, hat sich auf seinen Platz gesetzt und Puffer gegessen, daß einem
10 schwarz vor den Augen werden konnte. Unter vier, fünf ist es nie abgegangen, und hinterher meist noch ein Gläschen unterderhand, denn Jakob hatte keine Lizenz für Schnaps. Jeder Wirt wäre über einen solchen Gast in Verzückung geraten, anders Jakob, denn Kowalski hat niemals bezahlt,
15 nicht einen Groschen, kein einziges Mal. Nicht die gemeinsame Schule war der Grund für Jakobs Freigebigkeit, was wäre das schon für ein Grund, überhaupt keine Freigebigkeit. In einer dummen Stunde an einem angetrunkenen Abend haben sie ein Abkommen geschlossen. Kowalskis
20 Friseurgeschäft lag nur ein paar Häuser weiter, sie haben sich ohnehin fast jeden Tag getroffen, und das Abkommen ist ihnen beiden vorteilhaft erschienen. Du umsonst bei mir, und ich umsonst bei dir. Später haben sie es beide bereut, aber Abkommen ist Abkommen, und schließlich
25 kann ein Mann alleine einen Mann nicht ruinieren. Versucht haben sie es beide. In der ersten Zeit waren Puffer Kowalskis Leibgericht, das war wohl auch der Grund für seinen Vorschlag, aber das hat sich bald geändert. Mit der Zeit hingen sie ihm zum Hals heraus, er hat die vier bloß
30 noch gegessen, weil Jakob sie ihm aus alter Gewohnheit wortlos hingestellt hat, viel wichtiger war ihm inzwischen das Gläschen hinterher.
Auf der anderen Seite hat Jakob anfänglich unter der unabänderlichen Tatsache gelitten, daß man zwar jeden Tag
35 Puffer essen kann, nicht aber sich die Haare schneiden las-

sen. Nach längerem Nachdenken ist er auf das Rasieren gekommen. Sogar seinen spärlich wachsenden Kinnbart hat er geopfert, wenn auch mit schlechtem Gewissen. Seine größte Zeit waren die Sommer, zum Glück für ihn konnte Kowalskis Magen kein Eis vertragen, und er ist vorübergehend alleiniger Nutznießer ihrer Abmachung gewesen. Doch mit der Zeit ist sein Ehrgeiz geschwunden, andere Sorgen waren wirklich wichtiger, den Bart hat er sich wieder wachsen lassen, und die Sache ist stillschweigend eingeschlafen, bis auf gelegentliches Aufflackern.

Aber das sind alte Geschichten, Kowalski sitzt neben ihm, löffelt seine Suppe, wie lange noch schweigend, auf seinen dürren Backen steht eine einzige unterdrückte Frage mit roten Punkten geschrieben. Jakob sieht starr in seine leere Schüssel, denkt, vielleicht ist es Zufall, es gibt komische Zufälle. »Wie geht's?« würde idiotisch klingen, denkt er. Er leckt sorgfältig seinen Löffel ab, steckt ihn in die Tasche, zum Aufstehen gibt es noch keinen Grund, die Pause dauert noch ein paar Minuten. Die letzten in der Reihe bekommen gerade ihr Essen. Er stellt die Schüssel weg, stützt sich auf die Hände, lehnt sich zurück, schließt die Augen, den Kopf nach oben, für wenige Augenblicke Posten sein und die Sonne genießen.

Kowalski hört auf zu löffeln, Jakob hört durch die geschlossenen Augen, daß seine Schüssel noch nicht leer ist, es hat noch nicht am Boden gekratzt. Jakob hört also, daß Kowalski ihn ansieht, es kann nicht mehr lange dauern, bloß noch den rechten Anfang.

»Gibt es Neuigkeiten?« fragt Kowalski leichthin.

Als Jakob ihn ansieht, löffelt er schon wieder, die Hintergedanken noch auf den Backen, aber die unschuldigen Augen mitten in der Suppe. Es klingt, als ob du in seinen Frisiersalon kommst, du setzt dich auf den einzigen Stuhl vor den einzigen Spiegel, er wedelt die schwarzen Haare des letzten Kunden vom Umhang, bindet ihn dir um, wie im-

Jakob der Lügner

mer viel zu eng. »Gibt es Neuigkeiten?« Der Sohn von Mundek hat seinen ersten Prozeß gewonnen, der wird, wie es aussieht, seinen Weg machen, doch das weiß man schon längst, Hübscher hat es bereits gestern erzählt. Aber was
5 du noch nicht wissen wirst, Kwart ist die Frau weggelaufen, niemand weiß, wo sie hin ist, aber mit Kwart kann auch wirklich kein vernünftiger Mensch auskommen. Es klingt so altvertraut, daß Jakob Lust hätte zu sagen: »Schneid sie aber hinten nicht so kurz wie beim letzten-
10 mal.«

»Na, was ist?« fragt Kowalski, während seine Augen in der Suppe zu ertrinken drohen.

»Was für Neuigkeiten?« sagt Jakob. »Wieso fragst du ausgerechnet mich?«

15 Kowalski macht sein Gesicht für Jakob frei, das ganze Fuchsgesicht, das nichts verbergen kann, er wendet es Jakob zu mit ein wenig sanftem Vorwurf darauf, mit etwas Verständnis für Jakobs Vorsicht und mit dem Hinweis, daß die Vorsicht in diesem besonderen Fall doch wohl fehl am
20 Platze ist.

»Jakob! . . . Sind wir nicht alte Freunde?«

»Was hat das damit zu tun?« sagt Jakob. Er ist nicht sicher, ob es ihm glaubhaft gelingt, sich dumm zu stellen, Kowalski kennt ihn immerhin schon sehr lange. Und er kann sich
25 denken, daß es im Grunde ziemlich unwichtig ist, ob es ihm gelingt oder nicht, wenn Kowalski was weiß, könnte er sogar ein ⌈Moissi⌉ sein. Wenn Kowalski was weiß, dann wird er nicht lockerlassen, er kann einen bis aufs Blut quälen.

30 Kowalski rückt etwas näher, läßt den Löffel in der Suppe schwimmen, greift Jakob mit der freien Hand am Arm, er wird ihm nicht entkommen.

»Also schön, reden wir offen . . .« Er senkt die Stimme auf die Lautstärke, in der man über Geheimnisse redet, flüstert
35 also: »Stimmt das mit den Russen?«

Jakob erschrickt über den Ton. Nicht über das Flüstern, geflüstert wird zu allen möglichen Anlässen, das macht keine Angst. Er erschrickt über den Ernst, er sieht, daß es nicht lustig zugehen wird, nichts für die leichte Schulter, er erschrickt über das Zittern in Kowalskis Stimme. Da ist Erwartung, die es nicht dulden wird, daß man sich einen Spaß mit ihr macht, da wird Gewißheit gefordert, da fragt ein Mann, der nur diese eine Frage beantwortet haben will, es muß sein, nur diese Frage noch, sonst nichts, für alle Zeiten. Und doch macht Jakob einen letzten unnützen Versuch: »Mit was für Russen?«

»Mit was für Russen! Mußt du mich so kränken, Jakob? Hab ich dir je was Schlechtes getan? Besinn dich, Jakob, besinn dich, wer neben dir sitzt! Die ganze Welt weiß, daß er ein Radio hat, und mir, seinem einzigen und besten Freund, will er nichts sagen!«

»Die ganze Welt weiß das?«

Kowalski nimmt zurück. »Nicht gleich die ganze Welt, aber der und jener wird es schon wissen. Hat es mir einer gesagt, oder bin ich ein Hellseher?«

In Jakobs Kopf verdrängt ein Ärger den zweiten. Kowalski wird von Mischa in den Hintergrund gespielt, dieser Schwätzer bringt ihn in eine unmögliche Situation. Auf einmal ist es nicht mehr nötig, Mischa zur Seite zu nehmen für eine Richtigstellung, ganz und gar überflüssig, das Feuer ist nicht mehr aufzuhalten, keiner weiß, wen man jetzt schon alles zur Seite nehmen müßte. Und sogar wenn man sich die Mühe machte, bei jedem einzelnen von ihnen, wenn man mit Engelsgeduld versuchen würde, Mann für Mann den blödsinnigen Weg zu erklären, auf dem die glorreiche Nachricht in das Ghetto bis in ihre Ohren geflogen ist, was bliebe ihnen anderes übrig, als ihm nicht zu glauben? Bei aller Wertschätzung und mit viel Verständnis für seine Lage? Oder nimmt einer ernsthaft an, Kowalski könnte es sich leisten, sich abspeisen zu lassen mit einer Geschichte, die an allen Ecken und Enden hinkt?

»Na was ist?«

»Das mit den Russen stimmt«, sagt Jakob. »Und jetzt laß mich in Ruhe.«

»Sind sie zwanzig Kilometer vor Bezanika?«

Jakob verdreht die Augen und sagt: »Ja!«

Er steht auf, so versalzen sie einem die Freude, und dabei hätte man den gleichen Grund wie sie alle. Ein Vermögen dafür, wenn Kowalski von dem Posten in der Kurländischen entdeckt worden wäre, Kowalski oder irgendein anderer. Was hatte er gestern abend überhaupt dort verloren? Alle braven Bürger liegen in ihren Betten, aber er muß in dunkler Stunde die Straßen unsicher machen, weil ihm die Decke auf den Kopf fällt, weil Piwowa und Rosenblatt wieder mal nicht zum Aushalten sind, weil ein Spaziergang nach Feierabend so einen seltsamen Hauch von normalen Zeiten hat. Ein Spaziergang in einer Stadt, die man kennt, seit sie einen im Kinderwagen aufgesetzt haben, mit einem Kissen im Rücken. Die Häuser erzählen dir fast schon vergessene Unwichtigkeiten, dort bist du einmal gefallen und hast dir den linken Knöchel verstaucht, an der Ecke hast du endlich einmal Gideon die Wahrheit ins Gesicht gesagt, auf dem Hof hat es mitten im Winter gebrannt. So einen ersehnten Hauch von normalen Zeiten, den hat er sich versprochen, gespürt hat er ihn nicht lange, und jetzt das hier.

»Wirst du wenigstens schweigen?«

»Du kennst mich doch«, sagt Kowalski. Er will in Ruhe gelassen werden, vorerst, die Pause ist kurz, und man ist zur Genüge mit sich beschäftigt und mit dem, was da plötzlich auf einen zukommt.

Jakob hebt seine Schüssel von der Erde auf und geht. Er nimmt noch Kowalskis Gesicht mit, auf die Seite gelehnt, kein Krieg weit und breit, die Augen auf einen fernen Punkt gerichtet, den kein anderer zu sehen vermag. Er hört noch Kowalskis Lippen verliebt flüstern: »Die Russen...«

Dann ist er beim Handwagen, er stellt seine Schüssel zu den

anderen, schaut wieder zu Kowalski, der inzwischen seinen Löffel aus der Suppe fischt. Die Pfeife erschallt, sogar Kowalski hört sie, schnell wird ein Schüsseltürmchen gebaut. Es kommt Jakob vor, als schauten ihn alle seltsam an, anders noch als gestern, irgendwie das Geheimnis im Blick. Vielleicht ist es eine Täuschung, ganz sicher sogar, alle können es unmöglich schon wissen, aber dieser und jener wird schon dabeigewesen sein.

Ich möchte gerne, noch ist es nicht zu spät, ein paar Worte über meine Informationen verlieren, bevor der eine oder andere Verdacht sich meldet. Mein wichtigster Gewährsmann ist Jakob, das meiste von dem, was ich von ihm gehört habe, findet sich hier irgendwo wieder, dafür kann ich mich verbürgen. Aber ich sage das meiste, nicht alles, mit Bedacht sage ich das meiste, und das liegt diesmal nicht an meinem schlechten Gedächtnis. Immerhin erzähle ich die Geschichte, nicht er, Jakob ist tot, und außerdem erzähle ich nicht seine Geschichte, sondern eine Geschichte.
Er hat zu mir gesprochen, aber ich rede zu euch, das ist ein großer Unterschied, denn ich bin dabeigewesen. Er hat versucht, mir zu erklären, wie eins nach dem anderen gekommen ist und daß er gar nicht anders gekonnt hat, aber ich will erzählen, daß er ein Held war. Keine drei Sätze sind ihm über die Lippen gekommen, ohne daß von seiner Angst die Rede war, aber ich will von seinem Mut erzählen. Von diesen Bäumen zum Beispiel, von diesen Bäumen, die es nicht gibt und die ich suche, an die ich nicht denken will und muß, und meine Augen werden feucht dabei, davon hat er keine Ahnung gehabt, das ist einzig und allein meine Sache. Ich kriege jetzt nicht alles zusammen, aber es gibt noch manches, wovon er nichts gewußt hat, wo er mich möglicherweise gefragt hätte, wie ich darauf komme, und doch meine ich, es gehört eben dazu. Ich würde ihm gerne sagen, warum ich das meine, ich bin ihm Rechenschaft schuldig, ich denke, er würde mir recht geben.

Einiges weiß ich noch von Mischa, aber dann gibt es ein großes Loch, für das einfach keine Zeugen aufzutreiben sind. Ich sage mir, so und so muß es ungefähr gewesen sein, oder ich sage mir, es wäre am besten, wenn es so und so
5 gewesen wäre, und dann erzähle ich und tue so, als ob es dazugehört. Und es gehört auch dazu, es ist nicht meine Schuld, daß die Zeugen, die es bestätigen könnten, nicht mehr aufzutreiben sind.

Die Wahrscheinlichkeit ist für mich nicht ausschlaggebend,
10 es ist unwahrscheinlich, daß ausgerechnet ich noch am Leben bin. Viel wichtiger ist, daß ich finde, so könnte oder sollte es sich zugetragen haben, und das hat überhaupt nichts mit Wahrscheinlichkeit zu tun, dafür verbürge ich mich auch.

15 Es war nicht der schlechteste Einfall von Mischa, Rosa bei der Ausgabe der Essenmarken anzusprechen, allen Mut zusammengenommen, sie zu fragen, ob sie nicht für ein Stückchen den gleichen Weg hätten, und sie war zum Glück damit einverstanden. Zuerst war es nur ihr Gesicht, was
20 ihm die Zunge gelockert hat, wie viele Mädchen sind schon wegen ihrer blanken Augen angesprochen worden, aber später ist eins nach dem anderen hinzugekommen, und heute, ungefähr ein Jahr danach, liebt er sie ganz, wie sie ist. Die ersten Schritte sind peinlich schweigsam gewesen,
25 sein Kopf war wie ausgehöhlt. Von ihr hat er nicht die geringste Unterstützung bekommen, nicht mal einen aufmunternden Blick, sie hat verschämt geradeaus gesehen und vermutlich darauf gewartet, daß etwas Wichtiges geschieht. Doch es ist nichts geschehen, bis sie an ihrer Haus-
30 tür waren nichts, ihre Mutter stand schon unruhig am Fenster, wo die einzige Tochter so lange bleibt. Rosa hat sich eilig und mit gesenkten Blicken verabschiedet, aber sie muß gerade noch gehört haben, wo und an welcher Stelle er am nächsten Tag auf sie wartet.

Jedenfalls ist sie zur Verabredung gekommen, Mischa fiel ein Stein vom Herzen, er hat in die Tasche gegriffen und ihr sein erstes Geschenk gemacht. Es war ein kleines Buch mit Gedichten und Liedern, er kannte sie schon alle auswendig, es war das einzige Buch, das er zufällig besaß. Eigentlich wollte er ihr eine Zwiebel schenken, womöglich eine mit bläulicher Schale, er hat die Sache mit Rosa von Anfang an sehr ernst genommen, doch das war zu hoch gegriffen, in der Kürze der Zeit konnte es ihm beim besten Willen nicht gelingen, eine aufzutreiben. Sie hat sich zuerst ein bißchen geziert, ob sie das Geschenk überhaupt annehmen soll, wie unerfahrene Mädchen es häufig tun, aber dann hat sie das Buch natürlich doch eingesteckt und ihm gesagt, daß sie sich sehr darüber freut. Dann hat er sich erst einmal vorgestellt, gestern waren sie in der Aufregung nicht dazu gekommen, und dann hat er zum erstenmal ihren Namen gehört, Rosa Frankfurter.

»Frankfurter?« hat er gefragt. »Sind Sie vielleicht mit dem berühmten Schauspieler Frankfurter verwandt?«

Das war, es ließ sich später anhand von Programmheften des Stadttheaters leicht feststellen, eine ziemliche Übertreibung, über mittlere Rollen ist der Schauspieler Frankfurter nie hinausgekommen. Doch Mischa hatte es nicht ironisch gemeint, er hatte Frankfurter nie spielen sehen, er war erst einmal im Theater, nur von ihm gehört oder gelesen. Und auch Rosa hat es nicht so aufgefaßt, sie hat errötend zugegeben, daß es sich tatsächlich so verhält, daß der Schauspieler Frankfurter ihr Vater ist. Sie haben dann ein wenig über das Theater geplaudert, wovon er so gut wie keine Ahnung hatte, doch es ist ihm später mit viel Geschick gelungen, das Gespräch allmählich aufs Boxen zu bringen, wovon sie wieder keine Ahnung hatte. So haben sie sich glänzend unterhalten, und noch am selben Abend hat sie sich den ersten Kuß von Mischa auf ihr seidiges Haar gefallen lassen.

Als Mischa kommt, sitzt Felix Frankfurter bei einer Partie
Dame mit seiner Tochter am Tisch. Er ist ein großer Mann,
groß und hager, Mischa hat mir mit viel verliebter Sorgfalt
sein Äußeres beschrieben. Eine ehemals gewaltige Fülle hat
5 Frankfurters Haut in Falten gelegt, was besonders noch
dadurch unterstrichen wird, daß ja auch die Sachen, die er
trägt, aus erheblich dickeren Zeiten stammen. Bilder beweisen, daß Mann und Haut vor Jahren eine wohlausge-
wogene Einheit gebildet haben, ein dickes Album voll Bil-
10 der, mit denen Frankfurter Mischa gleich bei seinem ersten
Besuch traktiert hat. Denn er konnte den unvorteilhaften
Eindruck, dessen er sich durchaus bewußt war, unmöglich
auf sich sitzen lassen. Um seinen Hals ist ein Schal geschlungen, kunstvoll und salopp, ein Ende nach vorne und
15 eins auf dem Rücken, und in seinem Mund steckt eine Pfeife, ⌐Meerschaum¬, die lange schon vergessen hat, wie Tabak schmeckt.
Er sitzt mit seiner Tochter am Tisch, die Partie steht für
Rosa hoffnungslos. Frau Frankfurter sitzt bei ihnen, sie
20 achtet nicht auf das Spiel, sie näht an einem Hemd ihres
Mannes, macht es noch enger und träumt womöglich von
einem stillen Glück. Als Mischa kommt, hat sich Rosa eben
aufgeregt, daß die Partie mit ihrem Vater so langweilig ist,
weil er bei jedem Zug so endlos lange überlegt, und er hat
25 versucht, ihr zu erklären, daß es günstiger ist, in zwei Stunden eine Partie zu gewinnen als fünf zu verlieren.
»Aber wozu grübelst du jetzt noch?« hat sie gefragt. »Du
stehst doch sowieso schon besser.«
»Ich stehe nicht sowieso besser«, hat er gesagt, »sondern
30 weil ich so lange überlege.«
Sie hat ärgerlich abgewinkt, von Freude am Spiel keine
Rede mehr, sie hat die Steine nur aus Gehorsam nicht um-
geschmissen und weil Mischa noch nicht da war, doch
dann klopft es. Sie rennt eilig zur Tür und öffnet, und Mi-
35 scha kommt herein. Man begrüßt sich, Frankfurter fordert

Mischa auf, Platz zu nehmen, Mischa setzt sich. Rosa räumt schnell die Steine und das Brett weg, bevor Mischa ihre verlorene Partie übernehmen kann. Oft schon hat er sich auf ihren Platz gesetzt, nach einem Ausweg gesucht, hat am Ende doch aufgeben müssen und Revanche gefordert. Frankfurter hat sie ihm gewährt, dann haben sie beide dagesessen und gegrübelt, und auf einmal war es so spät, daß Mischa gehen mußte, bevor Rosa von ihm etwas gehabt hat.

»Ihr habt gespielt?« fragt Mischa. »Wer hat denn heute gewonnen?«

»Wer schon«, sagt Rosa, und es klingt wie ein Vorwurf. Frankfurter zieht an seiner Meerschaumpfeife, zufrieden, wie man eben sein kann, zwinkert Mischa zu. »Sie spielt schneller, als sie denkt. Aber ich wette, das hast du schon bei anderer Gelegenheit selber gemerkt, stimmt's?«

Mischa läßt das Witzchen links liegen, er kommt heute nicht mit leeren Händen, er überlegt nur noch, wie man die Nachricht besonders wirkungsvoll anbringen kann, denn Frankfurter hat nichts lieber als eine Geschichte mit einer Pointe am Ende. Wenn er über das Theater redet, wo sich, wenn man ihm glauben soll, die irrsinnigsten Dinge zugetragen haben, so gibt es dort keinen Schritt und keinen Blick, mit denen es nicht irgendeine besondere Bewandtnis auf sich hat. Jemand ist gestürzt oder hat sich blamiert oder die Vorstellung geschmissen oder nicht verstanden, warum die anderen lachen. Wenn es nicht so wäre, findet wohl Frankfurter, brauchte man es überhaupt nicht erst zu erzählen.

»Was kann man denn heutzutage einem Gast anbieten?« sagt Frankfurter zu seiner stillen Frau. Und dann zu Mischa: »Was kann man denn einem Gast anbieten außer der Tochter?«

Er lächelt, gelungen die Bemerkung, dann zieht er wieder an der Pfeife. An einer leeren Pfeife ziehen kann jeder, ein

Kinderspiel, aber nicht so wie Frankfurter. Er spielt den Genuß mit, die wohlige Fülle des Rauches, wenn man nicht genau hinsieht, könnte man in Versuchung kommen, den Qualm wegzuwedeln.

Man schweigt ein paar Gedanken lang, gleich wird Frankfurter eine Anekdote erzählen, eine seiner Geschichten, an deren Ende er immer so vergnügt tut, daß er sich auf die Schenkel schlägt, etwa wie der ⌐Tell⌐ gleich zu Beginn seinen Hut vor dem Hut auf der Stange gezogen hat, für eine lumpige Wette, oder wie dem Schauspieler Strelezki, der ansonsten ein göttlicher ⌐Othello⌐ gewesen sein soll, das Gebiß aus dem Mund gefallen ist, genau während er über Desdemona⌐ gebeugt war, um sie zu erwürgen. Rosa legt ihre Finger auf Mischas Hände, ihre Mutter macht das Hemd immer noch kleiner, Frankfurter reibt sich die Knie, vielleicht ist er heute nicht aufgelegt, und dabei kommt Mischa mit so einer guten Nachricht, er grübelt nur noch, wie man sie am besten sagt, wie über einem Zug.

»Hast du überhaupt schon das Neueste gehört?« fragt ihn Rosa plötzlich.

Mischa sieht überrascht von einem zum anderen, er gibt das Suchen auf und wundert sich, daß Frau Frankfurter nicht einmal den Blick vom Hemd hebt. Sie wissen es schon, und dabei hat er bis jetzt nicht gemerkt, daß sie es wissen, er wundert sich, daß alles im Zimmer noch aussieht wie beim letzten Besuch. Er wundert sich, wie schnell es geht, heute früh hat er es erst von Jakob gehört, jetzt ist es schon hier bei den Frankfurters, über wieviel Stationen, doch am seltsamsten ist, daß Rosa jetzt erst davon anfängt. Sie kann es nicht vergessen haben, und jetzt ist es ihr wieder eingefallen, unmöglich, irgendwas stimmt da nicht, vielleicht haben sie Grund, die Sache nicht zu glauben.

»Ihr wißt es schon?«

»Vorhin auf der Arbeit haben sie es erzählt«, sagt Rosa.

»Und ihr freut euch nicht?«

»Freuen?« sagt Frankfurter, tatsächlich rollt er das R. »Freuen sollen wir uns? Worüber sollen wir uns denn freuen, Jungchen, he? Früher hätten sie sich darüber freuen können, die ganze Verwandtschaft zusammenrufen und saufen, aber heute gibt es ein paar Kleinigkeiten, die anders geworden sind. Ich halte die Sache für einen einzigen Jammer, mein Junge, fast schon ein Unglück für die Leute, und da fragst du, warum ich mich nicht freue?«

Mischa wird sofort klar, daß von etwas ganz anderem die Rede ist, die einzige Erklärung für die Stimmung, wenn nicht, dann hat Frankfurter den Verstand verloren, dann weiß er nicht mehr, was er redet.

»Es wird schwer sein, das Kind großzuziehen«, sagt Frau Frankfurter zwischen zwei Nadelstichen.

Der erste Anhaltspunkt, neues Erstaunen in Mischas Augen, von irgendeinem Kind wird gesprochen, so schnell geht es also doch nicht mit der Nachrichtenübermittlung. Offenbar haben zwei Wahnsinnige ein Kind in diese Welt gesetzt, ohne von der Neuigkeit gehört zu haben, in normalen Ghettozeiten sicher ein Thema, über das man spricht. Aber seit gestern sind die Zeiten nicht mehr normal, da weht ein anderer Wind, da können wir dir Dinge sagen, da vergißt du Kind und Mann und Weib und Essen und Trinken, seit gestern ist morgen auch noch ein Tag.

Jetzt wundert sich Rosa, erst wundert sie sich und dann lächelt sie über Mischas Gesicht.

»Du weißt es ja doch noch nicht«, sagt sie. »Aber so ist er. Er kann nicht vertragen, wenn andere mehr wissen als er. Immer spielt er den Neunmalklugen, und dabei hat er von nichts eine Ahnung. Im zweiten Bezirk ist ein Kind geboren worden, in der Witebsker. Zuerst waren es Zwillinge, aber eins ist gleich nach der Geburt gestorben. In der letzten Nacht. Wenn alles vorbei ist, wollen sie den Jungen auf den Namen Abraham eintragen lassen.«

»Wenn alles vorbei ist«, sagt Frankfurter. Er legt die Pfeife auf den Tisch, steht auf, spaziert mit gesenktem Kopf durch das Zimmer, die Hände auf dem Rücken. Seine mißbilligenden Blicke treffen Mischa, der doch nicht etwa grinst. Sie nehmen alles so leicht, Rosa auch, sie mögen zu jung sein, um es zu begreifen, sie reden von künftigen Zeiten wie von einem Wochenende, das bestimmt kommen wird, man fährt mit der ganzen Familie und einem Korb voll Essen ins Grüne, egal ob es regnet oder nicht. »Wenn alles vorbei ist, lebt das Kind nicht mehr, und die Eltern leben nicht mehr. Wir alle werden nicht mehr leben, dann ist alles vorbei.«

Frankfurter ist angekommen, sein Spaziergang ist zu Ende, und er setzt sich wieder.

»Ich finde David schöner«, sagt Frau Frankfurter leise. »Dovidl . . . Erinnert ihr euch, so hat der Sohn von Annette geheißen. Abraham hört sich so sehr alt an, überhaupt nicht wie ein Kind. Dabei ist doch nur bei Kindern der Name von Bedeutung. Später, wenn sie erst groß sind, ist er gar nicht mehr so wichtig.«

Rosa neigt mehr zu Jan oder Roman, sie meint, daß man endlich von den traditionellen Namen loskommen sollte, wenn man den Stern nicht mehr zu tragen braucht, dann auch andere Namen. Frankfurter schüttelt den Kopf über das Weibergeschwätz, und Mischa wünscht sich auf einmal, daß er jetzt erst gekommen wäre, gleich mit der Neuigkeit ins Haus, so wie sie ist. Denn wenn er nun davon anfängt, dann wird es ihnen ähnlich gehen wie ihm bei seinem Irrtum, warum sagt er es jetzt erst, vergessen haben kann er es nicht. Er sitzt schon und sitzt, sie reden sich immer tiefer in ihre trübe Laune, entweder er sagt es erst morgen und tut dann so, als wäre es die letzte Neuigkeit, oder er denkt sich eine Geschichte aus, die erklärt, warum erst jetzt und nicht gleich beim Öffnen der Tür. Er entscheidet sich für heute, eine kleine Pointe extra für Frankfurter, er steht auf, tut geziert, er weiß selbst nicht, ob es gespielt ist oder echt, er sieht Frankfurter verlegen an, der wundert sich schon über den langen Anlauf, und bittet ihn in aller Form um die Hand seiner Tochter.

Rosa entdeckt etwas an ihrem Fingernagel, das sie mit Haut und Haaren beschäftigt, etwas so Wichtiges, daß ihr Gesicht rot wird und anfängt zu glühen, sie haben vorher kein Sterbenswort davon gesprochen, und eigentlich gehört es sich wohl so. Frau Frankfurter beugt sich tiefer über das Hemd, das noch längst nicht klein genug ist, die meiste Arbeit macht der Kragen, weil auf genauesten Sitz großer Wert gelegt wird. Mischa genießt seinen Einfall, gelungen oder nicht gelungen, Frankfurter ist verblüfft und wird etwas sagen. Er ist dran mit einem Wort, eine höfliche Frage verdient eine Antwort, und wenn die Frage noch so abwegig ist, wie es vorerst scheint, er wird eine Brücke bauen zu der großen Neuigkeit, und das wird auch gleichzeitig die Erklärung sein, warum erst jetzt. Das ist Mischas Plan, in größter Eile entworfen und gar nicht so schlecht, Felix Frankfurter wird eine Brücke bauen, er ist an der Reihe, alle warten auf Antwort.

Großes Erstaunen also bei Frankfurter, Ungläubigkeit in den Augen, er hat eben noch an der Pfeife gezogen und vergessen, den Rauch wieder auszublasen. Der Vater, der seine einzige Tochter keinem anderen geben würde als Mischa, er liebt ihn doch schon wie den eigenen Sohn, der Mann der Realitäten, dem man nichts vormachen kann, ist erschlagen. »Er ist verrückt geworden«, flüstert er, »die Not hat ihn verwirrt, das sind diese gottverfluchten Zeiten, wo ganz normale Wünsche wie Ungeheuerlichkeiten klingen. Sag du doch etwas dazu!«

Doch Frau Frankfurter sagt nichts dazu, sie läßt ein paar Tränen lautlos auf das Hemd tropfen, sie weiß ja nichts zu sagen, alle wichtigen Fragen hat bis jetzt immer nur ihr Mann entschieden.

Frankfurter nimmt den Spaziergang wieder auf, innere Be-

wegung, und Mischa sieht so guter Hoffnung aus, als
könnte jetzt nur kommen: »Nimm sie und werdet glücklich.«

»Wir sind im Ghetto, Mischa, weißt du das? Wir können
5 nicht tun, was wir wollen, denn sie machen mit uns, was sie
wollen. Soll ich dich fragen, was für Sicherheiten du zu
bieten hast, denn sie ist meine einzige Tochter? Soll ich dich
fragen, wo ihr eure Wohnung zu nehmen gedenkt? Soll ich
dir sagen, was für eine Mitgift Rosa von mir bekommt?
10 Das wird dich doch bestimmt interessieren? Oder soll ich
dir ein paar Ratschläge geben, wie man eine glückliche Ehe
führt, und dann zum ⌈Rabbiner⌉ gehen und fragen, wann es
ihm am besten paßt mit der Chassene*? . . . Zerbrich dir
lieber den Kopf, wo du dich verstecken wirst, wenn sie dich
15 holen kommen.«
Mischa schweigt zuversichtlich, das war schließlich noch
keine Antwort.

»Hört euch das an! Sein Schiff ist untergegangen, er
schwimmt mitten auf dem Meer, weit und breit kein
20 Mensch, der ihm hilft. Und er überlegt, ob er abends lieber
ins Konzert geht oder in die Oper!«
Die Arme sinken herunter, alles was zu sagen ist, hat
Frankfurter gesagt, sogar eine kleine ⌈Allegorie⌉ am Ende
gefällig, deutlicher braucht man nicht zu werden.
25 Aber Eindruck auf Mischa gemacht hat er nicht. Im Gegenteil, es ist alles nach Wunsch gelaufen. Weit und breit
keine Hilfe, auf so ein Sätzchen hat Mischa bloß gelauert,
gleich werdet ihr wissen, wie es wirklich aussieht. Es hat
schon einen Sinn, von der Zukunft zu reden, Mischa ist
30 doch kein Idiot, natürlich weiß er, wo wir hier sind, natürlich weiß er, daß man nicht heiraten kann bis, und darum
geht es eben, bis die Russen kommen.
Mischa zu mir: »Da habe ich ihnen einfach gesagt (wortwörtlich: einfach), daß die Russen zwanzig Kilometer vor
35 Bezanika sind. Verstehst du, es war nicht bloß eine Mittei-

(hebr.):
Hochzeit

lung, es war jetzt auch ein Argument. Ich hab mir vorgestellt, sie würden anfangen zu jubeln, so was erfährt man ja
nicht alle Tage. Aber Rosa ist mir nicht um den Hals gefallen, sie dachte überhaupt nicht daran, sie hat fast erschrocken den Alten angesehen, und der hat mich angesehen, lange hat er kein Wort gesagt, mich bloß angesehen,
daß ich schon unruhig geworden bin. Im ersten Moment
hab ich gedacht, sie brauchen vielleicht etwas Zeit, um es
zu begreifen, wie mich der Alte so angesehen hat, aber
dann war mir klar, daß sie keine Zeit brauchen, sondern
Gewißheit. Es ist mir doch genauso gegangen, ich hab doch
auch gedacht, daß Jakob mich bloß von dem Kartoffel-
waggon ablenken will, so lange hab ich das doch gedacht,
bis er mir die ganze Wahrheit gesagt hat, woher er es weiß.
So eine Nachricht ohne die Quelle ist einfach nichts wert,
eben bloß ein Gerücht. Ich will also schon den Mund auf-
machen und ihnen die Zweifel nehmen, aber dann hab ich
lieber gewartet. Sollen sie fragen, hab ich gedacht, wenn du
etwas aus einem herausholst, dann geht es dir leichter in
den Kopf, als wenn er es dir von alleine und in einem Stück
erzählt. Und genauso ist es auch gekommen.«
Endloses Schweigen also, die Nadel ist mitten im Stich stehengeblieben, Rosas heißer Atem, Frankfurters Augen, davor steht Mischa im Rampenlicht, und das Publikum hängt
an seinen Lippen.
»Weißt du, was du da redest?« sagt Frankfurter. »Damit
macht man keine Witze.«
»Das müssen Sie mir nicht sagen«, sagt Mischa. »Ich weiß
es von Heym.«
»Von Jakob Heym?«
»Ja.«
»Und er? Woher weiß er es?«
Mischa lächelt schwach, tut verlegen, er zuckt miserabel
mit den Schultern, was ihm keiner abnimmt, da gibt es
irgendwo ein Versprechen. Daß er es nicht halten wird, ist

eine zweite Sache, aber das Versprechen ist nun einmal gegeben, und man möchte wenigstens gezwungen werden, es
zu brechen, man will sein Möglichstes getan haben, du hättest an meiner Stelle auch nicht anders gekonnt.

»Woher er das weiß!«

»Ich habe ihm versprochen, es keinem zu erzählen«, sagt
Mischa, eigentlich schon bereit, es doch zu tun, aber nicht
deutlich genug bereit, jedenfalls für Frankfurter nicht deutlich genug. Es ist nicht die Zeit, auf Nuancen in der Stimme
zu achten, Frankfurter geht zwei, drei schnelle Schritte
nach vorne und gibt Mischa eine Ohrfeige, ein Mittelding
zwischen einer vom Theater und einer echten, aber eher
wohl echt, denn Empörung ist dabei, wir reden hier nicht,
um uns die Zeit zu vertreiben.

Natürlich ist Mischa ein bißchen erschrocken, soviel
Zwang war auch wieder nicht nötig, aber er kann jetzt
nicht gekränkt sein, irgendeine Form mußte der Zwang ja
annehmen. Er kann sich nicht hinsetzen mit starrem Gesicht, die Arme vor der Brust verschränkt und auf Ent-
schuldigung warten, da könnte er lange warten. Er kann,
und das tut er, alle Zweifel beseitigen, es ist soweit, der
Plan ist aufgegangen, keiner wird mehr fragen, warum erst
jetzt.

»Jakob Heym hat ein Radio.«

Noch ein wenig Schweigen, ein paar Blicke untereinander,
das immer noch zu große Hemd schwebt unbeachtet auf
die Erde, man darf es glauben, wenn der eigene Schwie-
gersohn es sagt. Endlich fällt ihm Rosa um den Hals, lange
genug hat er darauf gewartet, über ihre Schultern hinweg
sieht er, wie Frankfurter sich erschöpft setzt und die Hände
vor das faltige Gesicht schlägt. Ein Gespräch wird nicht
aufkommen, es gibt nichts zu sagen, Rosa zieht sein Ohr an
ihren Mund und flüstert. Er versteht nicht, der Alte hat
noch die Hände vor dem Gesicht, und Mischa sieht sie
fragend an.

»Komm, wir gehen zu dir«, flüstert Rosa noch einmal.
Eine glänzende Idee, sie nimmt Mischa das Wort aus dem
Mund, heute überschlagen sich die guten Einfälle. Sie gehen unnötig leise hinaus, die Tür fällt ins Schloß, niemand
hört es, draußen wird es schon gefährlich dunkel.   5

Dann ist Frankfurter mit seiner Frau alleine, ohne Zeugen.
Ich weiß bloß, wie es ausgegangen ist, ich kenne nur das
Resultat, nichts dazwischen, aber ich kann es mir nur so
oder ähnlich vorstellen.
Die Frau steht endlich auf, irgendwann. Sie wischt sich die   10
Tränen weg, nicht mehr die vom Heiratsantrag, oder sie
wischt sie nicht weg, sie geht zu ihrem Mann, leise, als
wollte sie ihn nicht stören. Sie stellt sich hinter ihn, legt ihm
die Hände auf die Schultern, sie bringt ihr Gesicht dicht an
seins, das noch immer von den Händen verdeckt wird, und   15
wartet. Nichts geschieht, auch als seine Arme heruntersin-
ken nichts, er starrt auf die gegenüberliegende Wand, und
sie stößt ihn leicht an. Sie sucht etwas in seinen Augen und
kann es nicht finden.
»Felix«, könnte sie nach einer Weile leise gesagt haben,   20
»freust du dich denn nicht? Bezanika ist doch nicht so unendlich weit. Wenn sie bis dort gekommen sind, dann kommen sie doch auch bis zu uns.«
Oder sie könnte gesagt haben: »Stell dir vor, Felix, wenn
das wahr ist! Mir dreht sich der Kopf, stell dir das doch   25
bloß vor! Nicht mehr lange, und alles wird wieder sein wie
früher. Du wirst wieder spielen können, auf einer richtigen
Bühne, unser Theater wird bestimmt neu aufgemacht, ich
werde dich nach jeder Vorstellung abholen, neben der An-
schlagtafel an der Pförtnerloge werde ich auf dich warten.   30
Stell dir das bloß vor, Felix!«
Er antwortet nicht. Er steht unter ihren Händen auf und
geht zum Schrank. Vielleicht sieht er aus wie ein Mann, der
einen wichtigen Entschluß gefaßt hat und keine Zeit mehr
verlieren will, ihn auszuführen.   35

Frankfurter öffnet den Schrank, nimmt eine Tasse oder ein Kästchen heraus und findet darin den Schlüssel.

»Was willst du im Keller?« fragt sie.

Er wiegt den Schlüssel in der Hand, als ob noch etwas zu bedenken wäre, die Frage nach dem Zeitpunkt womöglich, aber je eher, desto besser, nichts gilt mehr. Vielleicht sagt er ihr jetzt schon, was er vorhat, noch im Zimmer weiht er sie ein, aber das ist unwahrscheinlich, er hat sie nie groß um ihre Meinung gebeten. Außerdem ist ganz und gar unwichtig, wann er es ihr sagt, geändert wird dadurch nichts, der Schlüssel ist schon in seiner Tasche. Nehmen wir also an, er schließt wortlos den Schrank, geht zur Tür, dreht sich dort zu ihr um und sagt nur: »Komm.«

Sie gehen in den Keller.

Armeleutehäuser, in die man früher nie den Fuß gesetzt hätte, die Holzstufen sind ausgetreten, sie knarren wie verrückt, aber er geht dicht an der Wand und auf Zehenspitzen. Sie folgt ihm beunruhigt, auch leise, auch auf Zehenspitzen, sie weiß nicht warum, er tut es eben auch. Sie ist ihm bisher immer gefolgt, ohne zu fragen, sie hat oft nur erraten, was zu tun sei, es war nicht immer gut.

»Willst du mir jetzt nicht sagen, was wir hier machen?«

»Pssst!«

Sie gehen den engen Kellergang entlang, hier kann man schon mit ganzer Sohle auftreten, der vorletzte Keller rechts ist ihrer. Frankfurter schließt das Vorhängeschloß auf, öffnet die Drahttür mit dem eisernen Rahmen, die nicht brennbar ist und darum noch vorhanden. Er geht hinein, sie folgt ihm zögernd, er schließt hinter ihr die durchsichtige Tür, und da sind sie nun.

Frankfurter ist ein vorsichtiger Mann, er sucht sich ein Stück Sacktuch oder einen Sack mit Löchern, den er zerreißt, oder, wenn kein Sack da ist, er zieht die Jacke aus und hängt sie vor die Tür, für alle Fälle. Ich denke mir, daß er für einen Augenblick den Finger auf den Mund legt, die

Augen schließt und lauscht, aber nichts ist zu hören. Dann macht er sich an dem kleinen Berg zu schaffen, der eine Ecke des Raumes ausfüllt, ein kleiner Berg von unnützem Zeug, ein Hügelchen aus Erinnerungen.

Damals, als die Benachrichtigung gekommen ist, haben sie zwei Tage zusammengesessen und überlegt, was sie mitnehmen sollen, bis auf die verbotenen Dinge natürlich. Die Lage war sehr ernst, ohne jeden Zweifel, sie haben nicht erwartet, daß es ein Paradies wird, aber Genaues gewußt hat keiner. Frau Frankfurter hat praktisch gedacht, zu praktisch für ihn, nur an Bettzeug und Geschirr und an Sachen zum Anziehen, aber er wollte sich von vielem, das sie für überflüssig gehalten hat, nicht trennen. Nicht von der Trommel, auf der er in einer überaus gelungenen Aufführung die Ankunft des Thronfolgers von Spanien angekündigt hat, und nicht von den Ballettschuhen Rosas, als sie fünf Jahre alt war, und die heute noch fast ungetragen sind, und nicht von dem Album mit den sorgfältig eingeklebten Rezensionen, in denen sein Name erwähnt und rot unterstrichen ist. Sag mir einen Grund, warum ich mich davon trennen soll, das Leben ist mehr als nur fressen und schlafen. Das Transportproblem? Er hat in aller Eile einen Handwagen gekauft, für irrsinniges Geld, denn über Nacht sind damals die Preise für Handwagen enorm angezogen, und jetzt füllt der kleine Berg eine Ecke des Kellers.

Er legt Stück für Stück zur Seite, seine Frau sieht ihm stumm zu, schon wütend neugierig, was sucht er, vielleicht betrachtet er für einen Moment das gerahmte Bild mit allen Angehörigen des Theaters, auf dem er dick am rechten Rand steht, zwischen Salzer und Strelezki, der damals noch nicht so bekannt war. Doch das ist es nicht, was er sucht, wenn er das Bild betrachtet haben sollte, legt er es wieder weg und macht den Berg weiterhin kleiner.

»Dieser Jakob Heym ist ein Trottel«, sagt er.

»Warum?«

»Warum! Warum! Er hat eine Nachricht gehört, wunderbar, aber das ist seine Sache. Eine gute Nachricht, eine sehr gute sogar, dann soll er sich freuen und nicht alle verrückt machen damit.«

5 »Ich verstehe dich nicht, Felix«, sagt sie. »Du bist ungerecht zu ihm. Es ist doch schön, daß wir es wissen. Alle sollten es wissen.«

»Weiberverstand!« sagt Frankfurter wütend. »Heute weißt du es, morgen wissen es die Nachbarn, und am nächsten

10 Tag spricht das ganze Ghetto von nichts anderem!«

Sie mag nicken, verwundert über seinen Zorn, so ist es, bis jetzt nichts von einem Grund, diesem Heym den leisesten Vorwurf zu machen.

»Und auf einmal weiß es die ⌈Gestapo⌉!« sagt er. »Die ha-

15 ben mehr Ohren, als du glaubst.«

»Aber Felix«, unterbricht sie ihn, »denkst du im Ernst, die Gestapo erfährt nicht ohne uns, wo die Russen sind?«

»Wer redet denn davon! Ich meine, auf einmal weiß die Gestapo, daß im Ghetto ein Radio ist. Und was machen

20 die? Sie stellen sofort jede Straße auf den Kopf, Haus für Haus, sie geben nicht eher Ruhe, bis sie das Radio gefunden haben. Und wo finden sie eins?«

Der Berg ist abgetragen, Frankfurter hebt einen Pappkarton auf, einen weißen oder braunen, jedenfalls einen Papp-

25 karton, in dem sich der Grund für ein gerechtes und rechtskräftiges Todesurteil befindet. Er nimmt den Deckel ab und zeigt seiner Frau das Radio.

Sie schreit vielleicht leise auf, sie ist vielleicht entsetzt, bestimmt erschrocken, sie starrt das Radio an und ihn und

30 versteht es nicht.

»Du hast unser Radio mitgenommen«, flüstert sie und faltet die Hände. »Du hast unser Radio mitgenommen, man hätte uns alle dafür erschießen können, und ich habe nichts davon gewußt . . . Ich habe nichts gewußt . . .«

35 »Wozu?« sagt er. »Wozu hätte ich es dir sagen sollen? Ich

habe alleine schon genug gezittert, und du hast ohne Radio auch genug gezittert. Es gab Tage, da hatte ich es vergessen, ganz einfach vergessen, manchmal sogar wochenlang. Man hat eben ein altes Radio im Keller und denkt nicht mehr dran. Aber sooft ich mich erinnert habe, ist mir das Zittern gekommen, und so wie heute bin ich noch nie daran erinnert worden. Doch das schlimmste ist, ich habe nie gehört, nicht ein einziges Mal, auch nicht in der ersten Zeit. Nicht, damit du es nicht merken solltest, ich habe es einfach nicht gewagt. Manchmal wollte ich, ich habe es vor Neugier fast nicht ausgehalten, ich habe den Schlüssel genommen, und du weißt, daß ich von Zeit zu Zeit in den Keller gegangen bin. Du hast mich gefragt, was ich dort will, und ich habe dir gesagt, ich will mir Bilder ansehen oder die alten Kritiken durchlesen. Aber das war gelogen, ich wollte Radio hören. Ich bin in den Keller gegangen, habe die Tür verhängt, aber ich habe es nicht gewagt. Ich habe mich hingesetzt, die Bilder angesehen oder die Kritiken gelesen, wie ich es dir gesagt hatte, und es nicht gewagt. Aber damit ist jetzt Schluß!«

»Ich habe nichts gewußt«, flüstert sie vor sich hin.

»Damit ist ein für allemal Schluß!« sagt er. »Du hast damals recht gehabt, es war unnützes Zeug, ich brauche es nicht mehr. Nichts wird davon übrigbleiben, nichts, was nach Radio aussieht. Dann sollen sie kommen und suchen.«

Er nimmt das Radio auseinander, Teil für Teil, wahrscheinlich das einzige Radio, das sich in unserer Hand befindet, ohne lautes Aufsehen zerstört er es. Die Röhren werden zu Staub zertreten, ein unzerstörbarer Draht wird als harmlose Schnur um eine Schachtel gewickelt, die Bretter des Kastens werden Stück für Stück zur Seite gelegt und müssen noch einige Wochen warten, bis sie verbrannt werden dürfen. Denn um diese Jahreszeit macht sich jeder rauchende Schornstein verdächtig, aber das ist nicht weiter tragisch, Holz ist schließlich Holz.

»Hast du auch gehört, daß die Russen fast in Bezanika sind?« fragt Frau Frankfurter leise.

Er sieht sie sehr verwundert an.

»Ich habe dir doch gesagt, daß ich nie gehört habe«, könnte er ihr geantwortet haben.

Mischa kommt mit Rosa in sein Zimmer, und das ist eine ganze Geschichte für sich. Wenn es eine Geschichte ist, wie jemand belogen werden muß, damit er ein bißchen glücklich sein kann, nichts anderes geschieht mit Rosa, wenn es eine Geschichte ist, wie verwegene Listen angewendet werden müssen, und Angst vor Entdeckung ist im Spiel, und kein Fehler darf um Himmels willen unterlaufen, und das Gesicht muß immer ernst und harmlos dabei bleiben, wenn alles das eine brauchbare Geschichte hergibt, dann ist es auch eine Geschichte, wie Rosa mit Mischa in sein Zimmer kommt.

Mitten im Raum steht eine spanische Wand*.

Fajngold heißt der Mann, der im anderen Bett schläft, Isaak Fajngold ist schuld daran, daß solcher Aufwand getrieben wird, wenn er selbst ihn auch lächerlich findet, er ist jeden Abend ohnehin wie gerädert, er ist über die Sechzig und schneeweiß, er hat wirklich andere Sorgen, aber geh und mach was. Zuerst hat nur der Schrank das Zimmer geteilt, Mischa schien er ausreichend und Fajngold schon lange, doch Rosa hat er nicht genügt. Sie hat zu Mischa gesagt, wenn Fajngold auch taubstumm ist, so ist er doch nicht blind, und der Mond scheint so freundlich ins Zimmer, und der Schrank ist auf jeden Fall zu schmal. Mischa hat leichten Herzens das Tuch vom Fenster genommen und es neben den Schrank an die Decke geheftet, der Mond konnte jetzt noch freundlicher hereinscheinen, aber nicht für Fajngold, Hauptsache Rosa war beruhigt.

Fajngold ist so taub und so stumm wie ich oder Kowalski oder irgendeiner, der mit seinen Ohren und seiner Zunge

*Stellwand, Paravent

etwas anzufangen weiß, doch für Rosa ist er taub und stumm wie eine Muschel. Mischa war sich von der ersten Sekunde an darüber im klaren, daß Rosa keinen Schritt in die Nähe seines Bettes setzen würde, weil da noch ein Bett steht, mit einem fremden Mann darin, und die verständnisvollen Wirtinnen und die verschwiegenen Pensionen mit den Portiers, die diskret zur Seite blicken und keine Fragen stellen, die liegen gerade in einer anderen Stadt. Er wußte genau, daß sie unter diesen Umständen nur nein sagen konnte, sie ist nicht so ein Mädchen, darüber braucht man gar nicht erst zu reden, und er selbst ist auch nicht so ein Bursche. Doch wenn man den Verzicht als die letzte aller Möglichkeiten in Betracht zieht, dann bleibt immer noch viel Zeit zum Grübeln, das kann ihm keiner verdenken, und Mischa hat es ausgiebig getan.

An einem gesegneten Abend hat er wach im Bett gelegen und an Rosa gedacht, Fajngold kurz vor dem Einschlafen im anderen, und Mischa hat angefangen, ihm von Rosa zu erzählen. Wer sie ist, und wie sie ist, und wie sie aussieht, und wie er sie liebt, und wie sie ihn liebt, und Fajngold hat bloß geseufzt. Da hat ihm Mischa seinen brennenden Wunsch gestanden, Rosa für eine Nacht zu sich zu nehmen.

»Bitte«, hat Fajngold geantwortet, ohne tiefer in das Problem einzudringen. »Ich habe nichts dagegen. Aber jetzt laß mich endlich schlafen.«

Mischa hat ihn nicht schlafen lassen, er hat Fajngold erklärt, daß es gar nicht darum geht, ob er, Fajngold, damit einverstanden ist, daß es nur darum geht, ob Rosa einverstanden ist. Auch daß er ihr noch nichts von ihm gesagt hat, er wagt es kaum, und wenn uns da nichts einfällt, wird wohl kaum etwas aus der Sache werden.

Fajngold hat das Licht angemacht und ihn lange mit weiten Augen angesehen.

»Das ist doch nicht dein Ernst?« hat er erschrocken geflüstert.

»Du kannst doch nicht von mir verlangen, daß ich mich solange auf der Straße rumtreibe. Hast du die Gesetze vergessen?«

Aber Mischa hat das nicht verlangt, dieser Gedanke ist ihm nie gekommen, er hatte auch nicht die Gesetze vergessen. Er hat bloß nach einem Ausweg gesucht, und der war noch nirgends zu sehen. Fajngold hat das Licht wieder gelöscht, bald ist er eingeschlafen, nicht uns muß etwas einfallen, sondern Mischa ganz alleine.

Nach einer Stunde oder zwei hat Mischa Fajngold geweckt, hat ruhig die Beschimpfungen über sich ergehen lassen, und dann hat er ihm seinen Einfall vorgetragen. Wie gesagt, Rosa wird niemals über Nacht zu ihm kommen, wenn sie erfährt, daß noch ein zweiter Mann im Zimmer ist, egal ob du zwanzig bist oder hundert. Wenn er es ihr verschweigt, dann wird sie vielleicht kommen, dann wird sie Fajngold sehen, sie wird wieder gehen und es Mischa nie verzeihen. Wie man es dreht und wendet, die einzige Möglichkeit bleibt, daß Fajngold im Zimmer verweilt und doch so gut wie nicht da ist.

»Soll ich mich vielleicht verstecken?« hat Fajngold müde gefragt. »Soll ich mich vielleicht nächtelang unter das Bett legen oder in den Schrank?«

»Ich werde ihr sagen, daß du taubstumm bist«, hat Mischa verkündet.

Fajngold wollte nicht, er hat sich tagelang mit Händen und Füßen gewehrt, aber schließlich ist es Mischa gelungen, ihn von der Dringlichkeit zu überzeugen. Sehen kann man nachts sowieso nicht viel, und wenn sie dazu noch sicher ist, daß du auch nichts hören kannst, dann müßte es sich einrichten lassen. Mit buntgemischten Gefühlen hat sich Fajngold also einverstanden erklärt, wenn dir soviel daran liegt, und seitdem ist er für Rosa taub und stumm wie eine Muschel.

Für Mischa hat es allerdings noch eine zweite Sorge gegeben, denn er hat einigen Andeutungen Fajngolds entnommen, daß er sie einmal belauscht hat. Rosa hat zwar nichts gemerkt, Fajngold hat den Mund gehalten, aber er muß dieses und jenes gehört haben, was nicht für seine Ohren bestimmt war. Wenn man sich in den Armen hält, werden doch allerhand Worte gesagt, die nicht für andere Ohren bestimmt sind, und es war Mischa sehr peinlich. Seitdem hat er Fajngolds Schlaf studiert, lange hat er mit voller Absicht wach gelegen und auf die Tonlage des Atmens und des Schnarchens geachtet. Kein Mensch hat sich je selbst schlafen hören, er kann seinen eigenen Schlaf nicht imitieren, er kann nachmachen, wie man schläft, aber von seinem eigenen Schlaf weiß er nichts. Und Mischa weiß, wie Fajngolds Schlaf sich anhört, er könnte seine Hand dafür ins Feuer legen, sagt er, daß er es genau weiß. Und in den seltenen Nächten, wenn Rosa bei ihm ist, liegt Mischa an jedem Anfang lauschend neben ihr, und erst wenn er ganz sicher ist, daß Fajngold hinter der spanischen Wand schläft, beginnt er sie zu streicheln und zu küssen, und Rosa vergißt ihre Enttäuschung, warum er sie so lange warten läßt.

Einmal ist etwas Entsetzliches geschehen, mitten im Schlaf, in einen wirren Traum geraten, hat Fajngold plötzlich angefangen zu reden. Deutlich vernehmbare einzelne Worte, ungeachtet der Tatsache, daß Taubstumme auch im Schlaf taubstumm zu sein haben. Mischa ist davon aufgewacht, das Herz ist ihm fast im Leibe stehengeblieben, er hat furchtsam zu Rosa geblickt, die im Mondlicht lag und schlief und nur den Kopf von einer Seite auf die andere drehte. Er konnte nicht rufen: »Fajngold, halte endlich deinen Mund!« Er konnte nur still liegen und hoffen, und zum Glück hat Fajngold mit seinem Phantasieren aufgehört, bevor Schlimmes geschehen war, Träume dauern nur Sekunden, sagt man, und es hat sich nie mehr wiederholt.

Soweit das winzige Lustspiel, alles in allem verwegene

Wege also, die Rosa in dieses Zimmer geführt haben, bis unter diese Decke, nicht nur die Straße geradeaus und dann einmal links und einmal rechts um die Ecke. Mischa hat es möglich gemacht, Fajngold hat sich zur Verfügung gestellt, Rosa ist sehr gerne hier.

Sie liegt auf dem Rücken, weiß ich, die Hände unter dem Kopf, heute wie immer, wenn das auch ein bißchen unverschämt ist, denn das Bett hat mit einem Kerl wie Mischa mehr als genug, er muß sich am Rande bescheiden. Sie liegt da, die Augen irgendwo, der Abend, der schöner war als alle anderen, ist schon vorbei, man hat sich schon alles ins Ohr geflüstert. Obwohl Fajngold taubstumm ist, flüstern sie immer, wenn zwei so liegen wie Rosa und Mischa, dann flüstern sie auch auf einsamen Inseln, wenn unbedingt etwas gesagt werden muß. Soweit ist die Nacht, der schweigsame Fajngold schläft schon lange hinter der Wand aus Schrank und Tuch. Der heiße Tag und die Nachricht müssen ihn sehr mitgenommen haben, er war heute nur ein kurzes Hindernis, schon nach wenigen Minuten war Mischa mit dem Ton, der zu ihnen herüberdrang, zufrieden und konnte seine ganze Aufmerksamkeit an Rosa verschwenden.

Rosa stößt Mischa sanft an, mit dem Fuß an seinen Fuß, mit viel Ausdauer tut sie es, bis er wach genug ist, um sie zu fragen, was denn los wäre.

»Meine Eltern werden doch bei uns wohnen?« sagt sie.

Die Eltern. Noch nie waren sie bis in dieses Zimmer vorgedrungen, es hatte immer nur die eine Nacht gegeben, in der man gerade lag und sich liebte, die eine und keine andere, alle folgenden mußten erst abgewartet werden, und es lohnte nicht, groß über sie zu reden. Aber nun sind sie da, laß uns einen kurzen Blick werfen auf das, was einmal sein kann, ein kleines Auge voll nur durch das Loch im Vorhang. Die Eltern sind da und eine Ahnung von später, sie lassen sich nicht hinauswerfen, Rosa besteht darauf.

»Sie werden nicht bei uns wohnen«, sagt Mischa zu nacht-schlafener Zeit.

»Und warum nicht? Hast du was gegen sie?«

Rosa wird lauter, hier geht es nicht um Dinge, die unbe-dingt ins nahe Ohr zu hauchen sind, so aufsässig laut viel-leicht, daß Fajngold aufwachen könnte, sie ahnt nur nichts von dieser Gefahr.

»Lieber Himmel, ist das denn so wichtig, daß du mich mit-ten in der Nacht aufwecken mußt?«

»Ja«, sagt Rosa.

Also gut, er stützt sich auf die Ellbogen, sie kann stolz dar-auf sein, daß sie ihm endgültig den Schlaf vertrieben hat, er seufzt, als ob das Leben nicht schwer genug wäre.

»Also gut: Ich habe nichts gegen sie, nicht das geringste. Sie sind mir ausgesprochen sympathisch, sie werden nicht bei uns wohnen, und jetzt will ich schlafen!«

Er dreht sich mit Schwung auf die andere Seite, eine kleine Demonstration im Mondlicht, die erste Unstimmigkeit ist da. Noch kein richtiger Streit, nur eine Ankündigung von alltäglichen Sorgen, es vergehen ein paar stille Minuten, in denen Mischa feststellt, daß Fajngold aufgewacht ist.

»Mama könnte sich um die Kinder kümmern«, sagt Rosa.

»Omas verziehen die Kinder bloß«, sagt Mischa.

»Und kochen kann ich auch nicht.«

»Es gibt Bücher.«

Jetzt seufzt sie, zanken wir uns später, es ist noch so viel Zeit. Rosa muß den Kopf ein wenig anheben, weil er den verträglichen Arm darunterschiebt, noch ein Kuß zum Ver-söhnen, und dann soll endlich geschlafen werden. Aber sie kann nicht einfach die Augen zumachen und weglaufen, was sie sieht, das sieht sie, wie lange haben wir auf diesen Blick gewartet. Wenn sie anklopfen, wenn sie in der Tür stehen, die Russen, guten Tag, da sind wir, es kann losge-hen, dann ist es schon spät, da kann man nicht erst anfan-gen zu überlegen, da muß man doch schon wissen, was als erstes zu tun ist und was als zweites. Aber Mischa will schlafen, und Rosa kann es nicht, so viel ist in Unordnung, wenigstens einiges sollte man regeln. Die großen Dinge werden sich schon irgendwie erledigen, es werden sicher bedeutende Leute kommen, die darüber wachen, fangen wir mit dem persönlichen Kleinkram an, den nimmt uns niemand ab. Rosa gerät vom Nachdenken ins Flüstern, da wäre zunächst das Haus, in dem man sich wohl fühlen soll, es könnte auch etwas anderes sein als das Haus, wenn dir was einfällt, aber beginnen wir damit. Nicht zu klein, nicht zu groß, sagen wir fünf Zimmer, das ist nicht zuviel verlangt. Fang nicht gleich an zu schreien, soviel kann man verlangen, bescheiden waren wir lange genug. Ein Zimmer wäre für dich, eins für mich und zwei für die Eltern. Und ein Kinderzimmer natürlich, in dem sie machen können, was sie wollen, sich auf den Kopf stellen und die Wände bemalen. Schlafen würden wir bei mir, nicht extra ein Schlafzimmer, das ist verschenkter Platz, um den es tagsüber schade wäre, man muß auch ein bißchen praktisch denken. Wenn Gäste kommen, könnten wir in deinem Zimmer sitzen, ein frei im Raum stehendes Sofa, das ist modern, ein länglicher Tisch davor und drei oder vier Sessel. Aber zu viele Gäste will ich nicht haben, damit du das gleich weißt. Nicht wegen der Unordnung, die sie machen, die ist kein großes Problem, aber ich bin lieber alleine mit dir. Vielleicht wenn wir etwas älter sind. Und in die Küche darf mir sowieso niemand hineinreden. Sie muß gekachelt sein, das ist sauber und schön, blau und weiß wäre am allerbesten. Die Klosenbergs haben so eine Küche gehabt, genauso eine wie die, eine schönere kann man sich nicht vorstellen. Der Fußboden ist ausgelegt mit hellgrauen Fliesen, an der Wand sind Borde für Teller und Kannen und Kellen, und ein Brettchen muß auch da hängen, für alle möglichen Gewürze. Kein Mensch weiß, wie viele Gewürze es gibt, Safran zum Beispiel, hast du gewußt, wozu man

Safran überhaupt nimmt? Daß er Kuchen und Nudeln gelb macht?

Weiter weiß ich nicht, in dieser Gegend ist mein Gewährsmann Mischa endgültig eingeschlafen, mitten unter den Gewürzen. Vielleicht hätte mir Fajngold mehr erzählen können über diese eine Nacht, vielleicht hat er wach gelegen vom Keller bis zum Dachboden, aber ich habe ihn nicht gefragt.

Dann ist es wieder Tag, endlich wieder Tag, wir laufen auf dem Güterbahnhof kreuz und quer mit unseren Kisten, wenige Jahre früher hätte man es ein munteres Treiben genannt. Die Wachen benehmen sich ganz normal, sie schreien oder dösen oder stoßen wie immer, sie zeigen keine Angst oder kennen sie noch nicht. Mag sein, daß ich mich täusche, aber ich bilde mir ein, daß ich selbst mich an diesen Tag gut erinnern kann, obwohl sich nichts Ungewöhnliches an ihm zugetragen hat, jedenfalls nicht für mich. Ich stehe heute, glaube ich, auf einem Waggon und habe die Kisten entgegenzunehmen und so zu stapeln, daß möglichst viele hineingehen. Zusammen mit einem anderen Mann, mit Herschel Schtamm, und das ist an und für sich doch etwas Besonderes. Denn Herschel Schtamm hat einen Bruder, nicht nur das, er hat einen Zwillingsbruder, Roman, und die beiden arbeiten und stehen und gehen gewöhnlich immer zusammen. Aber heute nicht, Herschel hat gleich am Morgen einen kleinen Unfall gehabt, er ist beim Kistentragen gestolpert, Roman konnte die Kiste alleine nicht halten, Kiste und Herschel sind auf die Erde gefallen. Herschel hat die üblichen Schläge eingesteckt, aber das war nicht das Schlimmste, er hat sich beim Stolpern einen Fuß verstaucht, konnte kaum noch laufen, konnte also auch nicht mit Roman weitertragen, und deshalb steht er jetzt mit mir auf dem Waggon.

Er schwitzt wie ein Wasserfall, ich habe noch nie jemand so

schwitzen sehen, er wird erst aufhören zu schwitzen, wenn die Russen dieses verfluchte Ghetto genommen haben, keinen Tag früher. Denn Herschel Schtamm ist fromm. Zu Lebzeiten war er Diener in einer ⌐Synagoge⌐, wir nennen das Schamess, fromm wie der Rabbiner selber. Und da sind die ⌐Schläfenlocken⌐, Zierde aller strenggläubigen Juden, geh und frag Herschel, ob er bereit ist, sich von ihnen zu trennen. Für kein Geld, wird er dir sagen, er wird dich ansehen wie einen Verrückten, wie kannst du ihn so etwas fragen. Doch die Löckchen dürfen nur in den eigenen vier Wänden ans Licht, bloß da, auf der Straße und hier auf dem Bahnhof trifft man Deutsche, die nichts davon halten, wo leben wir denn, daß man in einem solchen Aufzug herumläuft. Es sind Fälle bekannt, wo einfach die nächste Schere geholt wurde, bei heimlichen Gebeten und Lachtränen hat man die Sache an Ort und Stelle erledigt, aber es sind auch schlimmere Fälle bekannt.

Herschel hat die einzig mögliche Konsequenz gezogen, er versteckt seine Löckchen, er schmuggelt sie durch die Zeit. Er trägt Sommer wie Winter eine Mütze, Mützen wird man wohl noch tragen dürfen, eine schwarze Fellmütze mit Klappen an beiden Ohren, die unter dem Kinn zusammenzuknöpfen sind. Sie ist bei Sonne entsetzlich heiß, es war die einzige, die er sich beschaffen konnte, aber für seine Zwecke hervorragend geeignet. Wir Nichtfrommen haben nur in der ersten warmen Woche gelächelt und unsere Witzchen gemacht, sein Bruder Roman auch, dann ist unser Interesse erloschen, Herschel muß selber wissen, was er tut.

Wir stellen eine Kiste ganz oben hinauf, er wischt sich den Schweiß aus dem Gesicht, er fragt mich, während wir die nächste nehmen, was ich von der Sache halte. Mir ist klar, wovon er redet, ich sage ihm, daß ich schon ganz blöd bin vor Freude, ich kann an nichts anderes mehr denken. Alles wird mir wieder gehören, was ich früher einmal hatte, alles bis auf die erschossene Chana. Es wird wieder Bäume geben, im Garten meiner Eltern sehe ich mich auf dem Nußbaum sitzen, auf so dünnen Ästen, daß meine Mutter am liebsten in Ohnmacht fallen möchte, gleich oben freß ich mich voll mit Nüssen. Die Finger werden so braun von der Schale, daß es erst nach Wochen wieder abgeht, aber Herschel sieht mir nicht sehr begeistert aus.

Jakob und Mischa stellen eine Kiste auf den Waggonrand. Wozu die Hast, Jakob macht große Schritte zurück zum Stapel, und Mischa beeilt sich hinter ihm her. Seit gestern ist Jakob ein Glückspilz, ein Auserwählter, alles reißt sich um ihn, die Riesen wie die Kleinen, jeder will mit ihm arbeiten, mit dem Mann, der eine direkte Leitung zum lieben Gott hat. Mischa war der erste in der Schlange, der erste, der mit zugepackt hat, als Jakob eine Kiste ins Auge faßte, und jetzt läuft er hinter ihm her. Am gerechtesten wäre, man könnte ihn verlosen, soundso viel Nieten und ein Hauptgewinn, dann hätten alle die gleichen Aussichten auf das große Glück, auf Jakobs mit einemmal bedeutungsvoll gewordene Nähe. Nur Jakob macht ein mürrisches Gesicht, besten Dank für so ein Glück, fünfmal oder zehnmal ist er schon seit dem Morgen gefragt worden, was das Radio denn so plaudert, vertraulich und voller Hoffnung, sogar von wildfremden Menschen. Fünfmal oder zehnmal hat er nicht gewußt, was er antworten sollte, hat nur wiederholt, was er gestern schon gesagt hat, Bezanika, oder er hat nur die Finger auf den Mund gelegt und mit Verschwörerton »pssst!« gesagt oder gar nichts gesagt und ist ärgerlich weitergegangen. Und den ganzen Ärger hat ihm dieser lange Dummkopf eingebrockt, der jetzt so ahnungslos hinter ihm hertrottet, in unverdienter Vorfreude, das konnte sich keiner vorher ausrechnen. Sie benehmen sich wie die Kinder, sie schwirren um einen herum wie die Ausgehlustigen um die Litfaßsäule, wenn nicht ein Wunder geschieht, wird es höchstens noch Stunden dauern, bis die Posten etwas merken: So einen Andrang wünschte man sich in geregelten Zeiten, Jakobs Diele ist jeden Tag außer Schabess* geöffnet, das ganze Jahr über, und ein Radio steht deutlich sichtbar hinter dem Verkaufstisch, jeder kann hören, was er will. Aber da macht ihr euch selten, da muß man jeden von euch behandeln wie einen König, sonst geht ihr und kommt nicht wieder, und jetzt behandelt ihr einen selbst wie einen König und geht nicht und kommt immer wieder, man brauchte eine Leibwache gegen euch.

Mischa hat keine Ahnung, was für zornige Gedanken sich ganz in seiner Nähe entzünden, daß es die Wut ist, die Jakobs Schritte so schnell macht. Sie tragen ein paar Kisten, Mischa bildet sich ein, das geht bis Mittag so weiter, er versäumt es, auf die unfreundlichen Blicke zu achten, die ihn von Zeit zu Zeit treffen, immer öfter. Bis der Topf überläuft, bis Jakob stehenbleibt, in der Hoffnung, daß Mischa weitergeht, möglichst weit weg. Aber Mischa bleibt auch stehen, seine Augen fragen verwundert, er weiß wirklich von nichts, soll er es also erfahren.

»Ich bitte dich, Mischa«, sagt Jakob gequält, »hier sind so viele nette Menschen. Mußt du ausgerechnet mit mir tragen?«

»Was ist denn los auf einmal?«

»Auf einmal ist gut! Ich kann dein Gesicht nicht mehr sehen!«

»Mein Gesicht?« Mischa lächelt dumm, so lange hat sein Gesicht keinen gestört, Jakob schon gar nicht, höchstens diese und jene Bemerkung über seine himmelblauen Augen, wenn einem nichts Besseres eingefallen ist, und auf einmal so ein kleiner Ausbruch, fast schon ehrenrührig.

»Ja, dein Gesicht! Mit diesem Mund, mit diesem geschwätzigen«, sagt Jakob noch, weil Mischa so ganz und gar im dunkeln tappt. Und jetzt weiß Mischa, woher der Wind weht, er ist das schwache Glied in dem Kettchen der

(jidd.): Sabbat, Samstag

Verschwiegenheit, Jakob hat ja recht. Wenn es auch kein Grund ist, gleich so ein Theater zu machen, da hat man weiß Gott schon Schlimmeres erlebt, Mischa zuckt mit den Schultern, es ist mir eben passiert, wir werden es nicht mehr ändern können. Bevor Jakob sich weiter aufregt, geht Mischa stumm zur Seite, was gehen den Posten unsere Angelegenheiten an, nachher oder morgen wird bestimmt Zeit sein für ein versöhnliches Wort.

Mischa geht also alleine zu den Kisten, schnell hat er einen zweiten Mann gefunden, ganz außer Kurs gekommen ist er schließlich noch nicht. Seine kräftigen Arme sind noch nicht vergessen, sie werden noch geschätzt, wenn schon nicht mit Jakob, dann wenigstens mit Mischa tragen. Und Jakob kommt auch alleine zu der Pyramide, er sieht gar nicht, wer mit ihm zusammen nach der Kiste greift, seine Augen kleben noch an Mischa, der endlich verschwindet, ohne sich umzudrehen, beleidigt oder nicht. Nach ein paar Schritten merkt Jakob aber doch, daß sein neuer Partner die Kiste nicht so fest hält wie Mischa, längst nicht so fest, und er sieht ihn an, und er sieht, daß der neue Mann Kowalski ist, und er verzieht das Gesicht und weiß, daß er aus dem Regen in die Traufe geraten ist, Kowalski wird ihn nicht lange in Ruhe lassen.

Kowalski sagt kein Wort. Das heißt, er schweigt nicht, er beherrscht sich, wie lange hält er das aus, er trägt und trägt, Jakob kann es recht sein. Aber es macht ihn irgendwie nervös, Kowalski und schweigen, die roten Punkte auf seinen Backen kommen nicht von der Anstrengung. Drei ganze Kisten werden verschwiegen, wenn Kowalski denkt, daß er ihn aushungern kann, dann irrt er sich, Jakob wird nie von alleine mit der Sprache herausrücken, er hat ja nichts zu erzählen, nur es zerrt eben an den Nerven. Wir werden dich überlisten, fällt Jakob ein, wir werden dir eine Falle stellen, ein harmloses Gespräch könnte dich die Frage, die du vorerst noch für dich behältst, vergessen lassen, worüber soll man bloß reden, dann wird zu Mittag gepfiffen werden, und dann kannst du mich lange suchen.

»Weißt du was gegen Haarausfall?« fragt Jakob.

»Wieso?«

»Jeden Morgen ist mein Kamm voll von Haaren. Kann man da nichts machen?«

»Nichts«, sagt Kowalski, und Jakob hört deutlich, daß ihn das Thema nicht interessiert.

»Irgendwas wird man doch tun können? Mir fällt ein, daß du in deinem Laden einen Kunden mit solchem Zeug eingerieben hast. Ich glaube, es war grün?«

»Alles Schwindel«, sagt Kowalski. »Ich hab viele damit eingerieben, aber ich hätte sie auch mit Wasser einreiben können. Manche wollen unbedingt was haben. Und es war nicht grün, sondern gelb.«

»Es gibt nichts, was hilft?«

»Du hörst es ja.«

Soweit, sie schleppen stumm weiter, in Jakob wächst die Hoffnung, daß er sich täuscht, daß Kowalski gar nichts von ihm will, daß er mit zugegriffen hat, einfach weil er am nächsten stand, und die roten Punkte könnten doch von der Anstrengung sein oder Wanzenstiche. Daß man oft nicht auf das Naheliegendste kommt, schlechte Erfahrungen dürfen nicht alle Lauterkeit in Zweifel stellen, Kowalski hat auch seine guten Seiten, jede Menge Erinnerungen kann das belegen. Man war ja immerhin so gut wie befreundet. Jakob sieht den schwitzenden Kowalski schon freundlicher an, heimliche Abbitte im Blick, heimlich, weil auch die Vorwürfe zum Glück heimlich geblieben sind. Jede neue Kiste, die wortlos zum Waggon gebracht wird, führt ihn weg von dem Verdacht, der allem Anschein nach einem Unschuldigen gegolten hat.

Und plötzlich, nicht weit vor Mittag, stellt Kowalski seine hinterhältige Frage, ohne alle Vorbereitung und demütigend harmlos sagte er: »Na?«

Nichts weiter, Jakob zuckt zusammen, wir wissen, was gemeint ist. Im Nu ist alle Wut wieder da, Jakob fühlt sich getäuscht, die Punkte sind doch dieselben wie immer. Und Kowalski hat nicht zufällig in der Nähe gestanden, er hat auf ihn gewartet, er hat ihm aufgelauert, auf dieses schändliche »na?« hat er den ganzen Tag hingearbeitet. Er hat bis zu diesem Augenblick nicht aus Rücksicht geschwiegen, Kowalski hat keine Ahnung, was das ist, er hat geschwiegen, weil er gesehen hat, daß Jakob mit Mischa ins Streiten kam, und er hat nur auf einen günstigen Zeitpunkt gewartet, kalt und berechnend wie er ist, Jakob sollte sich in Sicherheit wiegen.

Jakob zuckt zusammen, das Schlimmste an diesem Ghetto ist, daß man sich nicht einfach umdrehen kann und weggehen, es ist nicht ratsam, dieses Spiel alle fünf Minuten zu wiederholen.

»Gibt's was Neues?« fragt Kowalski deutlicher. Er hat keine Lust, sich auf lange Blickwechsel einzulassen, wenn du mein »na?« nicht kapierst, denn eben so.

»Nein«, sagt Jakob.

»Du willst mir doch nicht im Ernst erzählen, daß im Krieg an einem ganzen Tag nichts passiert ist? Ein ganzer Tag und eine ganze Nacht?«

Sie stellen die Kiste auf dem Waggonrand ab, gehen zurück zum Stapel, und Jakob holt tief Luft, und Kowalski nickt ihm aufmunternd zu, und Jakob verliert die Beherrschung und wird lauter, als man es gutheißen kann.

»Menschenskind, laß mich endlich in Frieden! Hab ich dir nicht gestern gesagt, daß sie zwanzig Kilometer vor Bezanika sind? Reicht dir das nicht?«

Natürlich reicht es Kowalski nicht, wenn die Russen zwanzig Kilometer vor irgendeinem Bezanika sind, und er ist hier, wie sollte ihm das reichen, aber er hat keine Zeit für logische Volltreffer, im Moment nicht, er sieht sich erschrocken um, weil Jakob nicht gerade vorsichtig war.

Wirklich steht ein Posten da, ganz in der Nähe, sie müssen an ihm vorbei, und er blickt schon. Die Uniform steht ihm nicht gut, er ist viel zu jung für sie, er ist schon ein paarmal aufgefallen, er hat ein großes Maul, aber er schlägt noch
5 wenig.

»Was habt ihr Drecksäcke euch zu streiten?« fragt er, als sie an ihm vorbeigehen wollen. Jedenfalls hat er nichts Genaues gehört, nur laute Worte, die sind schnell erklärt.

»Wir streiten uns nicht, Herr Posten«, sagt Kowalski laut,
10 »ich bin nur etwas schwerhörig.«

Der Posten hat was zu mustern und auf den Zehenspitzen zu wippen, dann dreht er sich um und geht weg. Kowalski und Jakob holen sich eine neue Kiste, der Zwischenfall wird mit keinem Wort gewürdigt.

15 »Ein ganzer Tag ist vergangen, Jakob. Vierundzwanzig lange Stunden. Wenigstens ein paar lumpige Kilometer werden sie doch weitergekommen sein?«

»Ja, drei Kilometer nach den neuesten Meldungen.«

»Und da tust du so gleichgültig? Jeder Meter zählt, sag ich
20 dir, jeder einzelne Meter!«

»Was sind schon drei Kilometer«, sagt Jakob.

»Du bist gut! Für dich ist es vielleicht nicht viel, du hörst jeden Tag Neues. Aber drei Kilometer sind drei Kilometer!« Es ist ausgestanden, für heute gibt Kowalski Ruhe, er
25 ist wieder stumm wie Fajngold, er hat erfahren, was er wollte.

Jakob gesteht sich, daß es nicht so schlimm war, es ist ihm eigentlich leicht über die Lippen gegangen, er hat es mir lang und breit erklärt, es war ein wichtiger Augenblick für
30 ihn, hat er gesagt. Die erste Lüge, die vielleicht gar keine war, so klein nur, und Kowalski ist zufrieden. Das ist es wert, die Hoffnung darf nicht einschlafen, sonst werden sie nicht überleben, er weiß genau, daß die Russen auf dem Vormarsch sind, er hat es mit den eigenen Ohren gehört,
35 und wenn es einen Gott im Himmel gibt, dann müssen sie

auch bis zu uns kommen, und wenn es keinen gibt, dann müssen sie auch bis zu uns kommen, und möglichst viele Überlebende müssen sie antreffen, das ist es wert. Und wenn wir alle tot sein werden, dann war es ein Versuch, das ist es wert. Bloß es muß ihm genug einfallen, sie werden immer neue Fragen stellen, sie werden Einzelheiten wissen wollen, nicht nur Kilometerzahlen, er muß die Antworten erfinden. Hoffentlich macht der Kopf mit, Erfinden ist nicht jedermanns Sache, bis jetzt hat er nur ein einziges Mal im Leben was erfunden, das ist Jahre her, ein neues Kartoffelpufferrezept mit Weißkäse und Zwiebeln und Kümmel, das kann man nicht miteinander vergleichen.

»Und außerdem ist wichtig, daß sie überhaupt vorwärts kommen«, sagt Kowalski nachdenklich. »Verstehst du, lieber langsam vorwärts als schnell zurück . . .«

Spät genug kommen wir zu Lina, unverantwortlich spät, denn sie ist für das alles von einiger Bedeutung, sie macht es erst rund, wenn davon die Rede sein kann, Jakob geht jeden Tag zu ihr, aber wir kommen jetzt erst.

Lina ist acht Jahre alt, lange schwarze Haare und braune Augen, wie es sich gehört, ein auffallend schönes Kind, sagen die meisten. Sie kann einen ansehen, daß man Lust bekommt, den letzten Bissen mit ihr zu teilen, aber nur Jakob tut es, manchmal gibt er ihr sogar alles, das kommt, weil er nie eigene Kinder gehabt hat.

Lina hat seit zwei Jahren keine Eltern, sie sind weggefahren, sie sind in den Güterzug gestiegen und weggefahren und haben das einzige Kind alleine zurückgelassen. Linas Vater ist vor knapp zwei Jahren auf der Straße gegangen, kein Mensch hat ihn darauf aufmerksam gemacht, daß er die verkehrte Jacke trug, die Jacke ohne Sterne. Es war Herbstanfang, er ist gegangen und hat an nichts Böses gedacht, spätestens auf der Arbeit hätten sie es gemerkt, aber so weit ist er gar nicht erst gekommen. Auf halbem Weg ist er einer Streife begegnet, ein aufmerksamer Blick hat genügt, nur Nuriel wußte ihn nicht zu deuten.

»Bist du verheiratet?« hat ihn einer der beiden gefragt.

»Ja«, hat Nuriel gesagt und ahnte nicht, was sie von ihm
5 wollten mit ihrer seltsamen Frage.

»Wo arbeitet deine Frau?«

Da und da, hat Nuriel geantwortet. Sie sind auf der Stelle mit ihm hingegangen und haben die Frau aus der Fabrik geholt. Sofort als sie ihn mit den beiden Männern gesehen
10 hat, sind ihr die nackten Stellen auf Brust und Rücken von Nuriel aufgefallen, sie hat ihn entsetzt angeblickt, und Nuriel hat ihr gesagt: »Ich weiß auch nicht, was los ist.«

»Deine Sterne«, hat sie geflüstert.

Nuriel hat an sich heruntergeblickt, jetzt erst hat er ge-
15 wußt, daß es sich um das Ende handelt, um das Ende oder kurz davor, ein weit kleinerer Grund hätte für das Ende genügt, lies die Ghettoverordnung. Sie sind mit Nuriel und seiner Frau nach Hause gegangen, unterwegs haben sie ihnen gesagt, was sie mitnehmen dürfen. Vor dem Haus hat
20 Lina nicht gespielt, im Hausflur war sie auch nicht, die Mutter hatte ihr eingeschärft, daß sie nach Möglichkeit nicht soviel aus der Wohnung gehen soll. Aber man weiß ja nicht, was die Kinder den ganzen Tag treiben, während die Eltern arbeiten, ein Stoßgebet, daß sie dieses eine Mal un-
25 folgsam sein möge. Im Zimmer war sie auch nicht, sie konnte sich nicht wundern und fragen, was denn los ist, warum der Papa und die Mama jetzt schon nach Hause kommen, und die Männer hätten gewußt, daß Nuriel nicht nur eine Frau hat. Sie haben ihre paar Sachen eingepackt,
30 die zwei Männer haben daneben gestanden und darauf geachtet, daß alles mit rechten Dingen zuging. Nuriel hat sich benommen wie ein Traumwandler, bis ihn seine Frau angestoßen und ihm gesagt hat, daß er sich beeilen soll. Er hat sich jetzt auch beeilt, er hat ihre Aufforderung verstan-
35 den, jeden Augenblick konnte Lina in das Zimmer kommen.

Beim Hinuntergehen hat er durch ein Fenster im Treppen-
flur gesehen, daß Lina auf dem Hof spielte (das alles ohne
Zeugen, aber vielleicht war es genau so und nicht anders).
Sie balancierte auf der kleinen Mauer zwischen den beiden
Höfen, das hat er ihr wer weiß wie oft verboten, so sind   5
Kinder eben. Eine Nachbarin, die in dieser Woche gerade
Nachtschicht hatte, ist ihnen auf der Treppe begegnet, sie
hat gehört, wie Nuriels Frau zu ihm gesagt hat, daß er nicht
immerzu aus dem Fenster sehen soll, sondern auf die Stufen
achten, sonst würde er noch stürzen. Das hat er dann auch   10
getan, er ist nicht gestürzt, ohne Zwischenfall sind sie auf
die Straße gekommen, und seitdem hat Lina keine Eltern
mehr. Kurze Zeit später ist eine neue Familie in das Zimmer der Nuriels eingewiesen worden, damals kam noch
laufend Nachschub. Es wurde ein Problem, wohin mit Li-   15
na, für immer zu sich konnte sie keiner nehmen, und das
nicht nur aus Platzgründen oder bösem Willen, es brauchte
nur eine unverhoffte Kontrolle aufzutauchen, wie kommst
du zu dem Kind? Alle haben wochenlang darauf gewartet,
daß nach Lina recherchiert würde, irgend jemandem in ir-   20
gendeiner Behörde konnte beim Durchsehen irgendwelcher Papiere auffallen, daß statt drei Nuriels nur zwei auf
den Transport gegangen sind, aber nichts dergleichen ist
geschehen. Schließlich haben ein paar Frauen aus dem
Haus den kleinen Dachboden saubergewischt, das Bett ist   25
nach oben geschafft worden und eine Kommode mit ihren
Sachen, die ja noch vorhanden waren, Lina wohnt in der
obersten Etage. Nur ein Ofen war nirgends aufzutreiben.
In den kältesten Nächten, wenn auch zwei Decken nichts
nützen, riskiert es Jakob, der nie eigene Kinder gehabt hat,   30
und nimmt sie heimlich zu sich ins Bett. Es hat sich ganz
einfach ergeben, daß sie ihm am meisten gehört, sie hat
zwei Jahre Zeit gehabt, ihn um den Finger zu wickeln, die
Zeit war reichlich.
Heute ist keine kalte Nacht, schon gar nicht die kälteste,   35

Lina wird alleine schlafen müssen, Herschel Schtamm hat den ganzen Tag entsetzlich geschwitzt. Jakob kommt zu ihr, jeden Abend kommt er zu ihr, Lina liegt mit geschlossenen Augen da. Jakob weiß genau, daß sie nicht schläft, und sie weiß genau, daß er es weiß, jeden Abend kommt ein anderer Spaß heraus. Er nimmt eine Tüte aus der Tasche, in der Tüte ist eine Mohrrübe, die legt er auf die Kommode neben das Bett, dann macht er den Spaß für heute. Er bläst die Tüte auf und läßt sie zwischen seinen Händen platzen, aber Lina lacht schon vorher, als sie die Augen noch geschlossen hält, irgend etwas muß ja gleich kommen. Es kommt also der Knall, Lina richtet sich auf, gibt ihm seinen Kuß, den er sich verdient hat, und behauptet, daß es ihr schon viel besser geht. Sie will morgen endlich aufstehen, so ein Keuchhusten kann nicht ewig dauern, doch das darf Jakob nicht alleine entscheiden. Er legt ihr die Hand prüfend auf die Stirn.

»Habe ich noch Fieber?« fragt Lina.

»Höchstens noch ein bißchen, wenn mein Thermometer richtig funktioniert.«

Sie nimmt die Mohrrübe, fragt ihn, was das eigentlich ist, Fieber, und beginnt zu essen.

»Das erkläre ich dir ein anderes Mal«, sagt Jakob. »War der Professor heute schon da?«

Nein, er war noch nicht da, aber er hat gestern gesagt, daß es aufwärts geht, und Jakob soll sie nicht immer auf ein anderes Mal vertrösten, er muß ihr noch erklären, was Gasmasken sind, Seuchen, Luftballons, ⌜Standrecht⌝, das andere hat sie vergessen, und jetzt ist er auch noch mit Fieber in der Kreide.

Jakob läßt sie reden, sie macht schon einen ganz munteren Eindruck, er denkt womöglich mit ein wenig Wehmut an die drei Zigaretten, die ihn die Mohrrübe gekostet hat, die nächste muß er billiger kriegen. Am Ende läuft alles auf reine Konversation hinaus, Lina ist ein Meister der Konversation, es muß ihr angeboren sein.

»Was macht die Arbeit?« fragt sie.

»Alles bestens«, sagt Jakob, »danke für die Nachfrage.«

»War bei euch heute auch so eine Hitze? Hier war es mächtig warm.«

»Es ging.«

»Was habt ihr denn heute getan? Bist du wieder auf der Lokomotive gefahren?«

»Wie kommst du darauf?«

»Neulich bist du doch bis Rudpol gefahren und wieder zurück, weißt du nicht mehr?«

»Ach ja. Aber heute nicht, die Lokomotive ist schon seit ein paar Tagen kaputt.«

»Was hat sie denn?«

»Ein Rad ist ab, und es gibt kein neues.«

»Schade. Wie geht es eigentlich Mischa? Er war schon so lange nicht mehr hier?«

»Er hat viel zu tun. Aber gut, daß du mich erinnerst, ich soll dich von ihm grüßen.«

»Danke«, sagt Lina. »Grüß ihn auch von mir.«

»Wird besorgt.«

Das könnte stundenlang so weitergehen, über zwanzig Mohrrüben, unwichtig, was sie plaudern, es wird geredet, bis die Tür aufgeht, bis Kirschbaum hereinkommt.

Wenn ich mir nicht von Anfang an etwas anderes vorgenommen hätte, würde ich Kirschbaums Geschichte erzählen, vielleicht werde ich es irgendwann noch tun, die Versuchung ist groß. Obwohl wir uns nur zwei- oder dreimal flüchtig begegnet sind, er wußte nicht einmal meinen Namen. Ich kenne ihn eigentlich nur aus Jakobs spärlichen Worten, er hat ihn fast nur am Rande erwähnt, mich aber neugierig gemacht, Kirschbaum spielt für das Ganze hier keine große Rolle, vor allem hat er Lina gesund gemacht. Kirschbaum war vor Jahren eine Berühmtheit, nichts in der Art von Rosas Vater, eine regelrechte Berühmtheit mit Stempel und Unterschrift und tausend Ehrungen, Chef eines Krakauer Krankenhauses, gesuchter Herzspezialist. Vorträge an Universitäten in aller Welt, fließend Französisch, Spanisch und Deutsch, er soll mit ⌐Albert Schweitzer⌐ in lockerem Briefwechsel gestanden haben. Wer sich von ihm heilen lassen wollte, der mußte schon allerhand anstellen, die Würde des geachteten Mannes trägt er heute noch mit sich herum, ohne eigenes Zutun. Auch die Anzüge aus bestem englischem Stoff, mit der Zeit etwas abgeschabt an Ellenbogen und Knien, aber nach wie vor tadellos im Sitz, durchweg dunkel gehalten als wirkungsvollen Kontrast zu seinen schneeweißen Haaren.

Kirschbaum hat nie einen Gedanken daran verschwendet, daß er Jude ist, schon sein Vater war Chirurg, was ist das schon, jüdische Herkunft, sie zwingen einen, Jude zu sein, und man selbst hat gar keine Vorstellung, was das überhaupt ist. Jetzt sind um ihn herum lauter Juden, zum erstenmal in seinem Leben nichts als Juden, er hat sich den Kopf über sie zerbrochen, er wollte herausfinden, was es ist, wodurch sie sich alle gleichen, vergeblich, sie haben untereinander nichts Erkennbares gemein, und er mit ihnen schon gar nicht.

Für die meisten ist er ein bißchen Wundertier, Kirschbaum behagt das nicht, lieber Freundlichkeit als Respekt, er versucht, sich zu arrangieren. Ungeschickt stellt er sich an dabei, wo doch jeder Besonderes von ihm erwartet, und er hat so gar keinen Humor, mit dem sich etwas ausrichten ließe.

Er kommt in die Dachkammer, er bringt einen Topf voll Suppe für Lina mit, seine Schritte federn wie mit dreißig, der Tennisklub hat ihn jung gehalten.

»Guten Abend allerseits«, sagt er.

»Guten Abend, Herr Professor.«

Jakob steht vom Bett auf, er macht Platz für Kirschbaum, der Lina gleich abhorchen wird, sie zieht schon das Hemd aus, die Suppe ist noch zu heiß, jedesmal wird vorher untersucht. Jakob geht zum Fenster, es steht offen, ein kleines Bodenfensterchen, und doch kann man die halbe Stadt sehen. Vielleicht ein Sonnenuntergang, die Häuser in Grau und Gold, und viel Frieden. Die Russen werden alle Straßen entlangziehen, keine einzige wird ausgelassen, die verfluchten Sterne kommen von den Türen und werden helle Flecken hinterlassen wie häßliche Bilder, die zu lange an der Wand gehangen haben und wohlverdient in den Müll wandern. Endlich hat man wie die anderen ein wenig Zeit für rosige Gedanken, als ob Kowalski einem das Wunder erzählt hätte. Daß die Zukunft irgendwo da unten versteckt liegt, keine großen Abenteuer mehr, sollen sich die Jünglinge hineinstürzen, sicher muß die Diele frisch angestrichen werden, eventuell ein paar Tische neu dazu, womöglich gibt es sogar eine Lizenz für den Schnapsausschank, auf die damals so gut wie keine Aussicht war, man wird sehen. Im Vorratsraum könnte man das Zimmer für Lina herrichten, hoffentlich platzen nicht irgendwelche Verwandte herein und wollen sie holen, nur die Eltern kriegen sie, aber ob es die noch gibt. Sie wird nächstes Jahr zur Schule kommen, lächerlich, eine junge Dame von neun Jahren in der ersten Klasse. Die erste Klasse wird voll sein von zu großen Kindern, vielleicht lassen sie sich etwas einfallen, damit sie nicht soviel Zeit verlieren. Nicht schlecht wäre, wenn man ihr schon vorher etwas beibringen würde, wenigstens Lesen und ein bißchen Rechnen, warum ist einem das nicht früher eingefallen, soll sie erst gesund werden.

»Jetzt kann ich es euch ja sagen«, sagt Kirschbaum. »Es hat ziemlich böse um diese junge Dame ausgesehen. Aber bei artigen jungen Damen läßt sich meistens etwas machen. Wir haben den Schaden ziemlich ausgebessert. Tief Luft holen und anhalten!«

Im Schrank unten liegt ein altes Buch, eine Reisebeschreibung über Afrika oder Amerika, die könnte man gut zum

Lesenlernen nehmen, es sind wohl sogar ein paar Bilder
drin. Man muß es ihr irgendwie schmackhaft machen,
denn wenn sie keine Lust hat, kann man sich auf den Kopf
stellen. Sobald es geht, werde ich sie adoptieren, vorher
5 natürlich nach den Eltern forschen, ohne daß sie es erfährt,
adoptieren soll nicht so einfach sein, eine Menge Formali-
täten und Behörden, ist man auf die alten Tage noch zu
einem Kind gekommen. Die Deutschen haben ihren Anteil
daran, und die Russen haben ihren Anteil daran, wer den
10 größeren? Ich werde ihr sagen, daß jetzt Schluß ist mit dem
ewigen Märchenerzählen, nicht immer bloß Prinzen und
Hexen und Zauberer und Räuber, die Wirklichkeit sieht
ganz anders aus, du bist alt genug, das hier ist ein A. Sie
wird todsicher fragen, was das bedeutet, ein A, sie wird
15 wissen wollen, wozu man es braucht, sie ist sehr praktisch
veranlagt, in ihrem Alter sind Fragen das halbe Leben, es
können harte Zeiten kommen. Sie ist als Kind schon acht
Jahre alt, und ich bin als Vater erst knappe zwei.
Kirschbaum hält das Stethoskop* an ihre Brust und horcht   Medizinisches
20 angestrengt, und auf einmal tut er sehr verwundert, sieht   Hörrohr
Lina groß an und fragt: »Nanu, was ist denn das? Da drin
pfeift doch etwas?«
Lina sieht amüsiert zu Jakob, und der macht weiter, er hat
gar nicht gemerkt, wie er angefangen hat, aber jetzt macht
25 er weiter, er wird doch Kirschbaum den mageren Scherz
nicht verderben, und Lina lacht über den dummen Professor, der gar nicht begreift, daß das Pfeifen nicht aus ihrer
Brust kommt, sondern von Onkel Jakob.

Wieso werfen große Ereignisse ihre Schatten voraus, fragt
30 man sich, weit und breit kein Schatten, ein paar belanglose
Tage vergehen, belanglos für die Geschichtsschreiber. Keine neuen Verordnungen, kein äußeres Ereignis, nichts
Handfestes, nichts, woraus man auf Änderung schließen
könnte. Einige wollen bemerkt haben, daß die Deutschen

zurückhaltender geworden sind, einige sagen, weil rein gar nichts geschieht, das ist die Ruhe vor dem Sturm. Doch ich sage, die Ruhe vor dem Sturm ist gelogen, rein gar nichts ist gelogen, der Sturm ist schon da oder etwas davon, das Raunen in den Zimmern, wenn gebangt wird und spekuliert, gehofft und gebetet, die große Zeit der Propheten ist angebrochen. Wenn zwei sich streiten, dann streiten sie über Pläne, meiner ist besser als deiner, gepackt sind sie alle, alle wissen schon von dem Unfaßbaren. Wer es noch nicht weiß, der muß ein Eremit* sein, nicht jeder kennt die Herkunft der Nachricht, dazu ist das Ghetto zu groß, aber die Russen sind in jedem Kopf. Alte Schulden beginnen eine Rolle zu spielen, verlegen werden sie angemahnt, Töchter verwandeln sich in Bräute, in der Woche vor dem Neujahrsfest soll Hochzeit gehalten werden, die Leute sind vollkommen verrückt, die Selbstmordziffern sinken auf Null.

Wer jetzt noch erschossen wird, so kurz vor Schluß, der hat plötzlich eine Zukunft verloren, um Himmels willen nur keinen Grund mehr geben für ⌐Majdanek oder Auschwitz⌐, sofern Gründe Bedeutung haben, Vorsicht, Juden, höchste Vorsicht und keinen unüberlegten Schritt.

Es gibt längst zwei Parteien mitten durch die Häuser, Jakob hat nicht nur Freunde, zwei Parteien ohne Satzungen, aber mit gewichtigen Argumenten und Plattform und Überredungskunst. Die einen fiebern nach Neuigkeiten, was ist letzte Nacht geschehen, wie hoch sind die Verluste auf jeder Seite, keine Meldung ist so klein, daß man aus ihr nicht dieses und jenes schlußfolgern könnte. Und die anderen haben genug gehört, die Partei von Frankfurter, für sie ist dieses Radio eine Quelle ständiger Gefahr, Jakob könnte sie so leicht beruhigen, ich höre ihre Bedenken auf dem Bahnhof und auf dem Heimweg und im Haus. In eurer Einfalt redet ihr euch und uns um Kopf und Kragen, warnen sie, die Deutschen sind nicht taub und nicht blind. Und

Religiöser
Einsiedler

die Ghettoverordnung ist kein Vorschlag für gutes Benehmen, dort steht schwarz auf weiß geschrieben, was es heißt, Radio zu hören, dort steht auch, was mit denen geschieht, die wissen, daß einer hört, und keine Meldung machen. Gebt also Ruhe und wartet still in eurer Ecke, wenn die Russen hier sind, dann sind sie hier, ihr werdet sie nicht herbeischwatzen. Und vor allem hört auf, von diesem unglückseligen Radio zu reden, von diesem möglichen Grund für tausend Tode, man sollte es lieber heute vernichten als morgen.

Das ist die Lage, Jakob hat also nicht nur Freunde, aber er merkt es nicht, er kann es auch gar nicht erfahren. Die sich um ihn drängen, die Wißbegierigen, die hundert Kowalskis, die werden sich hüten, es ihm zu sagen, denn Jakob könnte Bedenken kriegen und es sich anders überlegen und plötzlich anfangen zu schweigen, lieber schweigen sie selbst. Und die Warner sagen es ihm erst recht nicht, sie schicken keine mahnende Abordnung zu ihm, das wäre viel zu riskant. Sie machen einen großen Bogen um Jakob, denn keiner soll je aussagen können, er hätte sie in seiner Nähe gesehen.

Der gelockte Herschel Schtamm zum Beispiel ist einer von den anderen, von denen, die nichts mehr hören und sehen wollen und keine Mitwisser sein. Wenn wir auf dem Bahnhof hinter vorgehaltener Hand die neuesten Erfolge der Russen auswerten, frisch aus Jakobs Mund, stellt er sich ein paar Schritte abseits, aber nicht so sehr weit, ich schätze auf Hörweite. Es soll nur kein Gespräch sein, an dem er nach außen hin teilnimmt, das ist seine schnell durchschaute Sorge. Die Augen Herschels wandern dann gleichgültig über die Gleise, oder sie treffen einen von uns mit mißbilligender Schärfe, doch es ist nicht ausgeschlossen, daß seine Ohren unter der schweißtreibenden Fellmütze spitz werden wie die eines Hasen.

Die Stromunterbrechung, die aus Jakobs Radio für Tage

einen lebensgefährlichen Staubfänger macht, hält er für sein persönliches Verdienst. Er behauptet das zwar nicht in der Öffentlichkeit, Herschel ist nicht der Mann, der sich gerne brüstet, wir wissen es von seinem Zwillingsbruder Roman, der jeden Abend und jeden Morgen mit ihm in einem Zimmer verbringt und jede Nacht in einem Bett, der muß es schließlich wissen. Als wir Herschel fragen, wie er das Kunststück angestellt hat, eine Stromsperre in mehreren Straßen und über mehrere Tage hinweg ist kein Kinderspiel, wird sein Gesicht milde, fast ein Lächeln nach gerade so überstandener Gefahr, aber er schweigt sich aus. Und da fragen wir: »Wie war das, Roman? Wie hat er es angestellt?«

Die Minuten vor dem Schlafengehen, berichtet Roman, sind ausgefüllt mit Gebeten, still in einer Ecke, nicht erst seit dem Radio, alte Gewohnheit. Roman wartet geduldig im Bett, bis man die gemeinsame Decke über den Kopf ziehen kann, er verlangt von Herschel längst nicht mehr, daß er sich beeilen soll und endlich schlafen kommen, er ist belehrt worden, daß Gebete und Eile nichts miteinander zu tun haben dürfen. Er achtet nicht auf das eintönige Gemurmel, das gesungene, es hätte keinen Sinn, Roman versteht kein Wort Hebräisch, doch seit einiger Zeit dringen auch vertraute Laute an sein Ohr. Seit Herschel konkrete Eingaben an den lieben Gott zu versenden hat, nicht mehr nur das übliche fromme Zeug von beschützen und alles irgendwie zum Guten wenden, bedient er sich öfter und öfter der allgemein verständlichen Sprache. Bruchstückweise kann Roman jetzt erlauschen, was seinen Bruder bewegt und quält, nichts Außergewöhnliches, wenn man selber beten würde, hätte man auch nicht viel anderes zu sagen. Abend für Abend kriegt Gott von Hunger erzählt, von Angst vor Deportation und Schlägen der Posten, was unmöglich alles mit seiner Billigung geschehen kann, er möge doch gütigst zusehen, was sich da machen ließe, nach

Möglichkeit schnell, es eilt, und er möge auch ein Zeichen geben, daß man verstanden worden sei. Lange hat das Zeichen auf sich warten lassen, für Herschel eine glänzend bestandene Probe in Standfestigkeit, der jeweils nächste Tag ist vergeblich nach Gottes änderndem Eingriff durchforscht worden. Bis es doch gekommen ist, das ersehnte Zeichen, unverhofft wie alle himmlische Aktion und so gewaltig, daß sogar den Ungläubigsten das zweifelnde Wort auf den Lippen ersterben mußte.

Von dem Radio ist an jenem Abend die Rede, von dieser im Augenblick alles beherrschenden Sorge, Herschel erklärt Gott haarklein die unabsehbaren Folgen, wenn Gedankenlosigkeit und mangelnde Vorsicht die Schwätzer ein deutsches Ohr übersehen lassen, und schon ist es passiert, die Schwätzer werden nach geltendem Gesetz zur Verantwortung gezogen, und auch die schweigenden Mitwisser. Und es wird behauptet werden, daß wir alle Mitwisser sind, daß die Neuigkeit um keinen einen Bogen gemacht hat, sie werden sogar recht damit haben. Außerdem muß es nicht einmal ein deutsches Ohr sein, das zufällig in der Nähe steht, es gibt auch getarnte deutsche Ohren, nur du weißt, wieviel Spitzel unter uns herumlaufen. Oder einer will die eigene Haut retten und verrät es aus eigenem Antrieb, Lumpen gibt es überall, auch das weißt du, ohne dein Einverständnis waren sie nicht auf der Welt. Laß nicht zu, daß uns so kurz vor Schluß noch das große Unglück zustößt, wo du schon all die Jahre deine schützende Hand über uns gehalten und das Ärgste verhindert hast, laß es um deiner selbst willen nicht zu. Laß die Deutschen nichts von dem Radio erfahren, dir ist bekannt, wozu sie fähig sind. Oder noch besser, wenn ich dir einen Vorschlag unterbreiten darf, vernichte dieses verfluchte Radio, es wäre die glücklichste Lösung.

Bei solchem Stand der Dinge beginnt plötzlich die Glühbirne unter der Decke zu flackern, Herschel achtet zuerst nicht darauf, aber dann sieht er mit geweiteten Augen nach oben, blitzartig wird er erleuchtet, was das zu bedeuten hat. Gott hat ihn erhört, die Gebete waren nicht umsonst, zur rechten Zeit schickt er sein Zeichen, die Empfangsbestätigung, und gleich ein Zeichen, wie man es sich praktischer nicht vorstellen kann, dafür ist er eben Gott! Ohne Strom wird das Radio verurteilt sein, endlich den Mund zu halten, das Licht flackert um so mehr, je inbrünstiger Herschel betet. »Nicht lockerlassen!« feuert ihn Roman an, aber das braucht er ihm nicht erst zu sagen, Herschel weiß, worum es geht, Ratschläge von Spöttern sind nicht gefragt, wenn die Glückseligkeit als Lohn winkt. Er läßt hingebungsvoll weiter seine Beziehungen spielen, bis es vollbracht ist, die Lampe geht endgültig aus, das letzte Wort ist gesprochen. Herschel stürzt zum Fenster, prüfende Blicke auf die andere Straßenseite, durch keinen einzigen Vorhang dringt ein Lichtschein, auch nicht im Haus von Jakob Heym. Wir haben dich zum Schweigen gebracht, mein Lieber, himmlische Ruhe wird sein, nimm deinen schrecklichen Kasten und bring ihn zum Teufel, brauchen kannst du ihn nicht mehr. Und bilde dir nur nicht ein, daß die Stromsperre, die du in deiner Gedankenlosigkeit für einen Schaden hältst, morgen schon behoben sein wird, Kurzschlüsse von allerhöchster Stelle dauern ihre Zeit.

Stolz und in Maßen glücklich, wie es die Umstände eben erlauben, legt sich Herschel nach getaner Arbeit ins Bett und nimmt gelassen die Glückwünsche Romans entgegen.

Besorgte Gesichter rings um Jakob, was soll werden, man sitzt auf dem trockenen und hat keine Ahnung, was in der weiten Welt geschieht. Den dritten Tag schon dauert dieser unerträgliche Zustand, das ist keine Stromsperre mehr, das ist eine Naturkatastrophe, muß uns dieses Unglück auch noch treffen. Voreilig hatte man sich an die freudigen Nachrichten gewöhnt, man ist süchtig geworden auf die paar Kilometer an jedem Morgen, und den ganzen Tag gab es etwas zu hoffen und zu bereden. Und jetzt herrscht betrübte Ruhe, der erste Schritt in der Frühe hat uns zum Lichtschalter geführt, sogar mitten in der Nacht sind welche aufgestanden, wir haben den Schalter gedrückt und die befürchtete Antwort vernommen, daß Jakob auch heute wieder genauso klug ist wie wir selber. Erst der Strom wird ihn von neuem allwissend machen, erst der Strom, den dunkle Mächte abgeschaltet haben, erst wenn in allen Zimmern die Lampen wieder brennen, wird sein Licht besonders hell scheinen, aber wann wird das sein.

Der einzige, für den der neue Grund zur Besorgnis keiner ist, heißt Jakob, dieser Schicksalsschlag hat ihn ausnahmsweise nicht getroffen. Seine Verbindung zur Außenwelt ist nicht abgerissen, was nicht da ist, kann nicht abreißen, sie ist so dürftig wie eh und je, nur darf er es endlich zugeben. Der reine Wahnsinn, welche Töpfchen sich das Glück zum Kochen aussucht, wenn auch ein sehr bescheidenes Glück, als Stromsperre verkleidet, soll es dauern, bis die ersten russischen Gesichter am Stadtrand die Posten überraschen. Wenigstens kann er nun freier atmen, Jakob darf wieder einer von vielen sein, keiner zwingt ihn, mehr zu wissen als alle, aber verstellen muß er sich weiter. Immerzu muß er sich verstellen, er muß Bedauern heucheln, wo keins ist, Bedauern über den Stromausfall, keine Kleinigkeit bei der Erleichterung. Ihr habt gesehen, Freunde, ich tue mein möglichstes, solange es ging, habe ich euch mit dem Neuesten und Besten beliefert, keinen Tag seid ihr ohne trostreiche Meldung geblieben, wie gerne würde ich weiterberichten bis zu der ersehnten großen Stunde, aber mir sind die Hände gebunden, ihr seht ja selbst.

Am Morgen hat Kowalski wieder das Rennen gemacht, er trägt mit Jakob, bloß war es diesmal kein richtiges Rennen mehr, Jakob ist über Nacht eine durchaus gewöhnliche Arbeitskraft geworden, eine ältere Person mit zwei denkbar schwachen Händen, um die sich keiner mehr reißt. Kowalski ist eher aus alter Gewohnheit an Jakob geraten, oder aus alter Freundschaft, jedenfalls tragen sie zusammen. So still ist es lange nicht mehr zugegangen zwischen ihnen, die Kisten kommen Jakob eine Kleinigkeit leichter vor, seit ihn Kowalski und die anderen nicht mehr mit Fragen überschütten, Kowalski vermutlich schwerer, seit die Antworten fehlen, das Gewicht ist, wie man sieht, keine absolute Größe. Die letzte Frage war, ob in Jakobs Haus das Licht, Gott behüte, auch ausgefallen ist, Jakob hat schlicht und wahrheitsgemäß mit Ja geantwortet, er war ganz glücklich, nach langer Zeit wieder die lautere Wahrheit sagen zu dürfen, und seitdem ist es ruhig um ihn wie um irgendeinen. So wird es bleiben, bis der Strom wieder fließt, da soll sich keiner über Jakobs Gelassenheit wundern.

Als die Pfeife zur Suppe ruft, setzen sie sich nebeneinander in die Sonne, Kowalski seufzt und löffelt und seufzt, das kommt nicht von der Suppe, die nicht besser und nicht schlechter schmeckt als alle Tage. In letzter Zeit hat Jakob Kowalskis Nähe fürchten gelernt, Kowalski war der emsigste unter den Wißbegierigen, er hat ihn nicht essen und nicht schlafen lassen, er hat Jakob nur als Vehikel seiner Neugier benutzt, ohne Erbarmen. Aber heute kann seine Nähe Jakob nicht schrecken, Fragen wären vergeudete Worte, die Sonne scheint, man sitzt friedlich und stumm nebeneinander und ißt, und irgendwo in der Ferne nähern sich ⌜Stalins⌝ Soldaten mit unbekannter Geschwindigkeit.

»Was meinst du, wie lange das noch dauern kann mit der Stromsperre?« fragt Kowalski.

»Hoffentlich zwanzig Jahre«, sagt Jakob.

Kowalski sieht gekränkt aus seiner Schüssel auf, das ist keine Antwort unter Freunden. Sicher waren die letzten Tage nicht leicht für Jakob, die einzige Verbindung nach draußen, die keiner ungenutzt lassen wollte, man hat dich

Jakob der Lügner

bestürmt und gelöchert, und ganz ungefährlich war es auch nicht, aber stößt man sich in unserer Lage an so einem bißchen zusätzlicher Mühe? Wer hätte an deiner Stelle anders gehandelt, suche ihn unter uns, und du wirst ihn nicht finden, und da kriegt man auf seine bescheidene Frage so häßliche Worte zu hören.

»Warum bist du so gehässig?« fragt Kowalski.

»Darauf kommst du nie«, sagt Jakob.

Kowalski zuckt mit den Schultern und ißt weiter, heute kann man mit Jakob nicht reden, vielleicht ist er schlecht aufgelegt, an manchen Tagen war er eigentlich schon immer unbegreiflich streitsüchtig. Wenn man in seine ungemütliche Diele gekommen ist, damals, man ist bester Laune reingegangen und hat sich an einen der vielen freien Tische gesetzt und hat Jakob ganz normal gefragt, wie die Geschäfte gehen, wie man eben so fragt, da konnte es einem passieren, daß er nicht normal geantwortet hat, die Geschäfte gehen so und so, wie man es von einem erwachsenen Menschen erwartet, sondern er hat einen angefahren: »Frag nicht so dämlich, du brauchst dich ja bloß umzusehen!«

Nicht ganz zufällig bekommen Kowalski und Jakob Gesellschaft, Mischa setzt sich neben sie, und er bringt Schwoch mit, den Juniorpartner von Lifschitz & Schwoch, Stempelkissen en gros und en détail*. Zuerst glaubt Jakob, sie setzen sich hin, einfach weil hier noch Platz ist, Sonne und ein unbeobachtetes Fleckchen, bis er entdeckt, daß sie sich immerzu ansehen, Mischa aufmunternd und Schwoch unentschlossen. Da weiß er, daß es doch kein Zufall ist, irgendeine unbekannte Größe ist im Spiel, er hat gelernt, auf feinste Nuancen zu achten. Mischas Blicke bedeuten »na rede schon endlich«, und Schwochs Blicke bedeuten »nein, rede du lieber«, und als das Geblicke überhaupt kein Ende nehmen will, sagt Jakob zwischen zwei Löffeln: »Ich höre.«

*(franz.): Groß- und Einzelhandel

»Wir haben da eine Idee, Jakob«, sagt Schwoch.

So weit, so gut, für eine ordentliche Idee findet sich immer Verwendung, gute Ideen sind wie die Luft zum Atmen, laßt hören, was euch eingefallen ist, dann werden wir weitersehen.

Aber Schwoch schweigt sich aus nach seinem schüchternen Anlauf, er blickt wieder zu Mischa, und seine Augen sprechen: »Rede du lieber.«

»Die Sache ist die«, sagt Mischa. »Wir haben uns gedacht, wenn der Strom nicht zum Radio kommt, dann muß das Radio eben zum Strom.«

»Willst du mir Rätsel aufgeben?« fragt Jakob beunruhigt, wo doch nichts Rätselhaftes an Mischas Worten ist, sie bedeuten nicht mehr und nicht weniger, als daß in irgendeiner Straße in diesem Ghetto das Licht noch brennt, gleich wird man hören, in welcher, der gesunde Menschenverstand kann sich leicht einen Reim darauf machen.

»Bei Kowalski in der Straße ist Strom«, sagt Schwoch.

Dieser verheißungsvolle Satz, für Jakob zur Erklärung gesprochen, trifft Kowalski, als er gerade seine Schüssel auskratzt. Die Hand bleibt ihm stehen, er schließt für einen kurzen Moment die Augen, seine Lippen flüstern verbittert, daß Schwoch der Schlag treffen möge, und er rückt zur Seite. Nicht weit, nur ein paar symbolische Zentimeter Abstand. Er hat nichts gehört, sollen diese Verrückten reden, was sie wollen, ihn geht das Ganze nichts an.

Jakob hat die kleine Offenbarung beobachtet, schade, daß man nicht lächeln darf, Wichtiges ist zu tun, bevor die Pause zu Ende geht und der Plan von Mischa und Schwoch Verbreitung findet und als nicht von der Hand zu weisen eingeschätzt wird. Daß sie bei Kowalski auf Granit beißen werden, ist Jakob klar wie nur sonst etwas, aus dieser Richtung droht keine Gefahr, wer so viele Jahre in Hörweite von Kowalski gelebt hat, der weiß, wie ein Held nicht aussieht. Dir den Bart nach der neuesten Mode stutzen und die

Haare kunstvoll anordnen, daß sich die Leute auf der Straße nach einem umdrehen, das kann er vielleicht, aber bei Todesstrafe verbotene Sendungen abhören und ihren Inhalt verbreiten, da müßt ihr euch einen Dümmeren suchen.

5 Das Problem liegt auf keinen Fall bei Kowalski, die Sorge ist vielmehr, daß sich ein anderer findet, Kowalskis Straße ist lang. Ein anderer kann kommen und sagen, gib her den Kasten, wir lassen ihn spielen und singen und den Himmel auf Erden verkünden.

10 Man muß ihnen den Plan von tiefstem Grund ausreden, wenn aus der Sache nichts wird, und es wird nichts aus ihr werden, dann muß es an dem Plan gelegen haben, nicht an Kowalski. Er kann nur als ehrenwerter Mann aus der Affäre hervorgehen, es müssen Worte gefunden werden, die

15 schon die Idee selbst verunglimpfen und ihre völlige Unbrauchbarkeit beweisen. Also her mit solchem Beweis, woher ihn aber nehmen in der Eile, womöglich fällt Kowalski das Richtige ein. Denn endlich einmal ist er Jakobs Verbündeter, endlich sitzt man im gleichen unbequemen Boot,

20 auch Kowalski wird mit allen Kräften an Mischas und Schwochs Einfall nagen, er wird alles sagen, bloß nicht, daß er zu große Angst hat. Man muß ihn bis zum Hals ins Wasser stoßen, dann wird er schon reden, es bleibt nur zu hoffen, daß ihm in der kurzen Zeit die passende Engels-

25 zunge wächst.

»Hast du gehört, was sie von dir wollen?« sagt Jakob. Kowalski wendet den Kopf zu ihm, er tut, als wäre er mit seinen Gedanken sonstwo gewesen, fragt mit vollendeter Unschuld: »Von mir?« Und dann fragt er Schwoch: »Was

30 denn?«

»Es handelt sich um den Strom«, erklärt Schwoch geduldig. »Man könnte doch das Radio zu dir schaffen?«

Kowalski spielt, er hört einen schlechten Witz. »Zu mir?«

»Ja.«

35 »Das Radio?«

»Ja.«

»Hervorragend!«

Die Idioten wollen mich umbringen, wird er denken, sie wollen mich ruinieren, als ob ich nicht genug andere Zoress* am Hals hätte, und sie reden von meinem Untergang, als ob er die natürlichste Sache von der Welt wäre.

(hebr.): Sorgen, Leiden

»Und du, Jakob? Was sagst du dazu?«

»Warum nicht?« sagt Jakob. »Es liegt nur an dir. Ich bin einverstanden.«

Es sieht nur so aus, als spielte er mit dem Feuer, er weiß genau, was er an Kowalski hat, außerdem kann man sich, wenn Kowalski im Handumdrehen zum Helden reifen sollte, die Sache später immer noch anders überlegen. Aber das wird nach menschlichem Ermessen nicht nötig sein, Kowalski ist eine Rechenaufgabe für die erste Klasse.

»Weißt du auch, was du dabei riskierst?« fragt Kowalski, maßlos verwundert über soviel Unvorsichtigkeit. »Was heißt das überhaupt, man könnte das Radio zu mir bringen? Wer ist das, *man*? Ich? Du? Er? Wer ist man? Wollt ihr das Radio am hellichten Tag durchs Ghetto tragen? Oder noch besser, nachts, nach acht vielleicht?«

Er lehnt sich entrüstet zurück, fast schon komisch, was sie einem da antragen, und das wollen kluge Menschen sein.

»Eine Prozession wollen sie machen! Die Streifen und die Posten werden sich solange schlafen legen, und wenn es soweit ist, gehen wir hin und wecken sie auf und sagen, ihr könnt weitermachen, das Radio ist sicher bei Kowalski!«

Schwoch und Mischa sehen sich sorgenvoll an, auseinandergepflückt nimmt sich ihr Plan nicht mehr gar so glänzend aus, auch Jakob steuert ein paar vielsagende Blicke bei, ernst und voller Zweifel. Kowalskis eindringliche Worte scheinen selbst ihn nachdenklich gemacht zu haben.

»Außerdem gibt es noch einen wichtigen Punkt«, sagt Kowalski. »Daß im Ghetto ein Radio ist, das wissen inzwischen viele, aber wer hat schon eine Ahnung, daß es bei Jakob steht? Wir hier auf dem Bahnhof und höchstens noch seine Nachbarn. Wenn bis jetzt alles gutgegangen ist, das heißt, wenn die Deutschen bis jetzt keinen Schimmer haben, dann müssen in Jakobs Haus anständige Leute wohnen. Aber woher wollt ihr wissen, daß es in meinem Haus genauso ist? Ich wohne mit drei Mann zusammen, wer kann euch garantieren, daß nicht über mir oder neben mir oder unter mir ein Verräter steckt oder ein Feigling? Und er hat nichts Eiligeres zu tun, als zur Gestapo zu rennen und zu erzählen, was er weiß?«

Eine lange Pause, Kowalskis Worte werden gemessen und gewogen, und Schwoch sagt leise: »Scheiße, er hat recht.« Und Mischa zuckt unentschlossen mit den Schultern, und Jakob steht auf und sagt: »Wenn ihr meint . . .«

»Habt es doch nicht so gefährlich eilig, Kinder«, sagt Kowalski, »der Strom wird irgendwann schon wieder kommen. Wenn nicht morgen, dann eben übermorgen. Und dann kann uns Jakob immer noch rechtzeitig genug sagen, wo sie inzwischen sind.«

Als die Pfeife wieder zur Arbeit ruft, ist der Plan von Mischa und Schwoch erledigt und begraben. Man hat ihn ausführlich durchgesprochen, wie es sich unter intelligenzbegabten Wesen gehört, man hat seine schwachen Punkte ans Licht geholt, und er hat das Licht nicht ausgehalten. Es wäre ganz schön gewesen, schade darum, aber ein heller Kopf hat uns die Augen geöffnet. Schwoch und Mischa stellen ihre leeren Schüsseln auf den Handwagen, sie sind fast die letzten, der Posten guckt schon ungeduldig und drohend.

Jakob und Kowalski sind wieder ein einsames Paar, beide um eine Sorge leichter, die Sache wäre ausgestanden.

»Einfälle haben die!« sagt Kowalski belustigt, mehr zu sich als zu Jakob, und schließt damit dieses Kapitel ab.

Lina steht faul in der Haustür und sieht zu Rafael und Siegfried, die auf der Bordsteinkante sitzen und leise miteinander reden, übertrieben leise und vorsichtig, will ihr scheinen, sooft jemand vorbeikommt, unterbrechen sie sich und blinzeln harmlos in die Sonne. Lina spitzt die Ohren vergeblich, ihre Zurückhaltung ist schnell geschmolzen, sie spaziert über den Damm, was die beiden Angeber so zu flüstern haben. Sie schnappt auf, wie Siegfried behauptet, daß nicht mehr viel Zeit bleibt, und Rafael sagt, daß sie zu Hause sagen, es könnte höchstens noch ein paar Tage dauern.

Dann ist sie entdeckt. Die beiden sehen sie gleichgültig an und warten mit unbewegten Gesichtern auf das Ende der Störung. Aber da können sie lange warten, Lina geht nicht weiter, sie bleibt, wo sie ist, lächelt freundlich. Bis Rafael schließlich aufsteht.

»Komm. Was wir zu bereden haben, braucht die nicht zu hören«, sagt er.

Genau das ist auch Siegfrieds Meinung. Er richtet sich vor Lina in seiner ganzen Größe auf und kann ihr nicht verschweigen, daß sie Prügel kriegen würde, wenn sie nicht bloß ein mickriges Mädchen wäre. Lina nimmt die Drohung unbewegt hin, denn die beiden machen kehrt und verschwinden in ihrem Hauseingang, immerhin. Lina wartet noch ein paar Sekunden, Jakob, der ihr streng verboten hat, in fremde Häuser zu gehen, ist weit weg, und Lina steigt hinterher. Als sie den Kopf vorsichtig durch die Hoftür steckt, sieht sie eben noch, wie Siegfried und Rafael in den Schuppen treten, wo der Tischler Panno in gesegneter Zeit einmal seine Werkstatt leitete, es stinkt heute noch nach Leim. Das Schuppenfenster hat keine Scheiben mehr, Lina weiß das ohne Prüfung, sie war selbst dabei, als Rafael die letzte gleich mit dem ersten Wurf getroffen hat. Also werden ihr die finsteren Gedanken der zwei nicht lange verborgen bleiben, nicht bei ihr, sie schleicht auf Zehenspitzen unter das schwarze Fenster und hockt sich still auf die Erde. Ihretwegen kann es jetzt losgehen.

»Höchstens, daß wir das Revier in die Luft sprengen«, hört sie Siegfrieds Stimme.

»Und wenn sie uns kriegen?« fragt Rafael.

»Mach dir bloß nicht die Hosen voll. Die Russen kommen ja bald, hast doch gehört. Außerdem können sie uns gar nicht kriegen, wenn wir sie sprengen, weil sie dann nämlich alle tot sind. Bloß vorher dürfen wir uns nicht kaschen*   fangen lassen.«

Siegfried war schon immer ein Großmaul, Lina könnte auf der Stelle wetten, daß aus der Sache nichts wird.

»Ob uns der Oberste von den Russen was gibt, wenn wir's schaffen?« fragt der gierige Rafael.

»Was denkst denn du! 'nen Orden, oder 'ne richtige Pistole, oder was zu essen!«

»Oder alles zusammen?«

»Bestimmt! Ist das vielleicht nichts? Zu Hause brauchen sie's ja nicht zu erfahren.«

Diese und jene Sekunde herrscht Ruhe, sicher malen sich die beiden Dummköpfe aus, was die Russen alles aus ihren verschwenderisch gefüllten Taschen holen werden, um sie für ihre Heldentaten zu belohnen.

Plötzlich sagt Rafael betrübt: »Du . . . 's geht nicht.«

»Warum?«

»Wo sollen wir denn Dynamit herkriegen? Wenn ich meine zwei Patronen leer mache, das reicht nie.«

»Ist ja wahr. Habt ihr sonst keins?«

»Nein.«

»Wir auch nicht.«

Lina lacht und hält sich die Hände vor den Mund, der kreischen möchte, es ist wirklich kaum zu glauben, wie dämlich zwei Bengels von zehn noch sein können.

Rafael hat eine neue Idee: »Weißt du was? Wir schließen sie einfach ein!«

»Wen?«

»Na die Gestapos! Wir schließen das Revier einfach zu. Nachts schlafen sie alle, und da schließen wir sie ein. Die Türen sind mindestens so dick, und vor die Fenster haben sie selber Gitter gemacht, da kommen die nicht so schnell raus. Und wenn dann die Russkis hier sind, haben wir sie alle auf einmal!« Rafael kriegt vor Aufregung kaum noch Luft.

»Wir haben aber keinen Schlüssel?«

»Finden wir«, sagt Rafael zuversichtlich. »In der Schublade von meinem Alten liegt ein Bund mit mindestens zwanzig Stück dran. Einer wird schon passen.«

»Gar nicht so schlecht«, brummt Siegfried. Man kann deutlich hören, wie er sich ärgert, daß nicht er auf diesen hervorragenden Einfall gekommen ist. Zu gerne würde er Rafis Plan schlechtmachen, aber der ist in Ordnung.

Da geht die Hoftür auf, die kleine Frau Bujok erscheint, sie hält nach ihrem mißratenen Sohn Ausschau, aber sie sieht ihn nicht, sieht nur Lina auf der Erde hocken und lächeln.

»Hast du Siegfried gesehen?«

Lina erschrickt ein wenig, sie war so vertieft, sie schaut zu Frau Bujok auf und gewinnt ihr Lächeln wieder. Das mickrige Mädchen klingt ihr im Ohr, man soll die Feste feiern wie sie fallen, Lina zeigt mit dem Daumen auf den Schuppen hinter sich. Frau Bujok sieht den Schuppen drohend an, steht noch ein Momentchen still, um tief Luft zu holen, dann schreitet sie hinein. Man hört ein nicht zu leises Klatschen, und man hört »aua!« und »wie oft soll ich dir noch sagen, daß du vor dem Fenster bleiben sollst!«, und noch ein Klatschen hört man, und »und du geh auch nach Hause, du Lümmel!«

Dann zieht Ruhe in den Hof, Lina steht auf und klopft sich den Rock sauber, die Vorstellung ist zu Ende. Frau Bujok kommt aus dem Schuppen, der Ärger hat sie rot angemalt, Siegfried hängt mit einer Hand an ihr, mit der anderen hält er sich die Backe. Wenigstens heult er nicht. Sie gehen schnell vom Hof, Siegfried sieht Lina nicht.

Lina geht auch zur Hoftür, sie hat es nicht eilig, eigentlich könnte sie noch bleiben, aber Rafael ist jetzt alleine, und da hat der Lauschposten seinen Wert verloren. Womöglich würde er sich sogar herablassen, jetzt mit ihr vorliebzunehmen, aber darauf pfeift sie, jetzt hat sie keine Lust mehr. Soll er selber sitzen und grübeln, welcher von den zwanzig Schlüsseln paßt, es wird ja doch nichts draus.

Sie geht also, in der Tür dreht sie sich noch einmal um, Rafael läßt sich viel Zeit.

»Ihr seid ganz schön dumm!« ruft sie über den Hof zum Schuppen und macht sich damit nicht gerade beliebt.

Und der Widerstand, wird man fragen, wo bleibt der Widerstand? Sammeln sich die Helden vielleicht in der Schuhfabrik oder auf dem Güterbahnhof, wenigstens einige? Sind an der Südgrenze, die am unübersichtlichsten ist und darum am schwersten zu bewachen, dunkle Kanäle ausfindig gemacht worden, durch die sich Waffen ins Ghetto schmuggeln lassen? Oder gibt es in dieser elenden Stadt nur Hände, die genau das tun, was Hardtloff und seine Posten von ihnen verlangen?

Verurteilt sie, immer verurteilt uns, es hat nur solche Hände gegeben. Kein einziger gerechter Schuß hat sich gelöst, Ruhe und Ordnung sind streng gewahrt worden, nichts von Widerstand. Ich muß wohl sagen, ich glaube, daß es keinen Widerstand gegeben hat, ich bin nicht allwissend, aber ich stelle meine Behauptung, wie man sagt, mit an Sicherheit grenzender Wahrscheinlichkeit auf. Wenn da etwas gewesen wäre, hätte ich es unbedingt merken müssen.

Ich hätte mitgemacht, das kann ich beschwören, man hätte mich nur zu fragen brauchen, und wenn es um Chanas willen gewesen wäre. Ich bin leider keiner von den Beson-

deren, die zum Kampf aufrufen, ich kann andere nicht mit-
reißen, aber ich hätte mitgemacht. Und nicht nur ich, warum hat sich bloß der Mann nicht gefunden, der »mir
nach!« rufen konnte, die letzten paar hundert Kilometer
hätten nicht so lang und so schwer zu sein brauchen. Das
Schlimmste, was uns hätte geschehen können, wäre ein
sinnvoller Tod gewesen.

Ich sage, mit Ehrfurcht habe ich inzwischen von ⌐Warschau
und Buchenwald⌐ gelesen, eine andere Welt, doch ver-
gleichbar. Ich habe viel über Heldentum gelesen, wahrscheinlich zuviel, der sinnlose Neid hat mich gepackt, aber
das braucht mir keiner zu glauben. Jedenfalls haben wir bis
zur letzten Sekunde stillgehalten, und ich kann nichts mehr
daran ändern. Mir ist nicht unbekannt, daß ein unter-
drücktes Volk nur dann wirklich frei werden kann, wenn es
Beihilfe zu seiner Befreiung leistet, wenn es dem Messias
wenigstens ein Stückchen des Weges entgegengeht. Wir haben es nicht getan, ich habe mich nicht von der Stelle ge-
rührt, ich habe die Verordnungen auswendig gelernt, mich
strikt an sie gehalten und nur von Zeit zu Zeit den armen
Jakob gefragt, was an Neuigkeiten eingegangen wäre.
Wahrscheinlich werde ich nie damit fertig, ich habe es nicht
besser verdient, mein ganzer privater Kram mit den Bäumen hat sicher damit zu tun und meine schlimme Rührse-
ligkeit und die Freigebigkeit meiner Tränensäcke. Es hat
dort, wo ich war, keinen Widerstand gegeben.

Es heißt, was für deine Feinde gut ist, das ist für dich
schlecht. Ich habe nicht vor, darüber zu streiten, es hätte
sowieso nur Sinn an greifbaren Beispielen, an solchen Beispielen, wie ich jetzt eins habe, aber ich will nicht darüber
streiten. Mein Beispiel ist der elektrische Strom. Jakob
kann gut und gerne auf ihn verzichten, er kommt prächtig
ohne ihn aus, was heißt verzichten, niemand hätte je gedacht, wie gut kein Strom sein kann. Außer den Russen

Jakob der Lügner

und Gesundheit für Lina wünscht sich Jakob nichts so sehr wie keinen Strom. Aber Jakob ist ein einzelner, und wir sind viele, wir wollen Strom, wir sind unseren Vorstellungen hilflos ausgeliefert, wenn schon nicht gleich die Erlö-
5 ser, dann wenigstens Strom.

Die Deutschen, um auf das Beispiel zurückzukommen, wollen auch Strom, nicht nur weil man sich im Revier bei Kerzenlicht die Augen verdirbt. Die ausgefeilten Pläne geraten durcheinander, kein Stuhl mehr und kein Buffet ver-
10 lassen die Möbelfabrik, Zangen und Hämmer und Schrauben aus der Werkzeugfabrik fehlen, keine Schuhe, keine Hosen, die Juden sitzen herum und drehen die Daumen. Zwei Gruppen eilig zusammengesuchter Elektriker schwärmen aus, den Schaden zu finden, Sonderzuteilung
15 mit doppelt Brot und Zigaretten, Tag und Nacht prüfen sie Sicherungen und was zu prüfen ist, wühlen Straßen auf, legen Kabel frei, von unseren guten Wünschen begleitet. Nach fünf vergeblichen Tagen läßt Hardtloff sie erschießen, von ⌐Sabotage⌐ wird geredet, was der blanke Irrsinn
20 ist, die Elektriker gehörten alle irgendwie zu Jakobs Kunden und hatten persönliches Interesse, den Defekt zu beheben. Auf dem Platz vor dem Revier werden sie erschossen, wer will, kann zusehen, laßt euch das zur Warnung dienen und tut, was von euch verlangt wird.
25 Dann rückt ein deutscher Spezialtrupp ein, auf einem Wagen wie Menschen vom Mars. Monturen wie die Taucher, man sieht sie lachen und ihre Wichtigkeit genießen, wir werden das Ding schon schaukeln, Erika, zeigt her, woran sich jüdische Stümper die Zähne ausgebissen haben. Zwei
30 Tage, und dann liegt der wunde Punkt in seiner Blöße, ein Rattenschwarm hatte eine Leitung angenagt, ist an seiner Gier verendet, ein neues Kabel wird in die Erde versenkt, und wieder Buffets, Schuhe, Zangen, Schrauben, Jakobs Radio.

Wir wollen wissen, ob es stimmt, daß sie uns gegen Lösegeld verkaufen wollten. Wenn ja, wo bleibt das Geld? Wir wollen wissen, ob es den Tatsachen entspricht, daß ein jüdischer Staat gegründet werden soll. Wenn ja, wann? Wenn nicht, wer hintertreibt es? Vor allem wollen wir wissen, wo die Russen bleiben, drei Wochen machst du uns den Mund schon wäßrig, wie es dir mit Puffern nie gelungen ist. Erzähle, wie sie die Fronten durchbrechen, welche Taktik sie anwenden, ob sie die Gefangenen als Gefangene behandeln oder als Sträflinge, ob sie im Osten großen Ärger haben mit den Japanern, ob ihnen die Amerikaner nicht wenigstens das abnehmen können, wenn sie schon nicht in Europa landen. Und wir wollen auch wissen, was die Karriere von ⌜Kiepura⌝ macht, wie er sich zurechtfindet in Amerika. Eine Menge an Neuigkeiten muß inzwischen aufgelaufen sein, schön, sie werden keine Zusammenfassung extra für uns senden, sie haben keine Ahnung, wie wir unter der Stromsperre gelitten haben, aber einiges erfährt man schon neben dem Allerneuesten, laß bitte nichts aus, hörst du, bitte nichts.

Bedauernswert ist Jakob. Ein gut eingerichtetes Büro müßte er haben, ein Hauptquartier mit drei Sekretärinnen, besser noch mit fünf. Ein paar Verbindungsmänner in allen wichtigen Hauptstädten, die pünktlich und zuverlässig jede ausspionierte Kleinigkeit ins Hauptquartier schicken. Wo die Sekretärinnen mit rauchenden Köpfen die Kleinigkeiten aussortieren, und sämtliche Zeitungen von Rang lesen, und alle Sender abhören, und aus allem den Extrakt gewinnen und ihn Jakob vorlegen als dem Endverantwortlichen, dann könnte er ungefähr ein Drittel der Fragen wahrheitsgemäß beantworten, so wahr wie Zeitungen und Sender und Verbindungsmänner eben sind.

In der Tasche der Pfeife steckt eine Zeitung. Die Pfeife kommt aus dem Steinhaus, geht an den Waggons vorbei, das Holzbein hinter sich herschleifend, mitten durch die Juden, die nicht einmal wahrnehmen, was da an ihnen vorbeihinkt, was kümmern uns Zeitungen, wir haben Jakob. Nur Jakob sieht und kümmert sich, die Lupe in seinen Augen läßt die Kostbarkeit in der Tasche des Eisenbahners nicht los, ein Papierchen mit wahren oder erlogenen Berichten über tatsächlich Geschehenes, auf jeden Fall unendlich mehr wert als ein Nichts von einem Radio. Entlastung für seinen erschöpften Erfindergeist, wenn ein verwegener Besitzertausch gelingen sollte.

Hinter dem letzten Gleis erreicht die Pfeife ihr Ziel, ein nur für Deutsche reserviertes Holzhäuschen, an der Tür steht es so geschrieben, gleich unter dem Herzchen, das sie nachträglich reingeschnitzt haben, nach heimatlichem Brauch, könnte ich mir denken.

Jakob läßt sich durch die Tragerei mit Kowalski nicht ablenken, immer ein Auge auf dem Häuschen, wenn die Zeitung soeben noch komplett war, wie es den Anschein hatte, und der Eisenbahner kein allzu großer Verschwender ist, müßte ein Rest übrigbleiben. Wenn der Eisenbahner kein Geizhals ist, müßte er den Rest liegenlassen. Verschwender darf er nicht sein, Geizhals darf er nicht sein, nichts spricht dafür und nichts dagegen, wenn sich eine Gelegenheit findet, wird Jakob diesen Rest holen. Doch welche Gelegenheit auch kommen wird, lebensgefährlich wird sie immer sein, was hat ein Jude auf einem deutschen Klosett verloren, für euch riskier ich Kopf und Kragen, Brüder. Ich will nicht Kartoffeln stehlen wie Mischa, der praktischer veranlagt ist und zwei mal zwei denkt, ich werde, wenn es gutgeht, ein paar Gramm Nachrichten entführen und mache euch eine Tonne Hoffnung draus. Hätte mich meine Mutter mit einem klügeren Kopf geboren, phantasiebegabt wie ⌐Scholem Alejchem⌐, was rede ich, die Hälfte würde schon genügen, dann hätte ich solchen Mundraub nicht nötig, ich könnte mir zehnmal mehr und Besseres aus den

Fingern saugen, als die in ihren Zeitungen schreiben können. Aber ich kann es nicht, ich kann es nicht, ich bin leer,
daß es mich schon erschreckt, ich werde es für euch tun, für
euch und für mich, ich tue es auch für mich, denn es steht
fest, daß ich als einziger nicht überleben kann, nur zusam- 5
men mit euch. So sieht ein Lügner von hinten aus, ich werde in ihr Klosett gehen und mir nehmen, was noch da ist, es
soll nur etwas da sein. Die Pfeife kommt endlich wieder
unter Gottes Sonne, holt ein paarmal tief Luft, zündet sich
eine Zigarette an, wozu er in dem Wind vier Hölzer 10
braucht, Zeit läßt er sich zum Erwürgen, aber die Tasche,
auf die es ankommt, ist leer. Wie war das noch mit den
Zeitungen damals, unsere hatten meistens acht Seiten, vier
Blätter, nehmen wir an, seine hatte auch vier, das wäre der
Normalfall. Ein Blatt zerreißt man einmal, dann noch ein- 15
mal, dann ein drittes Mal, das gibt pro Seite, Moment, das
gibt pro Seite acht Stückchen. Man kann sie auch viermal
zerreißen, dann werden aber die Stückchen schon ziemlich
klein, bleiben wir also bei dreimal, er hatte ja genug Papier.
Vier Blätter mal acht, das sind zweiunddreißig Stückchen, 20
soviel braucht kein gesunder Mensch, man zerreißt nur
eine Seite, und die übrigen legt man sich hin zum Lesen.
Aber auch wenn er sie alle zerrissen hat, auf jeden Fall liegt
noch etwas da, wenn er den Rest nicht in seiner Unwissenheit hinterhergeworfen hat. 25
»Was murmelst du dauernd?« fragt Kowalski.
»Ich murmel?« sagt Jakob.
»Die ganze Zeit. Vier und sechzehn und das müßte soviel
und soviel, was rechnest du aus?«
Die Pfeife verschwindet endlich wieder im Steinhaus, Ja- 30
kob sieht sich die Posten an, einer steht langweilig am Tor,
einer sitzt auf einem Waggontrittbrett, beruhigend weit,
der dritte ist nirgends zu sehen, vermutlich im Haus, oder
er schläft versteckt, weil ja doch nichts passiert, und drei
gibt es bloß. 35

»Arbeite weiter und dreh dich nicht nach mir um«, sagt Jakob.

»Wieso?« fragt Kowalski. »Was ist denn?«

»Ich gehe auf ihr Klosett.«

5 Kowalski macht sein erstauntes Gesicht, arbeitet nicht weiter, nächstens wird dieser Verrückte noch in das Steinhaus gehen um Schnaps und Tabak, er wird einen Posten anpumpen, und sie werden ihn nicht anders dafür an die Wand stellen als für das, was er jetzt vorhat.

10 »Bist du wahnsinnig? Kannst du nicht warten bis zur Pause und dann hinter den Zaun gehen?«

»Nein, ich kann nicht.«

Jakob duckt sich und läuft los wie ein Gelernter, die Kistenstapel decken ihn fast den ganzen Weg über vor Blicken

15 aus dem Steinhaus, nur nicht die letzten Meter, aber die gehören dazu, die werden auch erledigt, Jakob schließt die Klosettür hinter sich. Kein Wort über Gerüche, keins über die Gravierungen an den Wänden, neben der Brille liegt die reiche Beute. Aber zuerst noch ein Blick durch das Herz-

20 chen nach draußen, keiner hat etwas bemerkt, der Bahnhof mitten durch ein Herz, die Dinge gehen ihren Gang. Die Beute besteht aus dem erwarteten Rest, ein Verschwender war er nicht, eine ganze Anzahl akkurat auf Kante gerissener Blättchen, wie mit dem Messer geschnitten, und un-

25 ter den Blättchen liegt noch eine ganz gebliebene Doppelseite. Jakob stopft sich die Blättchen unter das Hemd, möglichst glatt, daß sie nicht bei der Arbeit knistern, besser auf den Rücken als auf den Bauch. Die Doppelseite ist nichts wert, das heißt, wert ist sie schon was, viermal von

30 oben bis unten Todesanzeigen in schwarzem Rahmen, an sich erfreulich, aber gering im Informationsgehalt. Gefallen, gefallen, gefallen, gefallen. Die lassen wir schön liegen, wir wollen keinen Ballast mit uns herumschleppen, die lernen wir spielend auswendig, vier Seiten Tote, der nächste

35 Besucher soll auch noch seinen Spaß daran haben. Wir

wollen aber nicht gemächlich werden, als wären wir auf unserem eigenen Klosett, wir wollen nicht gefährlich Zeit verstreichen lassen, wir wollen wieder an die Arbeit und sie ungeduldig hinter uns bringen, dann gehen wir in unser unbeobachtetes Zimmer, machen uns den Rücken frei und sauber und lassen unser neues Radio spielen. Und morgen könnt ihr wieder kommen und fragen, solange der Vorrat reicht.

Jakob sieht von neuem hinaus, ob alles noch in Ordnung ist, nichts ist in Ordnung, gar nichts, auf dem Weg zurück liegt Mine neben Mine, ein Soldat kommt auf das Häuschen zu, man könnte sagen zielstrebig. Seine Finger hantieren schon am Koppelschloß, in Gedanken sitzt er bereits und fühlt sich wohler, an dem kommt keiner mehr unbemerkt aus dem Häuschen, was machst du jetzt. Jakobs Knie erinnern ihn mit Nachdruck, daß er kein Jüngling mehr ist, wie leichtfüßig auch der Weg hierher zurückgelegt wurde, man merkt das immer erst so spät. Die Tür läßt sich nicht verriegeln, irgendein Idiot hat die Öse für den Haken abgerissen, versuche, sie zuzuhalten, ein Stoß mit der Schulter, und er wird drin sein und große Augen und sonst was mit dir machen. Theoretisch heißt es, kühlen Kopf bewahren, ruhig Blut, der Vorteil der Überraschung liegt auf unserer Seite, und er hat noch acht ganze Schritte. Die Bretter an der Rückwand kosten mindestens fünf Minuten und mehr als genug Lärm, er hat noch fünf Schritte, dir bleibt jetzt nur das kleine ovale Loch, in ihren Mist hinein. Wozu du dich nicht überwinden kannst, mager genug wärst du.

Der Soldat öffnet die Tür, die sich nicht sträubt, zu seinem Verdruß sieht er eine aufgeschlagene Doppelseite Zeitung vor sich, in Maßen zitternd, was aber in solch peinlichem Moment nicht weiter auffällt.

»Oh, Verzeihung!« sagt er und macht die Tür schnell zu und hat nicht die zerfallenden jüdischen Schuhe unter der

Zeitung gesehen und auch nicht, daß da gar keine heruntergelassene Hose prangte, die das Bild abgerundet hätte, wozu aber der Kopf nicht kühl genug und die Zeit zu kurz war. Vielleicht ganz gut so, zuviel an Tarnung kann auch schaden, Hauptsache er schließt die Tür frei von Verdacht, er richtet sich auf eine kurze Wartezeit ein, das Koppel hängt ihm schon über dem Unterarm, und spaziert auf und ab, weil man es so leichter aushält als im Stehen.

Auf was für Wartezeit soll Jakob sich einrichten, über dem Zeitungsrand und durch das Herzchen geht der Graue hin und her. Jetzt hilft nur noch ein Wunder, her mit dem ersten besten, man braucht den Kopf nicht anzustrengen, denn echte Wunder sind nicht kalkulierbar. Es hat noch zwei Minuten Zeit, kaum mehr, das Unerwartete, und wenn es ausbleibt, was nur recht und billig wäre, dann sieht so lächerlich die besagte letzte Stunde aus.

»Beeil dich, Kamerad, ich habe Durchfall«, hört man den Soldaten bitten.

Die Blättchen auf dem Rücken fangen an zu kleben, man wird sie trocknen müssen vor Gebrauch, wenn alles gutgeht auf märchenhafte Weise. Und Jakob erzählt mir, auf einmal wird er müde, auf einmal machen sich Angst und Hoffnung davon, alles wird seltsam schwer und leicht zugleich, die Beine, die Augenlider, die Hände, denen vier Seiten für das Vaterland Gefallene sanft entgleiten.

»Hast du schon gehört, daß Marotzke wieder Heimaturlaub kriegt? Wenn das mal mit rechten Dingen zugeht! Der muß irgendwelche Leute ganz oben kennen, woll? Fährt alle naselang, und unsereins wartet und wartet und muß egalweg bei diesen Knoblauchfressern bleiben.«

Du lieber Himmel, Knoblauch, wenn man eine einzige Zehe hätte, hauchdünn auf warmes Brot gestrichen, du Idiot, ein Schulz oder ein Müller wird auf dem Klosett vermutet, ein Marotzke nicht Wohlgesonnener, an sich ein Treffer, wer Marotzke auch ist. Jakob lehnt sich gegen die

Rückwand und schließt die Augen, auf heldenhaftes Auf-
bäumen könnt ihr lange warten, seins ist erledigt. Der Kamerad da draußen ist am Zug, er muß die Handlung in
Trab halten. Soll er weggehen oder hierbleiben, soll er, von
Bauchkneifen geplagt, die Tür aufreißen und staunen und
schießen, einen Überraschten wird er nicht treffen. Alles
Folgende ist seine Sache.

Wer soll auch ahnen, daß an dem Wunder schon gearbeitet
wird, in groben Zügen ist es schon entworfen. Da ist noch
Kowalski, Kowalski mit zwei entsetzten Augen im Kopf,
der weiß, was los ist, der kennt die Lage. Der sieht den
bedürftigen Soldaten und die Tür, die noch standhält, der
weiß, wer drin ist und ohne seine Hilfe da nicht freikommt,
wenn er nicht vor Angst schon sowieso gestorben ist. Die
Rettung heißt, man lenkt den Deutschen ab, kein Steinchen
an die Mauer werfen, daß er sich umdreht, wer geworfen
hat, es muß etwas geschehen, was seinen sofortigen Eingriff verlangt. Als erstes fällt da der Kistenstapel auf, an die
zwei Meter hoch und ziemlich wacklig. Wenn dem zwei
Kisten von unten weggezogen werden, dann steht er nicht
mehr so stolz und abfahrbereit, dann ist es aus mit seinem
Gleichgewicht, und das möchte eine schöne Ablenkung geben. Was aber passiert einem Dummkopf, der solche Un-
geschicklichkeit begeht, was passiert mit Jakob, wenn sich
weit und breit kein Ungeschickter findet, was sind vierzig
Jahre Freundschaft wert, Rechenaufgaben für Kowalski.

Jakob hört ein leises Poltern in der Ferne, die Ohren kann
man nicht schließen wie die Augen, dann hört er Soldaten-
stiefel eilig weglaufen. Grund genug, die Augen wieder
aufzureißen, so und nicht anders hört sich ein Wunder an.
Die Arme und die Beine bekommen zuverlässig das alte
Gewicht, es geht wieder los. Die Luft scheint rein, sagt
einem der Blick durch das Herz, die Juden, die in dem Aus-
schnitt zu erkennen sind, haben die Arbeit unterbrochen
und starren alle in eine bestimmte Richtung, dorthin, wo
sich vermutlich das Wunder abspielt.

Kowalski hat den Kistenberg mit Erfolg unterwandert. Die Kraft hat gerade ausgereicht, eine Kiste ist ihm auf den Kopf gefallen. Der Soldat stürmt vom Häuschen her blindlings in die Falle und macht sich über den Köder Kowalski her, man kann sagen, selten ist ein Taschenspielertrick besser gelungen. Wenn auch die Schläge sitzen, die Kiste auf den Kopf war gar nichts dagegen, Kowalski wimmert leise, hält sich schützend die Hände vor das Gesicht und bedauert mit fliegenden Worten sein unverzeihliches Versehen.

Wir anderen stehen wie angewurzelt und mahlen mit den Zähnen, einer neben mir will beobachtet haben, daß Kowalski den Stapel absichtlich umgeworfen hat. Der Soldat schlägt und schlägt, Marotzke kriegt schon wieder Heimaturlaub und er nicht, vielleicht ist er auch ehrlich empört über soviel Ungeschick, aber ganz unvermittelt hält er ein in seinem Tagewerk. In ihm regt sich etwas, kein Mitleid und keine Erschöpfung, da verlangt der Durchfall sein Recht, jeder kann es deutlich sehen. Er verzieht das Gesicht und rennt in langen Sätzen zu dem Häuschen, das inzwischen eigens für ihn frei gemacht wurde. Das heißt, er ruft noch: »Daß mir das ja ordentlich wieder dasteht, wenn ich runterkomme, woll!« Dann erst führt er seine langen Sprünge vor, die trotz allem sich komisch ansehen. Die Sache duldet für ihn keinen Aufschub, jetzt würde er jeden Zeitungsleser mit Nachdruck auffordern, sofort die Stellung zu räumen, unverzüglich, weil sonst ein kleines Unglück geschieht. Aber das kann er sich sparen, er reißt die Tür zu einem leeren Klosett auf, das kleine Unglück wurde in letzter Sekunde gerade noch verhindert.

Von uns Zuschauern wagt es keiner, Kowalski zu helfen oder ihn zu trösten, hier wird gearbeitet und nicht getröstet. Er wischt sich das Blut aus dem Gesicht, prüft die Zähne, die alle da sind bis auf einen, wenn man die Sache bei Lichte betrachtet, dann hätte es erheblich schlimmer kommen können. Die Schmerzen werden vergehen, Jakob wird uns bleiben, nach dem Krieg schenken wir ihm ein exklusives Wasserklosett, auf dem kann er nach Herzenslust stundenlang sitzen und an seinen guten Freund Kowalski denken. Um den Rest des Kistenstapels herum kommt der wunderbar Gerettete, hinter dem Rücken von Kowalski, der sich noch befühlt. Jakob sammelt Mut, ihm unter die Augen zu treten, denn den wahren Grund für den gewagten Ausflug darf Kowalski nicht erfahren. Gerade er nicht, er hat es sich verdient, mit diesem Grund nicht behelligt zu werden, für ihn muß es eine unbegreifliche Laune Jakobs bleiben, die um ein Haar den Kopf gekostet hätte.

»Ich danke dir«, sagt Jakob mit bewegter Stimme. Bewegt ist schon das richtige Wort, nach vierzig Jahren zum erstenmal bewegt, man bekommt nicht jeden Tag das Leben gerettet, dazu noch von einem, den man so lange kennt und von dem man es, ganz ehrlich gesprochen, nicht erwartet hätte.

Kowalski verschwendet keinen Blick an ihn, er steht ächzend auf und macht sich über die Kisten her, die lieber aufgebaut sind, bevor der Soldat von seiner Not zurückkommt und nachprüft, was sein Wort hier gilt. Sie könnten alle noch schön ordentlich in Reihe und Glied stehen, ebenso wie die wenigen Zähne im Mund, wenn Jakob ein normaler Mensch wäre, wenn er nicht unverantwortlich wundersamen Gelüsten nachgegeben hätte, und andere müssen bitter dafür bezahlen.

Jakob läßt die Hände fliegen, auf eine Kiste von Kowalski kommen drei von ihm, wobei für Kowalski die Schuldfrage eine Rolle spielt, die Wut und sicher auch die Schmerzen. »Hast du wenigstens gut geschissen?« erkundigt sich Kowalski und hat Mühe, nicht zu schreien. »Sieh dir mein Gesicht an, sieh es dir gut an, schön muß es aussehen! Das war nicht er, das warst du! Aber was rege ich mich auf, Hauptsache du hast herrschaftlich geschissen, alles andere ist ja unwichtig. Nur eins kann ich dir schwören, Heym, versuche das noch einmal! Versuche es ruhig, dann wirst du sehen, wer dir hilft!«

Jakob verschanzt sich hinter Arbeit, Kowalski hat ja recht, von seiner Warte. Was ihn besänftigt, das darf Jakob nicht sagen, und jedes andere Wort wird neuen Ärger bringen. Später, Kowalski, wenn das hier überstanden ist, wenn wir zwei irgendwo still bei einem Schnäpschen sitzen, wenn in der Pfanne die Puffer knistern, dann werde ich dir alles erklären. In aller Ruhe, Kowalski, du wirst die ganze Wahrheit hören, wir werden lachen und den Kopf schütteln, was das für verrückte Zeiten waren damals. Du wirst mich fragen, warum ich das nicht gleich gesagt habe, wenigstens dir, meinem besten Freund, und ich werde antworten, das konnte ich doch nicht, weil du es sonst allen erzählt hättest, und sie hätten mich für einen von den tausend Lügnern und Gerüchtemachern gehalten und wären wieder ohne Hoffnung gewesen. Und dann wirst du mir die Hand auf den Arm legen, weil du es vielleicht verstehst, und wirst sagen: »Komm, Jakobleben, wir trinken noch einen Wodka.«

Als die Klosettür wieder aufgeht nach reichlicher Zeit, reckt sich der Kistenstapel stolz in die Höhe, als hätte nie jemand an seinem Umsturz gearbeitet. Der Soldat nähert sich gemächlich, die Hände auf dem Rücken, Montur in Ordnung, er wird auch schon erwartet. Nicht gerade sehnsüchtig, bloß daß die Angelegenheit endlich erledigt ist. Aber wie er kommt und stehenbleibt und den Kopf hält, die ganze Art kann einen beunruhigen, denn er schaut eher freundlich als prüfend. Irgendwie sieht er die Welt mit anderen Augen, wie ein paar gute Minuten einen Menschen verändern können. Die Kisten, er hat die Kisten ganz vergessen, er blickt nur in das verschwollene Gesicht von Kowalski, das vorerst rot ist, auf dem man aber blau und grün und violett schon ahnen kann, und er wirkt bekümmert. Bei Jakobs Augenlicht, er wirkt bekümmert, da soll sich einer auskennen. Er dreht sich schweigend um und geht weg, Jakob denkt, ein Glück, daß er erst hinterher sein weiches Herz entdeckt und nicht von Anfang an ein guter Mensch gewesen ist, sonst wäre er nie von der Tür weggelaufen, er wäre stehengeblieben, und wenig später wäre seine Güte auf eine zu harte Probe gestellt worden.

Im Vorbeigehen verliert der Kamerad zwei Zigaretten, Marke Juno ohne Mundstück. Er verliert sie, oder er läßt sie fallen, eine Frage, die nie zu klären sein wird, ebensowenig wie seine Motive, sofern es sich um Absicht handelt. Jedenfalls gehören die Zigaretten Kowalski, schließlich hat er dafür bezahlt.

Minuten später kommt die Pfeife aus dem Steinhaus und trällert zur Mittagspause. Der Eisenbahner, den bis zu dieser Stunde keiner von uns je reden gehört hat, der dennoch der geschwätzigste unter unseren Deutschen ist, weil ihm ein halbwegs brauchbares Rundfunkgerät aus der Tasche fiel. Mit der Pfeife hat alles angefangen heute, und sie ahnt nichts, pfeift wie immer zur Suppe und kann nicht wissen, wie schamlos ihre Vergeßlichkeit ausgebeutet wurde, oder was immer es war. Nur Jakob weiß, ihm fallen die Blättchen unter dem Hemd wieder ein und die Doppelseite, die inzwischen ein ungewisses Schicksal genommen hat und und die man eigentlich nicht so ungenutzt vergessen sollte.

»Hab ich dir überhaupt schon erzählt, daß die Deutschen Riesenverluste haben?« sagt Jakob.

Sie stehen bereits in der Schlange, Kowalski dreht sich zu ihm um, und zwischen seinen Blutergüssen erblüht der zarte Hauch eines trotz allem dankbaren Lächelns.

Das Radio erweist sich als nicht sehr ergiebig. Jakob legt Blättchen neben Blättchen auf seinen Tisch, im ganzen neun Stück, und Piwowa und Rosenblatt enthalten sich jeder Störung. Heute sind sie, was sie sind, nämlich vor längerer Zeit gestorben, an Katzenfleisch und einem Aufseher, heute mischen sie sich nicht in Jakobs Geschäfte, denn er muß sich bei dem Anlegespiel konzentrieren.

Der Name der Zeitung ist unauffindbar, ebenso das Datum, dafür hat der blinde Zufall gesorgt. Die neun Blättchen ergeben keine einzige zusammenhängende Seite, weil die Pfeife ganz wahllos zugegriffen hat, sich an keine Reihenfolge gehalten, Jakob hat die Mehrarbeit. Er probiert und dreht und wendet und findet doch kaum zwei Nahtstellen, die aneinanderpassen. Was am Ende aller Mühe vor ihm liegt, das sind zwei äußerst lückenhafte Seiten mit tischtuchfarbenen Löchern, zwei Seiten, die aussehen, als hätte ein umsichtiger Zensor alles Wissenswerte herausgeschnitten und dafür gesorgt, daß nur Bedeutungsloses in unbefugte Hände gerät. Der Sportteil zum Beispiel, ausgerechnet der Sportteil ist tadellos erhalten, wie werden sich die Juden freuen, daß die Boxstaffel der Luftwaffe gegen eine Auswahl der Marine zehn zu sechs gewonnen hat. Oder daß die Hamburger Fußballer den Berlinern, wie schon oft in der Vergangenheit, so auch diesmal keine Chance gelassen haben. Dann verrät uns die verschwiegene Seite noch an Weltbewegendem, daß sich ein ⌈Gauleiter⌉, dessen Name abgerissen ist, anerkennend über irgendeine Kunstausstellung geäußert hat, daß Seine Exzellenz der spanische Botschafter die gegenseitigen freundschaftlichen Beziehungen weiter ausgebaut sehen möchte, und vor dem ⌈Volksgerichtshof⌉ hat ein Prozeß gegen zwei vom jüdischen Weltkapital bezahlte Agenten seinen gerechten Ausgang genommen.

Du sitzt mit enttäuschtem Gesicht, hast von vornherein nicht viel erwartet, nur ein wenig Rückenwind für deinen armen Verstand, nur diese und jene versteckte Andeutung, aus der man mit einigem Geschick ein Festessen bereiten könnte, aber mit so wenig hast du nicht gerechnet. Kein Wort von Bezanika, wo die Russen längst schon durchgezogen sein müssen, kein Sterbenswort, das auf deutsche

Schwierigkeiten hinweist, statt dessen spielen die Schwachköpfe Fußball und machen Ausstellungen und pflegen die Gerechtigkeit.

Wir wenigstens wollen gerecht sein, wir wollen die Möglichkeit offenlassen, daß die Zeitung alt ist oder daß das Beste von ihr von der Pfeife verbraucht wurde, aber so oder so, man war ja selber ein Idiot, daß man sich soviel Hoffnungen gemacht hat. Man hätte ahnen müssen, was einen erwartet, wenn man sich bloß fünf Sekunden zum Überlegen genommen hätte. Was die für Zeitungen machen können, das ist zur Genüge bekannt, vor Jahren hat es in unserer Gegend eine deutsche Zeitung gegeben. Den »Völkischen Landboten«, und fragt mich nicht, was der getaugt hat. Gekauft hat man ihn ja nie, Geld wegzuwerfen ist Sünde, aber manchmal hat man ihn doch in die Finger gekriegt, ob man wollte oder nicht. Auf dem Markt haben sie Fisch in ihn eingewickelt, beim Zahnarzt hat einer im Wartezimmer gelegen, bei der Versicherung natürlich und mitunter auch bei Kowalski im Friseurgeschäft, weil er auf weltstädtisch machen wollte. Man hat ihm gesagt, Kowalski, hat man ihm gesagt, wenn du das Dreckding noch lange hier rumliegen läßt, versaust du dir bloß das Geschäft. Oder denkst du, zu dir verirrt sich ein deutscher Kunde, damit du ihm mit deinen ⌐jiddischen⌐ Fingern an seinem Kaiser-Wilhelm-Bart herumfummelst? Das mußt du mir schon überlassen, hat Kowalski beleidigt geantwortet, ich mache dir ja auch keine Vorschriften, wieviel Sägespäne du in deine Kartoffelpuffer mischen sollst. So war Kowalski, dabei sollen einem auf der Stelle die Hände abfallen, wenn diese Verleumdung stimmt. Jedenfalls hat ein Blick in das Blättchen genügt, und schon hat man gewußt, woran man war. Ständig haben sie sich bedroht gefühlt und erniedrigt und von Gott und der Welt benachteiligt, nicht sie haben uns erniedrigt, sondern wir sie. Die Frage, wie lange noch Deutschland unter den schmachvollen Ergebnissen des

letzten Krieges leiden soll, hat ihnen in keiner Ausgabe
Ruhe gelassen, dreimal die Woche. Und auf der letzten Seite haben neben einem Rebus* so unverständliche Gedichte
gestanden, daß man fürchten mußte, man hat ihre Sprache
5 verlernt.

Nur der Anzeigenteil, der war nicht der schlechteste, davon
haben sie etwas verstanden. Jeden zweiten Mittwoch oder
Dienstag waren die beiden Mittelseiten eng mit kleinen
Annoncen bedruckt, und wenn man etwas brauchte, was
10 auf dem Markt nur selten oder überhaupt nicht zu kriegen
war, etwa ein paar hübsche Stühle, mit Korbgeflecht vielleicht, oder eine moderne Stehlampe oder einen größeren
Posten Teller, weil in der Diele kein Geschirr lange gehalten
hat, dann konnte ein Blick in den »Landboten« nicht scha-
15 den. Natürlich hat man sich nach dem Namen desjenigen
gerichtet, der da seine Ware angeboten hat, wenn er Ha-
gedorn hieß oder Leineweber, dann ist man gar nicht erst
hingegangen, wenn er Skrzypczak oder Bartosiewicz hieß,
auch nur höchst ungerne, und wenn er Silberstreif hieß, ist
20 man eben hingegangen. Denn wenn es ums Annoncieren
ging, da waren die Leute vom »Landboten« nicht wähle-
risch, da haben sie jeden gelassen, Hauptsache, man konnte bezahlen. Aber das waren, wie gesagt, nur die Anzeigen,
jeden zweiten Mittwoch oder Dienstag, und der Rest war
25 schlicht und einfach Tinnef*.

An alles das hätte man sich rechtzeitig erinnern können,
bevor man seinen Kopf derart unnütz in die Schlinge gesteckt und ihn nur durch ein freundschaftliches Wunder
wieder herausbekommen hat, so haben sie damals Zeitun-
30 gen gemacht, und so machen sie heute noch Zeitungen,
keiner hat es ihnen inzwischen besser gezeigt. Nur das Ta-
lent für gelungene Annoncenteile scheint ihnen geblieben
zu sein, die vier zurückgelassenen Seiten voller Gefallenen-
anzeigen deuten darauf hin, daß immer noch Männer am
35 Werk sind, die ihr Geschäft verstehen.

(lat.): Bilder-
rätsel

(jidd.): Unfug,
wertlose Ware

Jakob dreht Blatt für Blatt spiegelverkehrt um, noch ist Polen nicht verloren, noch gibt es eine ungelesene Rückseite, die lückenhaft ist wie die Vorderseite, vielleicht aber nicht ganz so maulfaul. Von einem Helden steht dort geschrieben, wie ihn nur unser Volk hervorbringt, von einem Flieger mit französischem Namen*, der feindliche Aeroplane wie die Spatzen von Afrikas Himmel schießt. Der Führer hat eine Botschaft des ⌐Duce⌐ beantwortet, und in München ist ein Lastwagen mit einer Straßenbahn zusammengestoßen, was eine mehrstündige Verkehrsstörung zur Folge hatte. Ein gezeichneter Witz. Ein großer Mann hält einem kleinen Mann ein brennendes Streichholz über den Kopf. Frage: »Was bedeutet das?« Antwort: »Dover* unter Feuer.« Und eine dicke Balkenüberschrift, die behauptet, Siege an allen Fronten! Man kann ihr glauben oder nicht, wir wollen es lieber nicht tun, ihr Unterteil fehlt. Sie steht als Behauptung sozusagen in der Luft, und wir wissen, daß sie schon bei Moskau gewesen sein wollen. Behauptet haben sie das, nicht wir, aber wir haben selbst gehört, daß bei Bezanika gekämpft wird. Da liegt ein ordentliches Stück dazwischen, wenn so ein Sieg aussieht, dann gönnen wir euch hunderte von der Sorte.

Schön und gut, Jakob kann sich ausrechnen, daß sie ein bißchen flunkern, was aber soll er auf die Fragen antworten, die gleich morgen früh auf ihn regnen werden? Er hat sich das, erzählt er mir seufzend, entschieden zu simpel vorgestellt. Man liest ihre Zweckmeldungen, hat er gedacht, man durchschaut sie ohne oder mit ein wenig Mühe, dreht alles einfach um, und schon tummeln sich im Mund die Neuigkeiten, man kann sie zu gegebener Zeit herauslassen. Aber jetzt geh hin und dreh einfach um. Die Boxer der Luftwaffe haben gegen die Marine nicht gewonnen, sondern verloren, der Gauleiter mit dem abgerissenen Namen fand die Kunstausstellung miserabel, der deutsche Held trifft in Afrika kein einziges feindliches Flugzeug, die

Evtl. Adolf Galland (1912–1996), einer der erfolgreichsten Jagdflieger im Zweiten Weltkrieg

Südengl. Hafenstadt

Straßenbahn in München ist dem Lastwagen geschickt ausgewichen, und der Führer hat die Botschaft des Duce nicht beantwortet, weil er nie eine erhalten hat. Ich sage dir ja, alles Tinnef. Vielleicht gibt der Witz etwas her, denke ich noch, Dover unter Feuer heißt, Dover wird beschossen, Dover liegt, wenn nicht alles täuscht, in England, und wenn sie England beschießen, wird England sie beschießen, das ist wahrscheinlich. Wunderbar, werden sie mir morgen früh sagen, also England wehrt sich, aber England ist weit, und was wird mit uns? Höchstens daß man aus den Siegen an allen Fronten Niederlagen machen könnte, doch was weiß ich über Fronten, wo sie sind, wie viele es gibt, Niederlagen müssen mit Einzelheiten belegt werden, ich kenne keine, was hättest du an meiner Stelle getan?

Jakob faßt einen bedeutsamen Entschluß. Die Stromsperre war eine paradiesische Atempause mit dem einzigen Nachteil, daß man auf ihre Länge keinen Einfluß hatte. So eine Atempause verschaffen wir uns wieder, aber ohne den Nachteil, denn die Pause, die wir im Auge haben, kennt kein Ende. Wenn sie uns fragen, was gibt's Neues, Jakob, dann lassen wir die Schultern hängen und machen unser traurigstes Gesicht und flüstern ihnen mit verzweifelter Stimme: Stellt euch nur vor, Juden, letzte Nacht setze ich mich mit erwartungsvollen Ohren vor meinen Apparat und drehe am Knopf, wie ich es immer tue, aber es kommt kein Ton heraus! Nicht einer! Versteht ihr, gestern singt er noch wie ein Vögelchen, und heute schweigt er sich aus. Da hilft kein Jammern, Juden, ihr wißt, was für ein launisches Ding so ein Radio sein kann, jetzt ist es kaputt!

Das Radio ist kaputt. Jakob knüllt die Blättchen zusammen, alle neun zu einem kleinen Haufen, der Ärger, daß ihm die glänzende Idee nicht schon früher gekommen ist, hält sich in Grenzen. Viel größer ist die Entdeckerfreude, wenn das Klosettpapier zu nichts anderem nütze war, als dazu, ihn zu erleuchten, dann hat es sich trotz allem gelohnt, dann war der Preis, den Kowalski gezahlt hat, nicht zu hoch. Man wird jetzt nicht mehr Nacht für Nacht mit wachen Augen liegen müssen und sich den Kopf martern, was man ihnen am nächsten Tag vorlügen soll, man kann jetzt Nacht für Nacht mit wachen Ohren liegen und wie alle anderen horchen, ob in der Ferne der ersehnte Kanonendonner nicht endlich aufhört zu schweigen. Das Radio ist kaputt, die Blättchen fliegen in den Ofen, anzünden wird sie Jakob, wenn Heizen nötig ist, die Ofenklappe wird geschlossen.

Gerade rechtzeitig genug, denn Jakob hat vorhin in seiner Hast vergessen, die Tür abzuschließen, und die geht auf, die lächelnde Lina tritt herein ohne anzuklopfen.

»Hast du mich heute vergessen?« fragt sie.

»Aber nein«, sagt Jakob und gibt ihr ihren Kuß und schließt wenigstens jetzt die Tür zu. »Ich wollte gleich zu dir nach oben kommen, ich hatte bloß noch was zu tun.«

»Was denn?«

»Nichts, was du unbedingt wissen mußt. Hast du schon dein Abendbrot gegessen?«

»Ja, was du mir hingelegt hast.«

Lina sieht sich im Zimmer um, sie sucht nichts Bestimmtes, nur ob Ordnung ist und kein Staub. Ihr Finger zieht eine Bahn über den Schrank, wird begutachtet, das Ergebnis ist nicht überwältigend.

»Morgen räume ich bei dir auf«, sagt sie. »Heute habe ich keine Lust mehr.«

»Das wirst du nicht«, sagt Jakob streng. »Der Professor hat gesagt, du sollst noch nicht soviel herumlaufen.«

Lina sagt gar nichts, sie setzt sich lächelnd an den Tisch, Jakob weiß so gut wie sie, daß sie doch Ordnung machen wird. Seit geraumer Zeit herrscht Klarheit, wer hier den Ton angibt, das ist kein Thema mehr für Debatten, Jakob hat sich um das Essen zu kümmern, um die Kleider und im Winter um die Feuerung, für alles andere ist sie zuständig,

auch wenn er sich manchmal noch etwas anstellt. Nicht
zum Streiten über längst erledigte Fragen ist sie hereinge-
kommen, auch nicht aus Angst, er könnte sie vergessen
haben, das hätte er schon nicht, der Grund für ihr Erscheinen liegt ein paar Tage tief, da hat sie viel gehört und wenig
verstanden, da ist ihr eine Sache ziemlich unklar.

»Hast du gehört, wovon sie alle reden?« fragt Lina.

»Wovon denn?«

»Daß die Russen bald hier sind?«

»Was du nicht sagst!«

Jakob geht zum Schrank, nimmt seine Wochenration Brot,
bricht sich zum Abend ab und kaut.

»Wer erzählt sich das denn?«

»Na Siegfried und Rafael und Frau Sonschein und Frau
London, eben alle. Weißt du denn noch nichts?«

»Nein.«

Jakob setzt sich ihr gegenüber, sieht ihr enttäuschtes Gesicht, hat sich Klarheit versprochen, und er weiß von
nichts. Er teilt sein Brot und hält eine Hälfte davon Lina als
Entschädigung hin. Sie nimmt, kaut auch, aber das Brot ist
längst nicht so gut, wie seine Unwissenheit schlecht ist.

»Das heißt, gehört habe ich schon was«, sagt Jakob. »Aber
nichts Genaues. Was ist denn daran so wichtig?«

Ihre Augen werden langsam ungemütlich, für wie dumm
wird man hier gehalten, als ob sie ein Baby wäre, führt
selbständig einen Haushalt, von Ungeheurem wird überall
geredet, und was daran ist wohl so wichtig?

»Wie wird es denn sein, wenn die Russkis hier sind?«

»Woher soll ich das wissen?« sagt Jakob.

»Besser oder schlechter?«

Jakob ist nach Stöhnen. Den Hyänen auf dem Bahnhof bist
du für heute glücklich entronnen, wenn der Einfall mit dem
entzweigegangenen Radio sich bewährt, sogar für immer,
doch schon mußt du dich nach einem anderen Fluchtweg
umsehen, denn in den eigenen vier Wänden wächst ein

neuer Quälgeist, ein geliebter zwar, aber er kann Fragen stellen, soviel Haare hast du nicht auf dem Kopf. Oder du siehst dich nicht um, du fügst dich in dein Schicksal, ein Kind von nicht mal neun, das mußt du dir doch zutrauen. Wirst ihr, so gut du kannst, etwas über die Welt von mor- 5 gen erzählen, die interessiert dich doch auch, und wenn sie in groben Zügen weiß, was da auf sie zukommt, schaden wird es ihr auf keinen Fall.

»Wird es besser oder schlechter?«

»Besser natürlich«, sagt Jakob. 10

»Aber wie besser? Was wird dann anders?«

»Wir werden keine Sterne mehr tragen müssen. Lina kann sich anziehen, was sie möchte, und niemand wird sie auf der Straße fragen, wo sie ihren Stern gelassen hat.«

»Das ist alles?« 15

»Aber nein. Du wirst satt zu essen kriegen . . .«

»Soviel ich will?«

»Soviel du willst. Stell dir vor, auf dem Tisch stehen alle möglichen Sachen, du nimmst dir, worauf du gerade Lust hast, und wenn du nicht mehr kannst, dann wird abge- 20 räumt, und zum nächsten Essen steht alles wieder da.«

»Das schwindelst du«, sagt sie, weil es nicht schlecht wäre, wenn er es ihr noch einmal bestätigt.

»Das ist die reine Wahrheit. Und schöne Kleider wirst du haben, wir werden zusammen in den Laden gehen 25 und . . .«

»Warte doch. Was für Sachen werden denn auf dem Tisch stehen?«

»Was du gerne ißt. Fleischpastete mit Butter und Chale* und gekochte Eier und Fisch, du kannst es dir aussuchen.« 30

»Wirst du auch wieder Kartoffelpuffer braten?«

»Werde ich.«

»In der Diele?«

»In der Diele.«

»Du erinnerst dich doch noch, was du mir versprochen 35 hast? Daß ich dir in der Diele helfen darf?«

»Klar.«

»Du stehst hinter dem Tisch und brätst die Puffer, und ich darf sie den Gästen bringen mit meiner weißen Schürze. Und im Sommer bringe ich ihnen Eis.«

5 »So wird es sein.«

»Da freue ich mich schon.«

Lina freut sich schon, immer wenn sie sich freut, zieht sie die Schultern bis zu den Ohren hoch, Jakob kommt endlich zum Essen, vorerst das trockene Brot, bis sie nach einigem 10 Nachdenken die Stirn in Falten legt, weil ihr plötzlich ein Hindernis aufgetaucht ist.

»Aber was wird dann mit der Schule? Du hast auch gesagt, ich muß später in die Schule. Und wenn das stimmt, bleibt doch keine Zeit für die Diele?«

15 »Die Schule ist wichtiger«, entscheidet Jakob. »Solange werde ich schon die Gäste alleine bedienen. Wenn du mit der Schule fertig bist, kannst du mir immer noch helfen, wenn du dann noch Lust hast.«

»Aber ich möchte lieber gleich.«

20 »Was hast du denn gegen die Schule? Hat dir irgendein Dummkopf was Schlechtes darüber erzählt?«

Sie schüttelt den Kopf.

»Na also. Die Schule ist was Wunderwunderschönes. Da gehen lauter dumme Kinder rein, und lauter kluge Kinder 25 kommen wieder raus. Aber wenn du meinst, dumm gefällst du mir besser . . .«

»Müssen Siegfried und Rafael auch in die Schule?«

»Klar.«

Nach dieser Beruhigung klopft es. Lina springt auf und will 30 zur Tür und aufschließen, aber Jakob hält sie zurück und legt den Finger auf den Mund. Klopfen ist immer verdächtig, nicht jeder Verdacht bestätigt sich. Es könnte Kirschbaum sein zum Beispiel, der von Linas Besserung reden möchte, oder der Nachbar Horowitz will sich bis zur näch-35 sten Zuteilung auf Ehrenwort einen Löffel Malzkaffee borgen, es kann ein ganz gewöhnliches Klopfen sein, wir werden es ja gleich erleben, aber trotzdem braucht Lina nicht gesehen zu werden, sie geht keinen Menschen etwas an. Jakob legt seinen Arm um ihre Schulter, zieht sie zum Fenster, zeigt mit dem Finger hinter das Bett.

»Hier hockst du dich hin«, flüstert er. »Du rührst dich nicht, bis ich rufe. Verstanden?«

Verstanden, Lina hockt und rührt sich nicht, und Jakob öffnet. Wer steht schon draußen, kein anderer als Kowalski mit dem verschwollenen Gesicht steht in der Tür und versucht zu lächeln.

»Da hast du mich wieder auf dem Hals.«

Jakob würde ihn gerne gleich in der Tür abfertigen, sag schnell, was los ist, und dann auf Wiedersehen, aber Kowalski macht ganz den Eindruck, als hätte er Zeit in Hülle und Fülle. Er geht an Jakob mit der Klinke in der Hand vorbei, setzt sich an den Tisch und sagt: »Willst du nicht die Tür zumachen?«

Das Türschließen gerät Jakob etwas laut, Lina ist leise wie befohlen, er setzt sich wohl oder übel auf den zweiten Stuhl und gibt sich Mühe, nach wenig Zeit auszusehen.

»Du bist gerade beim Abendbrot«, stellt Kowalski fest. »Ich störe doch nicht?«

»Willst du nicht endlich sagen, warum du kommst?«

»Begrüßt man so einen Gast?« fragt Kowalski freundlich.

»Nein, ich werde gleich Wein aus dem Keller holen!«

»Warum so aufgeregt? Das war schon früher dein ganzes Unglück, Jakob, du hast deine Gäste nicht freundlich genug behandelt, das haben sie mir oft erzählt beim Haareschneiden. Deswegen sind auch immer weniger zu dir gekommen.«

»Danke für den Rat. Aber bist du hier, um mir das zu sagen?«

Hinter dem Bett kichert es lautlos, nur für einen hörbar, der weiß, daß da noch jemand ist.

»Du wirst lachen, Jakob, ich hab gar nichts Bestimmtes. Zu Hause wird mir die Decke immer niedriger, man kann nicht Abend für Abend im selben Zimmer sein. Gehst mal auf ein Schwätzchen zu Jakob, hab ich gedacht, dem wird es ähnlich gehen, hab ich gedacht, er wird sich freuen. Früher hat man sich doch auch nach der Arbeit getroffen, und jeder hat das völlig normal gefunden. Soll man nicht langsam wieder anfangen, sich an was Normales zu gewöhnen?«

Bevor Jakob antworten kann, daß früher früher war, und heute ist heute, und er will seine Ruhe haben und sich schlafen legen, weil die Arbeit auf dem Bahnhof über seine Kräfte geht, greift Kowalski in die Tasche, holt die beiden Zigaretten heraus, legt sie auf den Tisch, eine vor sich und eine vor Jakob und stopft ihm so fürs erste den Mund.

»Das ist nett von dir«, sagt Jakob. Kowalski glaubt vielleicht, Jakob meint nun doch den Besuch, Jakob sieht auf die Zigaretten, am Ende meint er beides.

»Außerdem hast du mir heute ziemlich wenig erzählt«, sagt Kowalski nach angemessener Pause. »Das mit den Verlusten war ja ganz erfreulich, aber du kannst dir denken, daß mich andere Dinge nicht weniger interessieren. Und davon war heute noch kein einziges Wort.«

»Gewalt geschrien, Kowalski, warum quälst du mich so? Hat man es nicht schwer genug, mußt du jedesmal davon anfangen? Ich kann es nicht mehr hören! Wenn ich was weiß, sage ich es dir schon, aber in meinem eigenen Zimmer kannst du mir doch wenigstens Ruhe gönnen!«

Kowalski nickt ein paarmal nachdenklich, er dreht seine Zigarette in den Fingern, schiebt die Unterlippe, die geschwollene, vor, er ist mit einem Verdacht gekommen, an dem Wahres zu sein scheint, er sagt: »Weißt du, Jakob, mir ist aufgefallen, daß du immer unfreundlich wirst, sogar aufgeregt, wenn ich dich um Neuigkeiten bitte. Von alleine sagst du mir nie was, also muß ich dich fragen, und kaum frag ich, schon wirst du wütend. Das will mir nicht in den Kopf rein, ich verstehe nicht, wo da die Logik steckt. Stell dir den umgekehrten Fall vor, Jakob, wenn ich das Radio hätte, und du hättest keins, würdest du mich dann nicht auch fragen?«

»Bist du verrückt? Vor dem Kind!«

Jakob springt auf und dreht sich zum Fenster, Lina hat genug gehockt und gelauscht, sie kommt verabredungsgemäß aus ihrem unbequemen Versteck, er hat sie ja gewissermaßen gerufen, sie strahlt über das ganze Gesicht.

»Gütiger Gott!« stammelt Kowalski erschrocken und schlägt die Hände zusammen, aber keiner kümmert sich um ihn, das ist eine Angelegenheit zwischen Jakob und Lina. Sie wechseln Blicke, Lina zwinkert, da bist du schön aufs Maul gefallen, damit hast du wohl nicht gerechnet. Jakob trennt sich von der leisen Hoffnung, sie könnte nichts gehört haben, weil doch Kinder oft wer weiß wo mit ihren Gedanken sind, oder es wenigstens nicht verstanden, sie ist ein aufmerksames Luder, sie zwinkert, und schon ist alles klar. Das gibt ein gewaltiges Stück Nachdenken, bis man das neue Malheur in Ordnung bringt, jeden Tag ein neues, wieder nichts mit Horchen auf Kanonendonner in der Nacht. Aber noch ist nicht Nacht, noch steht Lina einem gegenüber und genießt den kleinen Triumph, den ihr der Trottel von einem Kowalski so fahrlässig bereitet hat, man kann nicht Wurzeln schlagen und endlos Blut und Wasser schwitzen, man muß irgendein Lebenszeichen von sich geben.

»Geh jetzt nach oben, Lina. Ich komme nachher noch zu dir rauf«, sagt Jakob matt.

Zuerst geht sie einmal zu ihm, holt seinen Kopf zu sich herunter, Jakob denkt, es geschieht für den Kuß, der zu jedem noch so kurzen Abschied gehört. Aber er kann denken, was er will, Lina steht der Sinn nicht nach Küssen, jetzt nicht, sie holt sich den Kopf, weil an dem die Ohren dran sind, in eins von ihnen flüstert sie: »Von dir wissen es alle. Du hast doch geschwindelt!«

Dann ist sie draußen, Jakob und Kowalski sitzen wieder am Tisch, Kowalski in Erwartung einer Flut von Vorwürfen, und fühlt sich vollkommen unschuldig. Denn nichts wäre passiert, wenn Jakob sein Kind nicht vor ihm versteckt hätte, vor seinem besten Freund. Und wenn er sie schon versteckt, weil er nicht wissen kann, wer an die Tür klopft, dann hätte er sie herauslassen müssen, als er gesehen hat, wer da gekommen ist. Aber nein, er läßt sie in ihrem Winkel, wahrscheinlich hat er sie vergessen, ich frage dich, wie kann man ein Kind vergessen? Schließlich ist man kein Hellseher, und jetzt ist er böse und wird gleich mit seinen Beschuldigungen anfangen.

»Das hast du großartig gemacht! Nicht genug, daß schon das ganze Ghetto davon quatscht, jetzt weiß sie es auch noch!« sagt Jakob tatsächlich.

»Entschuldige schon, ich konnte sie beim besten Willen nicht sehen. Mit dem Auge . . .«

Kowalski zeigt auf seine Augen, Jakob kann sich eins aussuchen, beide sind sie chinesisch schmal, ein kräftiges Blau umrahmt sie wirkungsvoll. Ja, Kowalski zeigt auf seine Augen, dezente Erinnerung an eine Lebensrettung am Vormittag, deutlicher braucht man nicht zu werden, wenn hier Vorwürfe zu machen sind, dann fragt sich noch, wer wem. Oder wir sind alle zwei ein bißchen großzügig, vergessen alte Geschichten, die doch nicht mehr zu ändern sind. Und der Anschlag glückt, die Augen wirken vortrefflich, sofort schlägt die Stimmung am Tisch um, wird um ein paar Grad wärmer, sofort ist Jakobs herbeigelocktes Mitleid zur Stelle, er rückt ein wenig näher und betrachtet mit ausgewechselten Blicken, was er angerichtet hat.

»Sieht nicht gut aus.«

Kowalski winkt ab, wird schon wieder heilen, wenn Jakob versöhnlich ist, will auch er nicht kleinlich sein, er ist in

Geberlaune. Da liegen die noch kalten Zigaretten, Kowalski hat einfach an alles gedacht, sogar an die Streichhölzer. Er holt sie als letzte Überraschung aus der Tasche, zündet eins an der abgenutzten Reibfläche an, jetzt wird geraucht, Bruder. Komm, lehn dich auch zurück und schließ die Augen, verderben wir uns den Genuß nicht mit Gerede, träumen wir uns für ein paar Züge in die alten Zeiten, die bald wieder anfangen werden. Komm, erinnern wir uns an Chaim Balabusne mit der dicken Nickelbrille und dem kleinen Lädchen, in dem wir immer unsere Zigaretten gekauft haben, das heißt den Tabak, um sie daraus zu drehen. Sein Geschäft war deinem näher als meins und meinem näher als deins, es hat genau zwischen unseren gelegen, trotzdem sind wir nie richtig warm mit ihm geworden, aber das war seine Schuld. Weil er sich nichts aus Puffern und Eis gemacht hat und nichts aus Haareschneiden und Rasieren. Viele haben gesagt, er läßt seine roten Haare aus Frömmigkeit so lang wachsen, aber ich weiß es besser, es war aus Geiz, aus nichts anderem. Na ja, egal, über Tote soll man nichts Schlechtes denken, Balabusne hat immer eine schöne Auswahl gehabt, Zigarren, Pfeifen, Etuis mit Blümchen, Zigaretten mit Goldmundstück für die Reichen, wollte uns immer zu einer teureren Sorte überreden, aber wir sind bei »Excelsior« geblieben. Und der Ständer mit dem Gasflämmchen und dem Zigarrenabschneider auf seinem Ladentisch, der Ständer aus Messing, den er geputzt hat, sooft man zu ihm in den Laden gekommen ist, an diesen dummen Ständer erinnert man sich jedesmal, wenn man an früher denkt, obwohl man höchstens einmal die Woche seinen Tabak gekauft und dabei den Ständer nie benutzt hat.

»Denkst du auch an Chaim Balabusne?«

»Wie kommst du auf Chaim Balabusne?«

»Einfach so. Vielleicht durchs Rauchen.«

»Ich denke an gar nichts.«

Der letzte Zug wird getan, noch einer mehr, und man verbrennt sich die Lippen. Der Rauch hat die Lungen herrlich angekratzt und den Kopf ganz benommen gemacht wie nach ein paar reichlichen Gläschen, die Welt dreht sich gemächlich um einen im Kreis, aber man sitzt gut und hat die Hände auf dem Tisch. Ein bißchen Seufzen, ein bißchen Stöhnen, der Rauch schwimmt noch im Zimmer, Kowalski sagt: »Und jetzt zur Sache, Jakob. Wie sieht es draußen aus? Was hört man von den Russen?«

Jakob bleibt gefaßt, es war sowieso nur eine Frage der Zeit, wann Kowalski auf den eigentlichen Grund seines Besuches zu sprechen kommen würde, die Zigarette konnte niemanden täuschen. Jetzt hockt keine Lina mehr im Hintergrund, jetzt kann man offen reden, die Antwort haben wir uns schon zurechtgelegt für dich und deinesgleichen, mach dich auf was gefaßt. Also her mit dem verzweifelten Gesicht, her mit den traurig hängenden Schultern, jetzt kommt der letzte Akt in unserem Fragespiel, Kowalski, der wird dir nicht gefallen. Doch darauf kann man keine Rücksicht mehr nehmen, Kowalski, lange genug hat man es getan, man ist auch bloß ein geplagter Mensch.

»Ich wollte es dir nicht sagen . . .«

»Sie werden zurückgeschlagen!« schreit Kowalski.

»Nein, nein, so schlimm nicht.«

»Was denn sonst? Rede doch endlich!«

»Stell dir vor«, sagt Jakob leise und tadellos betrübt, »vorhin setze ich mich an meinen Apparat und drehe am Knopf, wie ich es immer tue, aber kein einziger Ton kommt heraus. Verstehst du das, gestern spielt er noch, nicht zu übertreffen, und heute schweigt er sich aus. Da kann man nichts machen, mein Lieber, so ein Radio ist ein unbegreifliches Ding, und jetzt ist es kaputt.«

»Gütiger Gott!« ruft Kowalski entsetzt, schon zum zweitenmal an diesem Abend ruft Kowalski »gütiger Gott!« und schlägt sogar die Hände wieder zusammen, wahrscheinlich weil eins bei ihm ohne das andere nicht geht.

»Was zu rauchen müßte man haben«, sagt Jakob sehnsüchtig, denn es ist der nächste Tag, die Zigarette, die Juno ohne
Mundstück, lebt nur noch in der Erinnerung. Er steht auf
einem Güterwagen, bei einer Jontefarbeit*, so kann man
sie getrost nennen, er nimmt uns Juden die Säcke ab, die 5
man uns heute zu tragen beschert hat. Wir bringen ihm die
zentnerschweren Säcke über fünfzig oder noch mehr Meter, er muß sie bloß bis zur Wagenwand schaffen und sie
dort sinnvoll anordnen, deswegen Feiertagsarbeit, und
auch deswegen, weil sie zu zweit sind, Jakob und Leonard 10
Schmidt. Der Tag, das nebenbei, hat mit Verwunderung
unsererseits angefangen, als sie uns zeigten, was heute zu
tun wäre, haben wir uns erstaunt angesehen und gedacht,
die wissen auch nicht, was sie wollen. Denn vor gut zwei
Wochen ist ein ganzer Zug mit Zementsäcken angekom- 15
men, als ob sie Häuser bauen wollten, wir haben sie Stück
für Stück abgeladen und mit Planen zugedeckt, und heute
heißt es plötzlich, die Säcke wieder auf die Waggons. Ihre
Sache, wir laden die Säcke gehorsam zurück, ganz wie sie
wollen, wir schleppen sie zu den Waggons, auf einem von 20
ihnen steht Jakob bei seiner Jontefarbeit und sagt »was zu
rauchen müßte man haben«, und Schmidt antwortet ihm
fast amüsiert: »Wenn Sie keine anderen Sorgen haben, Herr
Heym.«

Leonard Schmidt. Er ist zu diesem Ghetto gekommen wie 25
die Jungfrau zu ihrem Kind, es hat ihn auf Wegen angefal-
len, von denen er nicht im Traum gedacht hätte, daß sie die
seinen sind. Denn Schmidt hat ein Leben hinter sich, das
eigentlich auf der anderen Seite des Zaunes seine Fortsetzung verdient hätte, sein Aufenthalt in unserer Mitte ge- 30
hört für ihn zum wenigen Unbegreiflichen auf dieser Welt.
1895 einem vermögenden Vater und einer kaisertreuen
Mutter in Brandenburg an der Havel geboren, erstklassiges
Gymnasium in Berlin besucht, wohin sein Vater zwei Jahre
nach Leonards Geburt aus geschäftlichen Gründen (Neu- 35

(hebr.):
Feiertagsarbeit

erwerb einer Textilfabrik) gezogen ist, sofort nach be-
standenem Abitur Soldat geworden, ⌐Flandernoffensive¬,
⌐Verdun¬, ⌐Besetzung der Krim¬ und später ⌐Champagne¬,
als Not am Mann war, so hat Schmidt Krieg geführt. Dann
5 ist er in allen Ehren aus der geschlagenen Armee entlassen
worden, als stolzer Leutnant und mit Orden für Tapferkeit
vor dem Feind und sonst was behangen, und hat sich seinem Fortkommen zugewandt. Das Studium war an der
Reihe, wie es sich für gehobene Söhne gehört, das Studium
10 der Rechte in Heidelberg, und die letzten Semester in Berlin. Der Erfolg hätte nicht besser sein können, alle Examina
wurden mit Bravour absolviert, die meisten sogar mit
Auszeichnung. Drei unabänderliche Referendarjahre sind
vergangen, dann die Visitenkarte »Assessor Leonard
15 Schmidt« und schließlich der ersehnte Augenblick, die Er-
öffnung der eigenen Rechtsanwaltspraxis in vornehmster
Gegend. Gute Klienten ließen nicht lange auf sich warten,
die Beziehungen des Vaters haben sie einem förmlich zu-
getrieben, bald hat er zwei junge Anwälte anstellen müssen
20 für die weniger wichtigen Fälle und hat sich zehnmal
schneller einen Namen gemacht als mancher andere. Lie-
besheirat, zwei mittelblonde schöne Töchter, die Welt hat
jeden Tag respektvoll vor ihm den Hut gezogen, bis ein
Neider aus der Anwaltskammer auf die verhängnisvolle
25 Idee gekommen ist, seinem Stammbaum nachzuforschen,
ihn anzusägen und alles ein böses Ende nehmen zu lassen.
Die Frau, die beiden Töchter und das Bankguthaben konnten noch in die Schweiz gerettet werden, weil gute Freunde
Schmidt gewarnt haben, er selber hat es nicht mehr ge-
30 schafft. Er war noch mit der Regelung des Allernotwendig-
sten beschäftigt, als es mit Nachdruck an die Tür geklopft
hat. In Schmidts Kopf spukt das Ganze als idiotischer Witz,
vielleicht wird man eines Morgens aufwachen, und die
Klienten sitzen wieder im Wartezimmer, er war auf dem
35 besten Wege, ein deutscher Nationalist zu werden. Aber sie

haben ihn nicht gelassen, sie haben an die Tür geklopft und ihn aufgefordert, keine Sperenzchen zu machen, entsetztes Dienstmädchengesicht zwischen den mit weißem Tuch bedeckten Plüschsesseln, sie haben ihn hierhergebracht, weil sein Urgroßvater in die Synagoge gegangen ist und seine Eltern dumm genug waren, ihn beschneiden zu lassen, warum wußten sie schon selber nicht mehr. Witz oder kein Witz, er leidet doppelt und dreifach, in den ersten Tagen, als er noch neu bei uns war und eben mit seiner Lebensgeschichte fertig geworden, hat er mich unglücklich gefragt: »Verstehen Sie das?«

Und kurze Zeit später, man konnte, soweit man sich eben mit ihm beschäftigt hat, schon denken, er gewöhnt sich allmählich an das Ghettoleben, kommt er in einem Aufzug auf den Bahnhof, daß uns das Herz vor Überraschung stillsteht. An seiner linken Brustseite steckt eine Spange, und daran hängt ein kleines Ding, schwarz-weiß, das sich bei näherem Hinsehen als ⌐Eisernes Kreuz⌐ herausstellt. »Sei gescheit!« sagt ihm einer. »Nimm das Kreuz ab und versteck es! Sie werden dich dafür abknallen wie einen verrückten Hund!« Aber Schmidt dreht sich von ihm weg und beginnt zu arbeiten, als ob nichts wäre. Wir alle machen einen großen Bogen um ihn, keiner will in die Sache hineingezogen werden, dem ist nicht zu helfen, aus sicherer Entfernung lassen wir ihn nicht aus den Augen. Erst nach einer guten Stunde bemerkt ein Posten die Ungeheuerlichkeit, schluckt ein paarmal, steht stumm vor Schmidt, und Schmidt steht bleich vor ihm. Der Posten macht nach einer Ewigkeit auf dem Absatz kehrt, es sieht ganz so aus, als hätte es ihm die Sprache verschlagen, er geht in das Steinhaus, kommt gleich darauf mit seinem Vorgesetzten zurück und zeigt auf Schmidt, der inzwischen als einziger wieder arbeitet. Der Vorgesetzte holt Schmidt mit dem Finger zu sich heran, kein Mensch gibt mehr etwas für seinen verrückten Kopf, der Vorgesetzte beugt sich zu der Spange, betrachtet das Ding sorgfältig, wie ein Uhrmacher ein beschädigtes winziges Teilchen.

»Wo haben Sie das bekommen?« fragt er.

»Verdun«, sagt Schmidt mit zittriger Stimme.

»Das geht hier nicht. Das ist hier verboten«, sagt der Vorgesetzte. Er nimmt das Angebinde Schmidt von der Brust, steckt es in seine Tasche, notiert keinen Namen, erschießt keinen Übeltäter. Behandelt den Zwischenfall wie eine nette Abwechslung, die abends in der Kneipe allgemeine Heiterkeit auslösen wird. Er geht vergnügt zurück in das Steinhaus, der Posten paßt wieder auf anderes auf, kein Wort mehr darüber, Schmidt hat seinen Spaß gehabt und wir unser Schauspiel. So ist er bald nach Ankunft zu eigenartiger Berühmtheit gelangt, soviel zum Lebenslauf von Leonard Schmidt.

»Ich habe im ganzen Leben noch nie was mit Gerichten zu tun gehabt«, sagt Jakob.

»Aha«, sagt Schmidt.

Sie machen sich einen gemütlichen Tag, sie nehmen immer hübsch zu zweit einen von den Säcken, die wir Träger ihnen auf den Wagenrand legen und heben ihn mit »und jetzt!« auf die richtige Stelle. Sogar der Regen stört sie nicht, weil ihr Waggon überdacht ist. In den kleinen Pausen, die dann und wann entstehen, lehnen sie sich an die Wand, wischen sich den Schweiß von den Stirnen, der auf unerklärliche Weise dorthin gelangt ist, und schwätzen wie in Friedenszeiten. Wenn Kowalski oder die Schtamms oder Mischa keuchend ihren Sack abladen und sie neidisch ansehen und gehässig sagen, sie sollten auf sich achtgeben, sonst würden sie sich noch totarbeiten, lächeln sie. »Um uns macht euch nur keine Sorgen.«

»Das heißt, einmal bin ich Zeuge gewesen«, sagt Jakob.

»Aha.«

»Aber nicht vor Gericht. Nur im Büro von dem Staatsanwalt, der den Fall behandelt hat.«

»Welchen Fall?«

Geldverleiher, der Kredite zu überhöhten Zinsen anbietet

»Es ging darum, ob Kowalski dem Wucherer* Porfir Geld schuldet oder nicht. Der Schuldschein war Porfir wie durch ein Wunder abhanden gekommen, und ich mußte bloß aussagen, daß Kowalski ihm sein Geld zurückgegeben hat.« 5

»Sind Sie denn dabeigewesen?« fragt Schmidt.

»Nicht die Spur. Aber Kowalski hat mir vorher alles Wort für Wort erklärt.«

»Aber wenn Sie nicht dabeigewesen sind, den Sachverhalt also nur vom Hörensagen kannten, hätten Sie doch gar 10 nicht als Zeuge auftreten dürfen. Woher wollten Sie denn mit Sicherheit wissen, daß Kowalski diesem Herrn das Geld auch tatsächlich zurückgegeben hatte? Er hätte, ich will es ihm nicht unterstellen, aber es wäre immerhin denkbar, Kowalski hätte Sie doch belügen können, damit Sie zu 15 seinen Gunsten aussagen?«

»Das glaube ich nicht«, sagt Jakob ohne langes Nachdenken. »Er hat viel schlechte Seiten, die kennt keiner so gut wie ich, aber ein Lügner ist er nicht. Er hat mir gleich gesagt, daß er Porfir das Geld nicht zurückgegeben hat. Wo- 20 her hätte er es denn nehmen sollen?«

»Und obwohl Sie das wußten, haben Sie vor dem Staatsanwalt ausgesagt, er hätte es in Ihrer Gegenwart zurückgezahlt?«

»Ja, natürlich.« 25

»So natürlich ist das gar nicht, Herr Heym«, sagt Schmidt belustigt, todsicher macht er sich über die bemerkenswerte Rechtsauffassung dieses komischen Volkes Gedanken, das angeblich das seine sein soll.

»Jedenfalls hat es ganz gut geholfen«, erzählt Jakob zum 30 Ende seiner Geschichte. »Der Halsabschneider Porfir ist mit seiner Klage nicht durchgekommen. Sein Geld war weg, aber was rede ich, sein Geld! Fast jedem von uns kleinen Geschäftsleuten hat er nach und nach die Haut abgezogen. Dreißig Prozent Zinsen, können Sie sich das vor- 35 stellen? Die ganze Straße hat gejubelt, wie Porfir und Kowalski nach der Entscheidung aus dem Gerichtsgebäude gekommen sind, Porfir kochend vor Wut und Kowalski wie die liebe Sonne.«

5 Am Wagenrand läßt der buntäugige Kowalski seinen Sack auf den Boden fallen, mit halbem Ohr hat er was aufgeschnappt, Kowalski wie die liebe Sonne, er fragt: »Was erzählst du von mir für Geschichten?«

»Die Sache mit Porfirs verlorenem Schuldschein damals.«

10 »Glauben Sie ihm kein Wort«, sagt Kowalski zu Schmidt. »Er macht mich schlecht, wo er geht und steht.«

Kowalski trabt zurück zum nächsten Sack, naß wie ein Pudel, nachdem er Jakob einen Was-soll-das-Blick zugeworfen hat. Die trockenen Schmidt und Jakob bemühen

15 sich auch ein wenig, zur Abwechslung ohne Plaudern, wieviel Säcke auf einen einzigen Waggon passen. Bis zur nächsten kleinen Unterbrechung, bis Schmidt etwas Wichtiges einfällt, bis er fragt: »Nehmen Sie mir meine Neugier nicht übel, Herr Heym, was sagt eigentlich ⌜Sir Winston⌝ zur

20 augenblicklichen Situation?«

»Wer?«

»Churchill? Der englische Premierminister?«

»Keine Ahnung, was er sagt. Haben Sie noch nicht gehört? Mein Radio ist kaputt.«

25 »Machen Sie keine Scherze!«

»Was denken Sie denn von mir?« sagt Jakob ernst.

Schmidt scheint betroffen, registriert Jakob, genau wie die anderen heute schon, denen man es mit hängenden Schultern und verzweifelter Stimme gleich am Morgen nicht

30 verschweigen durfte, die einzige Neuigkeit des Tages. Schmidt, der etwas hochnäsige, den ein Witzbold Leonard ⌜Assimilinski⌝ getauft hat, dieser Schmidt scheint einen Stich im Herzen zu fühlen wie alle, plötzlich gleicht er ihnen aufs Haar.

35 »Wie ist es denn geschehen?« fragt er leise.

Die Antwort darauf wurde in der Frühe abgewandelt, es war nicht Zeit genug, sie jedem einzelnen darzureichen wie Kowalski, in Seidenpapier gewickelt, Jakob hat sich zu erheblichen Streichungen entschließen müssen. Wie es geschehen ist? »Na wie schon? Wie so ein Radio eben kaputtgeht. Gestern spielt es noch, und heute spielt es nicht mehr.«

Die Reaktionen waren gemischt, einige haben den ungerechten Gott verflucht, andere haben zu ihm gebetet, man hat sich damit getröstet, daß Radio und Russen zwei grundverschiedene Dinge sind, einer hat geweint wie ein Kind, die Tränen sind ihm zwischen den Regentropfen unauffällig die Wangen heruntergelaufen. Einer hat gesagt: »Hoffentlich ist das kein böses Zeichen.«

Jakob konnte nicht ja und nicht nein sagen, er mußte sie ihrem kleinen Schmerz überlassen, lieber dem als der ganzen Wahrheit. Er kann auch Schmidt jetzt keine trostreichen Worte in die hängenden Ohren sagen, sein Vorrat an Trost ist erschöpft. Erinnern wir uns doch bitte zwischendurch nur kurz daran, daß Jakob genauso trostbedürftig ist wie alle Armseligen um ihn herum, genauso abgeschnitten von allem Nachschub an Neuigkeiten, daß ihn die gleichen Hoffnungen plagen. Nur ein verrückter Zufall hat aus einem Gleichen einen Besonderen gemacht und verbietet ihm bis heute, die Karten offen auf den Tisch zu legen. Doch nur bis heute, heute habe ich euch einen Blick in meinen Ärmel werfen lassen, ihr habt gesehen, wie leer er ist, da steckt kein Trumpfas mehr drin. Jetzt sind wir alle gleich gescheit, nichts unterscheidet uns mehr, nichts bis auf euren Glauben, ich wäre einmal ein Besonderer gewesen.

»Es hilft alles nichts, Herr Schmidt, wir müssen weitermachen. Und jetzt!«

Über den Bahnhof dröhnt durch den leiser gewordenen Regen eine unbekannte Stimme: »Hände weg da!«

Jakob und Schmidt laufen zur Tür und sehen, was sich

draußen tut, der Zwilling Herschel Schtamm steht auf dem Abstellgleis bei einem ganz gewöhnlichen Waggon, der noch verschlossen ist. Gedacht wird er haben, der ist als nächster an der Reihe mit Beladen, da hört er die un-
5 bekannte Stimme, die nur ihn meinen kann, und zieht schnell die Hand vom Verschlußhebel weg, gerade wollte er ihn nach oben drücken. Das einzige Bemerkenswerte an dem Vorfall ist bis jetzt die Stimme, die allerdings sehr bemerkenswert, sie gehört der Pfeife, deswegen unbekannt.
10 Die Pfeife in der Eisenbahneruniform geht so eilig, wie es ihr Holzbein erlaubt, auf Herschel Schtamm zu, der erschrocken zurückweicht, die Pfeife bleibt an dem Waggon stehen, prüft den Verschluß, der sitzt noch fest.

»Hast du vorhin nicht gehört? Dieser Waggon wird nicht
15 angerührt, verdammt noch mal!«

»Jawohl«, sagt Herschel Schtamm.

Dann wendet sich die Pfeife an alle Juden, die in der Arbeit eingehalten haben und den Reiz des Niegehörten genießen, mit angehobener Stimme wendet sie sich: »Habt ihr es jetzt
20 alle kapiert, ihr Drecksäcke? Dieser Waggon hier wird nicht angerührt! Beim nächstenmal knallt's!«

So also klingt seine Stimme, ich würde sagen keine sehr gelungene Premiere, ich würde sagen schwacher Bariton, man hätte sich einen angenehmeren Klang gewünscht. Die
25 Pfeife schreitet würdevoll zurück ins Steinhaus, Herschel Schtamm macht sich schleunigst wieder an die Arbeit, um aus dem Rampenlicht zu kommen, wir anderen auch, der Zwischenfall, der gar kein richtiger war, hat sein vorläufiges Ende gefunden.

30 »Was mag das für ein Waggon gewesen sein?« fragt Schmidt.

»Was weiß ich«, sagt Jakob.

»Dabei kann Herr Schtamm noch von Glück reden, daß er nichts abgekriegt hat. In der Tat befahl ja der Posten am
35 Morgen, daß wir uns um diesen Waggon nicht kümmern sollen. Sie haben es doch sicherlich auch gehört?«

»Ja, ja.«

»Wozu geht er also hin?«

»Du liebe Güte, woher soll ich das wissen!«

Schmidt hat kein Gefühl dafür, wann ein Gespräch zu Ende ist, er äußert einige Ansichten über die Nützlichkeit der strengen Befolgung von Befehlen, über die Zunahme der Überlebenschancen, die sich aus solcher Einhaltung ergibt, er formuliert einen kurzen Vortrag zur faktischen Rechtslage, die durch die momentanen Machtverhältnisse nun einmal gegeben ist. Jakob hört bloß mit halbem Ohr hin. Offen gesprochen, Schmidt ist einem nicht sonderlich sympathisch, er hält sich, ohne es jemals ausdrücklich zu sagen, für besser und klüger und mehr Kultur, er würde wahrscheinlich gegen das ganze Ghetto kein Wort einzuwenden haben, wenn sie nicht ausgerechnet ihn mit hineingesteckt hätten. Wenn er sich Mühe gibt, die Unterschiede zu verwischen, das tut er meistens, wird man den Eindruck nicht los, daß er sich verstellt, seht mal wie nett von mir, ich tue einfach so, als wären wir von einer Sorte. Die Unterschiede sind da, er kommt nicht gegen sie an, schon wie er einen ansieht oder redet oder ißt oder von den Deutschen spricht oder von früher, vor allem aber wie er denkt. Man kann sich seine Leidensgefährten nicht aussuchen, Leidensgefährte ist er unzweifelhaft, er zittert nicht anders als wir um seine Portion Leben, das heißt ein bißchen anders doch, auf seine besondere Art, die unsereinem nun mal nicht so angenehm ist.

Bald kommt Herschel Schtamm mit einem Sack angeschleppt, die durchnäßte Pelzmütze auf dem Kopf, unter der er seine Frömmigkeit verbirgt, Jakob fragt ihn: »Was war los, Herschel?«

»Du wirst es nicht glauben, ich habe in dem Waggon Stimmen gehört«, sagt Herschel.

»Stimmen?«

»Stimmen«, sagt Herschel. »So wahr ich hier stehe, menschliche Stimmen.«

Er mag den kalten Schauer auf seinem Rücken spüren, besonders er, dem unter der Fellmütze immer viel zu heiß ist, er bläst die Backen auf und nickt ein paarmal sorgenvoll, du kannst dir denken, was das zu bedeuten hat. Jakob
5 kann, er begleitet Herschels Darbietung mit hilflosem Seufzen, mit Augenschließen und die Brauen dabei hochziehen, sie führen ein kleines unhörbares Zwiegespräch, und Schmidt steht daneben und versteht kein Sterbenswörtchen.
10 Mischa kommt heran, er lädt seinen Zementsack ab, Mischa sagt leise: »Ihr müßt weitermachen, der Posten sieht schon zu euch her.«
Jakob hat auf einmal zwei linke Hände, der Sack entgleitet ihm, Schmidt sagt ärgerlich: »Passen Sie doch auf.«
15 Jakob muß besser aufpassen, ihm ist, erinnert er sich später, wie einem, der eben noch von Glück und stillen Winkeln geträumt hat, da kommt jemand und zieht dir die wärmende Decke fort, und du liegst nackt und zitterst vor Ernüchterung.
20 »Sie sind ja so schweigsam?« sagt Schmidt nach einer Weile.
Jakob ist weiter schweigsam, unerschütterlich betrübt nimmt er die Säcke in Empfang, von Zeit zu Zeit nur ein verstohlener Blick zu dem unscheinbaren Waggon auf dem
25 Abstellgleis, hinter dessen Wand menschliche Stimmen gehört worden sind. Luftlöcher dicht unter dem Dach, so groß ist keiner, daß er da herausschauen konnte, und keiner schreit, von drinnen nicht und von draußen nicht, warum schreit bloß keiner, die Säcke wollen wohl geordnet
30 sein. Steht rot-braun auf dem Abstellgleis und wie vergessen, aber sie vergessen ihn schon nicht, in mancher Hinsicht ist auf sie Verlaß. Gestern war er noch nicht hier, morgen wird er wieder fort sein, nur kurzer Zwischenaufenthalt auf einem Weg nach irgendwo. So einen hat man
35 schon hundertmal beladen und entladen und beladen, Ki-

sten, Kohlen, Kartoffeln unter strenger Bewachung, Maschinen, Steine, genau solche Waggons, aber der hier wird nicht angerührt, sonst knallt's.

»Glauben Sie, daß es stimmt?« fragt Schmidt.

»Daß was stimmt?«

»Das mit den Stimmen?«

»Stellen Sie doch nicht solche Fragen. Denken Sie, Herschel Schtamm will sich wichtig machen?«

»Aber wer kann denn in dem Wagen sein?«

»Wer schon?«

Schmidts Mund öffnet sich, ihm kommt jetzt erst ein furchtbarer Verdacht, er haucht: »Sie meinen . . .«

»Ja, ich meine!«

»Sie meinen, jetzt schicken sie noch welche in die Lager?«

So ist das leider, Schmidt kennt sich nicht aus im Spiel der Andeutungen, wie gewisse Dinge nicht erwähnt werden und doch gesagt sind, er wird sich nie auskennen, im Herzen ist er ein für allemal ein Fremder. Ihm muß alles plump und deutlich ausgesprochen sein.

»Nein, sie schicken niemand mehr! Der Krieg ist längst aus, wir könnten alle nach Hause gehen, wenn wir wollten, wir wollen aber nicht, weil es uns hier soviel Freude macht!« sagt Jakob mit verdrehten Augen. »Ob sie jetzt noch welche schicken! Denken Sie, es sind keine mehr da? Ich bin noch da, Sie sind noch da, wir alle hier sind noch da. Bildet euch doch bloß nicht ein, es ist schon so gut wie vorbei!«

Schmidt unterbricht die notwendig gewordene Lektion mit einer schnellen Handbewegung, er weist erschrocken nach draußen und ruft: »Sehen Sie doch! Schtamm!«

Herschel war nie groß aufgefallen, bis auf die Beterei damals, die nach seiner Überzeugung zur Stromsperre geführt hat, jetzt holt er das nach, er steht auf dem Abstellgleis bei dem Waggon. Noch haben ihn die Posten nicht bemerkt, Herschel drückt sein Ohr an die Wagenwand und redet, ich sehe deutlich, wie er die Lippen bewegt, wie er horcht, dann wieder spricht, der fromme Herschel. Sein Bruder Roman steht zufällig neben mir, mit Augen wie Mühlenräder, er will zu Herschel laufen und ihn zurückholen, bevor es zu spät ist. Zwei Mann müssen ihn mit Gewalt festhalten, und einer muß flüstern: »Bleib ruhig, du Idiot, du machst sie selber noch auf ihn aufmerksam!«

Ich kann nicht hören, was Herschel redet und was die drin ihm sagen, dafür ist die Entfernung viel zu groß, aber denken kann ich es mir, und das hat nichts mit vagen Vermutungen zu tun. Je länger ich überlege, um so klarer weiß ich seine Worte, auch wenn er sie mir nie bestätigt hat.

»Hallo! Hört ihr mich?« sagt Herschel als erstes.

»Wir hören dich«, muß eine Stimme aus dem Wageninneren antworten. »Wer bist du?«

»Ich bin aus dem Ghetto«, sagt Herschel dann. »Ihr müßt aushalten, nur noch kurze Zeit müßt ihr aushalten. Die Russen sind schon bei Bezanika vorbei!«

»Woher weißt du das?« fragen sie von drinnen, alles ganz logisch und zwangsläufig.

»Ihr könnt mir glauben. Wir halten ein Radio versteckt. Ich muß wieder zurück.«

Die Eingeschlossenen bedanken sich fassungslos, ein weißes Täubchen hat sich zu ihnen in die Finsternis verirrt, ihre Worte sind unerheblich, sie wünschen ihm vielleicht Glück und Reichtum und hundertzwanzig Jahre Leben, bevor sie hören, wie seine Schritte sich entfernen.

Alle blicken gebannt zu Herschel, der den Rückweg in Angriff nimmt, hirnverbrannt wie wir sind, stehen wir da und gaffen, anstatt weiterzuarbeiten und so zu tun, als wäre alles wie es sich gehört. Zuerst halten wir Roman von einer großen Dummheit ab, dann begehen wir sie selber, vielleicht wäre ihnen Herschel auch so nicht entkommen, wer will das hinterher wissen, jedenfalls tun wir nichts, was sie von ihm ablenken könnte. Jetzt erst scheint er die Angst zu entdecken, bis dahin ist alles wie von selbst gegangen, wie nach unergründlichen Gesetzen, denen auch die Traumwandler gehorchen. Die Deckung ist mehr als dürftig, so gut wie nicht vorhanden, Herschel weiß schon, warum er Angst hat. Ein Stapel Kisten, ein weiterer leerer Waggon, sonst nichts auf seinem Weg, auf dem er eigentlich Geleitschutz brauchte. Ich sehe, wie er den Kopf um die Ecke des Waggons schiebt, Zentimeter um Zentimeter, mit den Blikken ist er bereits bei uns, ich höre ihn schon von seiner Weltreise erzählen, bis jetzt ist die Gegenpartei ruhig. Der Posten am Tor steht mit dem Rücken zum Bahnhofsgelände, kein Laut erregt seine Aufmerksamkeit, die beiden anderen sind verschwunden, sind im Haus, ist anzunehmen, wohin der Regen sie vertrieben hat. Ich sehe, wie Herschel die letzten Vorbereitungen für den großen Sprung trifft, ich sehe ihn beten. Obwohl er noch an dem Waggon steht und die Lippen bewegt, ist deutlich zu erkennen, daß er nicht mit denen drin redet, sondern mit seinem Gott. Und dann drehe ich den Kopf zum Steinhaus, es hat ein kleines Giebelfenster, das steht offen, auf dem Fensterbrett liegt ein Gewehr und wird in aller Seelenruhe eingerichtet. Den Mann dahinter kann ich nicht erkennen, in dem Raum ist es zu dunkel, ich sehe nur zwei Hände, die die Richtung des Laufes korrigieren, bis sie zufrieden sind, dann stehenbleiben wie gemalt. Was hätte ich denn machen sollen, der ich nie ein Held gewesen bin, was hätte ich machen sollen, wenn ich einer wäre, schreien höchstens, aber was hätte das genutzt? Ich schreie nicht, ich schließe die Augen, eine Ewigkeit vergeht, Roman sagt zu mir: »Was machst du die Augen zu? Sieh doch, er schafft es, der Verrückte!«

Ich weiß nicht warum, ich denke in diesem Augenblick an Chana, die sie vor einem Baum erschossen haben, dessen Namen ich nicht kenne, ich denke noch nach dem Schuß an sie, bis alle um mich herum durcheinanderreden. Ein einzelner trockener Schuß nur, die zwei Hände hatten, wie gesagt, reichlich Zeit, alles bestens vorzubereiten, Herschels ganzes Gebet über. Er hört sich seltsam an, ich habe noch nie einen einzelnen Schuß gehört, immer nur mehrere auf einmal, als ob ein ungezogenes Kind trotzig mit dem Fuß aufstampft, oder ein Luftballon wird zu heftig aufgeblasen und platzt, oder gar, wenn ich schon in Bildern schwelge, Gott hat gehustet, Gott hat Herschel eins gehustet.

Die Eingeschlossenen hinter den rotbraunen Wänden mögen fragen: »He, du, was ist geschehen?«

Herschel liegt auf dem Bauch, zwischen zwei Bohlen, quer über dem Gleis. Seine verkrampfte rechte Hand ist in eine schwarze Pfütze gefallen, das Gesicht, von dem ich vorerst nur die eine Hälfte sehen kann, kommt mir verwundert vor mit dem offenen Auge. Wir stehen stumm um ihn herum, die kleine Pause gönnt man uns, Roman beugt sich über ihn, zieht ihn vom Gleis herunter und dreht ihn auf den Rücken. Dann nimmt er ihm die Pelzmütze ab, seine Finger haben Mühe, die Klappen unter dem Kinn aufzuknöpfen. Er steckt die Mütze in die Tasche und geht weg. Zum erstenmal auf diesem Bahnhof dürfen Herschels Schläfenlöckchen frei im Wind wehen, viele von uns haben sie nie vorher gesehen, kennen sie nur vom Erzählen, so sieht Herschel Schtamm also in Wirklichkeit aus, ohne Maskerade. Zum letztenmal sein Gesicht, schwarz umrahmt von nasser Erde und viel Haar, die Augen hat ihm irgendwer geschlossen. Ich will nicht lügen, wozu auch, eine Schönheit war er nicht, er war sehr fromm, wollte Hoffnung weitertragen und ist daran gestorben.

Der Posten vom Tor ist unbemerkt hinter uns getreten, es wird allmählich Zeit, uns auf andere Gedanken zu bringen, er sagt: »Genug geglotzt, oder habt ihr noch nie 'n Toten gesehen? Los, macht euch wieder an die Arbeit, dalli, dalli!«

Wir werden ihn nach Feierabend mitnehmen und begraben, das ist erlaubt, ohne daß es ausdrücklich in einer der vielen Verordnungen geschrieben steht, das hat sich einfach so eingebürgert. Ich sehe noch zu dem Fenster hoch, das inzwischen wieder geschlossen ist, kein Gewehr mehr, keine Hände, es kommt auch keiner von ihnen aus dem Haus, sie kümmern sich nicht weiter um uns, für sie ist der Fall erledigt.

Das Leben geht weiter, Schmidt und Jakob bemühen sich wieder um die Säcke. Soviel hat Schmidt schon verstanden, daß er jetzt schweigt, daß er für sich behält, warum Herschel unbedingt zu dem Waggon laufen mußte, obgleich ihn der Eisenbahner vorhin nachdrücklich und definitiv gewarnt hat.

In Jakobs Kopf geben sich die Selbstvorwürfe die Klinke in die Hand, man weiß erschreckend genau, welche Rolle man in diesem Stück gespielt hat. Du zimmerst dir kargen Trost, du denkst dir eine große Waage mit zwei Schalen, auf eine legst du Herschel, auf die andere türmst du alle Hoffnung, die du im Laufe der Zeit unter die Leute gebracht hast, nach welcher Seite wird sie niedergehen? Die Schwierigkeit ist, du weißt nicht, wieviel Hoffnung wiegt, niemand wird es dir sagen, du mußt alleine die Formel finden und einsam die Rechnung beenden. Aber du rechnest vergebens, die Schwierigkeiten häufen sich, hier noch eine, wer soll dir verraten, welches Unheil durch deine Erfindungen verhindert wurde? Zehn Katastrophen oder zwanzig oder auch nur eine einzige, das Verhinderte bleibt dir ewig verborgen, nur was du angerichtet hast, ist sichtbar, da liegt es neben dem Gleis im Regen.

Nachher noch, beim Mittag ist man dem Resultat der Aufgabe mit den vielen Unbekannten kein Stück näher gekommen, Jakob löffelt abseits seine Suppe, heute läßt jeder jeden in Ruhe. Er ist Roman Schtamm aus dem Wege gegangen, Roman hat ihn nicht gesucht, nur beim Handwagen, auf den die Blechschüsseln nach Gebrauch gelegt werden, stehen sie sich plötzlich gegenüber. Sie sehen sich in die Augen, besonders Roman, Jakob erzählt mir: »Er hat mich angesehen, als hätte ich seinen Bruder erschossen.« Der Feierabend gehört Lina.

5 Vor langer Zeit ist Jakob auf dem Flur mit ihr stehengeblieben, vor seiner Tür, und hat gesagt: »Paß jetzt gut auf, Lina, wenn irgendwas ist, damit du den Schlüssel zu meinem Zimmer findest«, hat er gesagt. »Hier hinter dem Türrahmen ist ein kleines Loch in der Mauer, siehst du? Hier
10 lege ich den Schlüssel jetzt rein, dann kommt der Stein wieder davor. Man kann ihn ganz leicht wegnehmen, wenn du dich auf die Zehenspitzen stellst, bist du groß genug. Versuch es.« Lina hat es versucht, sie hat sich gereckt, den Stein fortgenommen, den Schlüssel mit allerletzter Mühe
15 gegriffen und hat ihn stolz Jakob hingehalten. »Wunderbar«, hat Jakob gesagt, »merke dir die Stelle gut. Ich weiß selbst nicht wozu, aber vielleicht ist es einmal wichtig. Und noch eins, verrate die Stelle keinem.« Lina muß sich inzwischen nicht mehr auf die Zehenspitzen
20 stellen, zwei Jahre ist sie dem kleinen Loch hinter dem Türrahmen unermüdlich entgegengewachsen. Wenn was ist, hat Jakob gesagt, heute ist was, Lina holt sich den Schlüssel, sperrt auf und steht mit angehaltenem Atem im leeren Zimmer. Ein bißchen Angst hat sie schon, die wird verflie
25 gen, wenn Jakob unerwartet hereinkommt, dann sagt sie ihm einfach, sie macht nur etwas Ordnung. Die Absichten, von denen sie getrieben wird, sind abenteuerlich, er wäre kaum mit ihnen einverstanden, aber was er nicht weiß, macht ihn nicht heiß.
30 Auf ihrem Weg gibt es zwei Hindernisse, da macht sie sich nichts vor, das erste ist das Versteck, das vorläufig unbekannte, das zweite ist, sie weiß nicht, wie ein Radio aussieht. Verstecke gibt es nicht unbegrenzt in diesem Zimmer, nach wenigen Minuten hat man es auf den Kopf gestellt,
35 viel schwerer scheint das zweite Hindernis. Alles mögliche

hat Jakob einem erklärt, sie könnte zum Beispiel fließend einen Omnibus beschreiben, obgleich sie ihm noch nie von Angesicht zu Angesicht gegenübergestanden hat, sie könnte Bananen erzählen, Flugzeuge, Bären, die zu brummen anfangen, wenn man sie auf den Rücken legt. Bei der Stromsperre damals ist Jakob mit ihr sogar den höchst geheimnisvollen Weg entlanggegangen, den das Licht vom Kohlenbergwerk bis in die kleine Lampe unter der Decke zurücklegt, aber von einem Radio hat er nie ein Wort verloren. Einige spärliche Anhaltspunkte hat man: Alle reden davon, sein Besitz ist verboten, es verrät einem Dinge, die man vorher nicht weiß, es ist so klein, daß man es gut verstecken kann.

»Zeigst du mir morgen dein Radio?« hat sie ihn gestern abend gefragt, als er nach Kowalskis mißglücktem Besuch zu ihr auf den Boden gekommen ist.

»Nein«, hat er gesagt.

»Und übermorgen?«

»Auch nicht.«

»Und überübermorgen?«

»Ich habe gesagt, nein! Und jetzt Schluß damit.«

Selbst ihr sonst unfehlbarer Augenaufschlag ist ohne jede Wirkung geblieben, Jakob hat nicht einmal hingesehen, deshalb ihr neuer Anlauf nach einer verstimmten Pause:

»Zeigst du es mir überhaupt mal?«

»Nein.«

»Und warum nicht?«

»Darum.«

»Sagst du mir wenigstens, wie es aussieht?« hat sie dann gefragt, ihren Plan schon halb im Kopf. Aber auch darauf hat er die Antwort verweigert, und so ist aus ihrem halben Plan ein ganzer geworden.

Kurz und gut, Lina muß ein Ding suchen, von dem sie nichts anderes weiß, als daß Jakob es versteckt hält, ein Ding ohne Farbe, ohne Form und Gewicht, ein Glück nur, daß Jakob soviel unbekannte Dinge nicht im Zimmer haben kann. Das erste, das sie findet und noch nie gesehen hat, das muß nach menschlichem Ermessen den Namen Radio tragen.

Lina beginnt mit den vordergründigen Verstecken, unter dem Bett, auf dem Schrank, in der Tischschublade. Möglicherweise ist ein Radio so groß, daß es überhaupt nicht in eine Tischschublade paßt, vielleicht würde jeder, der zusieht, laut lachen, daß Lina dort ein Radio sucht. Aber es ist nicht ihre Schuld, daß Jakob so verstockt schweigt, und außerdem sieht keiner zu. In der Schublade ist es nicht, da ist gar nichts, unter dem Bett und auf dem Schrank liegt nur Staub. Bleibt noch der Schrank von innen, sonst gibt es kein Versteck, der hat zwei Türen, eine oben, eine unten. Die obere könnte man sich im Grunde sparen, dahinter stehen die vier Teller, zwei tiefe und zwei flache, die beiden Tassen, von denen Lina eine beim Abwaschen auf die Erde gefallen ist und den Henkel gelassen hat, dann noch ein Messer und zwei Löffel, die immer leere Zuckerdose, und das Essen liegt dahinter, sofern vorhanden. Hinter dieser Tür ist Lina zu Hause, oft deckt sie den Tisch, trägt auf und räumt ab, die könnte man sich sparen, aber das Unternehmen soll nicht an einem Flüchtigkeitsfehler scheitern. Sie sieht nach, die vier Teller, zwei Tassen, Zuckerdose, Messer und Löffel, dazu noch ein Stück Brot und eine Tüte Bohnen, keine Überraschung.

Also die untere Tür. Lina zögert, die Finger halten schon den Schlüssel und können sich nicht entschließen, wenn das Gesuchte da nicht ist, dann ist es nirgends. Unten im Schrank hatte sie bisher nichts verloren, »da ist mein Zeug drin«, hat Jakob gesagt, das klang durch und durch unverfänglich. Sein Zeug, jetzt weiß man erst, was sich hinter zwei so harmlosen Worten verbirgt.

Das Zögern hält sich in Grenzen, Lina macht endlich auf, draußen im Flur laufen Schritte vorbei. Zuschließen geht nicht, wenn Jakob käme, würde er nicht fragen, was sie hier tut, er würde dann fragen, warum sie sich eingeschlossen hat, und darauf gibt es keine Antwort. Lina räumt aus, Hose und Hemd, Nadel und Zwirn, ein Topf, warum steht der nicht oben, Kasten mit Nägeln und Schrauben, ein leerer Bilderrahmen, das Buch von Afrika. Sie gönnt sich eine kleine Pause, das Buch hat mehr als nur Buchstaben zu bieten, auf die Jakob seit einiger Zeit so seltsam viel Wert legt, die Bilder verdienen einige Augenblicke Beachtung, trotz allem.

Die Frau mit den ungeheuer langen Brüsten, die so platt sind und wie getrocknet aussehen, und dem quer durch die Nase gezogenen Ring, dessen Sinn Jakob erst später erklären will. Die nackten Männer, die ihre Gesichter über und über bemalt haben, lange Speere in den Händen tragen und auf den Köpfen riesige Gebilde aus Federn, Haaren und Bändern. Oder die dünnen Kinder mit kugelrunden Bäuchen, Tiere mit Hörnern und Streifen und endlosen Nasen und noch längeren Hälsen, das alles kann einen schon aufhalten, aber doch nicht so sehr, daß man darüber sein eigentliches Ziel vergißt.

Lina kriecht bis zum Bauch in den Schrank, ein letztes Hindernis wird beseitigt, ein bescheidener Stoß Wäsche mit grünem Handtuch obenauf, und dann. Der Weg ist freigeräumt zu diesem niegesehenen Ding, stolzes Siegerlächeln, es steht unscheinbar hinten in der Ecke, geheimnisvoll und verboten. Sie holt es ans Licht, ein kleines zartes Gitter, Schräubchen, Glas und rund, sie stellt es ehrfürchtig auf den Tisch, setzt sich davor, jetzt will man was erleben. Sein Zeug, hat Jakob gesagt, über dem Anstarren verrinnen die Minuten, was wird man nun erfahren, daß man vorher nicht gewußt hat? Redet dieses Ding wie ein gewöhnlicher Mensch, oder gibt es seine Geheimnisse auf andere Weise preis, auf irgendeine wunderbare? Nach einigem Versuchsschweigen erkennt Lina, von alleine verrät es nichts, man muß es zum Sprechen bringen, vielleicht muß man es einfach etwas fragen. Wenn ja, dann hoffentlich nicht nach einer festgelegten Zauberformel wie etwa ⌈Ali Baba⌉ vor dem Felsen Sesam.

»Wie heiße ich?« beginnt Lina mit dem Einfachsten, doch schon damit scheint das Ding überfordert. Lina gibt ihm reichlich Zeit, umsonst, ihre Enttäuschung verliert sich in den Gedanken, man muß nach Unbekanntem fragen, nach etwas, das man vorher nicht gewußt hat, ihren Namen weiß sie doch. Sie fragt: »Wieviel ist dreißig mal zwei Millionen?« Da auch jetzt die Antwort ausbleibt, beschreitet sie neue Wege, sie denkt an das Licht, das man nach Belieben ein- und ausschalten kann, womöglich kann man das Ding genauso einschalten, versuchen wir es mit dem Schräubchen. Das ist eingerostet, läßt sich kaum bewegen, nach vieler Mühe nur ein leises Quietschen, und die Finger tun schon weh. Da steht Jakob in der Tür und fragt wie vorgesehen: »Was machst du denn hier?«

»Ich«, sagt Lina, »ich wollte«, sagt sie, man muß sich von dem Schrecken erholen, »ich wollte doch bei dir aufräumen. Weißt du nicht mehr?«

Jakob weiß noch, er sieht auf das ⌈Sodom und Gomorrha⌉ vor dem Schrank, zurück zu Lina, die aufräumen wollte, bevor er den Mund auftut, weiß sie, daß es so schlimm nicht werden kann. »Aber du bist hoffentlich noch nicht fertig?« sagt Jakob.

Natürlich ist sie noch nicht fertig, sie hat ja eben erst begonnen, sie springt auf und stopft Topf und Buch und Wäsche wieder in den Schrank, daß seine Augen nur mit Mühe folgen können. Den Bilderrahmen hinterher, die Nägel fallen in der Eile aus dem Kasten, schnell sind sie aufgesammelt, Nadel und Zwirn noch, wo sind Nadel und Zwirn, die werden sich beim nächsten Mal finden, die Tür fliegt zu, und schon ist die Unordnung vergessen. Bloß das Ding bleibt auf dem Tisch, gesehen hat er es ohnehin, da steht sein einziges Geheimnis, und er wartet immer noch mit dem Wütendwerden.

»Du bist mir doch nicht böse?«

»Nein, nein.«

Jakob zieht die Jacke aus, wäscht sich die Hände vom Bahnhof, Lina wird langsam unruhig, und das Ding steht da und wird mißachtet.

»Und was wolltest du wirklich hier?«

»Gar nichts. Ich habe aufgeräumt«, sagt sie und weiß, daß es keinen Sinn hat.

»Was hast du gesucht?«

Jetzt wird er doch allmählich lauter, aber die Frage ist ihr zu dumm, er sitzt schon vor dem Ding und erkundigt sich scheinheilig, was man gesucht hat, darauf verweigern wir die offenkundige Antwort.

»Warum steht die Lampe hier?«

»Welche Lampe?«

»Die hier. Siehst du eine andere?«

Als Lina schweigt und große Augen macht, auf die angebliche Lampe starrt, und die großen Augen füllen sich gemächlich mit Tränen, da holt sie Jakob heran und fragt viel leiser: »Was hast du?«

»Nichts.«

Er setzt sie auf sein Knie, sie weint eigentlich selten, wer soll wissen, was in so einem kleinen Verstand vor sich geht, der den ganzen Tag alleine grübelt. »Komm, sag mir, was los ist. Hat es was mit der Lampe zu tun?«

»Nein.«

»Hast du sie schon mal gesehen?«

»Nein.«

»Soll ich dir erklären, wie sie funktioniert?«

Lina hält die Tränen auf, schließlich trägt Jakob nicht Schuld an ihrem Irrtum, und außerdem, morgen ist auch noch ein Tag, irgendwie wird das Versteck gefunden werden, das sie heute übersehen hat. Sie bringt Augen und

Nase mit dem Ärmel in Ordnung, der reicht nicht aus, Jakobs Taschentuch eilt zu Hilfe.

»Soll ich sie dir erklären?«

»Ja.«

5 »Paß auf. Dieses Ding ist eine Petroleumlampe. Früher hat es nur solche Lampen gegeben, bevor man das elektrische Licht kannte. Hier gießt man das Petroleum rein, in diese kleine Wanne. Das hier ist der Docht, er saugt sich ganz voll, und nur seine Spitze guckt raus. Man kann sie länger 10 oder kürzer stellen, mit dieser Schraube hier. Den Docht zündet man an, und dann wird es hell im Zimmer.«

»Kannst du es nicht mal machen?«

»Ich habe leider kein Petroleum.«

Lina verläßt Jakobs Knie, sie nimmt die Lampe in beide 15 Hände, betrachtet sie von allen Seiten, darum also hat man vergeblich auf Antwort gewartet. Zu Hause, bei den Nuriels damals, hat es keine Petroleumlampe gegeben und kein Radio, Irrtümer entstehen aus Mangel an Erfahrung, sie stellt das Ding nach einem letzten Blick zurück in den 20 Schrank. Die Ordnung ist wieder vollkommen, auch bei Lina, sie entdeckt an ihrer mißglückten Entdeckungsreise sogar eine komische Seite.

»Weißt du, was ich gedacht habe?«

»Na?«

25 »Aber du darfst mich nicht auslachen?«

»Wie werde ich.«

»Ich habe gedacht, das ist dein Radio.«

Jakob lächelt, er erinnert sich, daß er als winziger Junge eine bucklige alte Nachbarin für eine Hexe gehalten hat, 30 auch so ein Trugschluß, aber bald wird sein Lächeln schwächer und schwächer. Lina hat das Radio gesucht, das ist zugegeben, es wäre ganz gut gewesen, wenn man sie bei ihrem Glauben gelassen hätte, was macht es einer Lampe schon aus, für ein Radio gehalten zu werden. Er hätte sie zu 35 heiligem Schweigen verpflichtet, jetzt hast du es endlich gefunden, jetzt weißt du, wie es aussieht, jetzt kein Wort mehr davon, vor allem nicht zu fremden Leuten. Und für Wochen wäre Ruhe gekommen, wenigstens zu Hause. Aber die Gelegenheit ist verspielt, Lina hat sich erst verraten, als es zu spät war, und man selbst besaß nicht genug Geistesgegenwart, die Situation im Zimmer und die Lampe auf dem Tisch und die Bedeutung ihrer Tränen richtig einzuschätzen. Gleich wird sie fragen, schön, das war also eine Lampe, wo ist nun das Radio? Gleich oder in einer Stunde, spätestens morgen, sie tritt schon von einem Fuß auf den anderen. Daß es kaputt ist, wird sie nicht befriedigen, dann zeig mir eben das kaputte, und man gehört leider nicht zu denen, die lästige Fragen ausnahmsweise auch einmal mit einer Ohrfeige beantworten können. Ein Ausweg wäre zwar noch, ein ganz simpler, Jakob könnte behaupten, er hätte es verbrannt, ein lädiertes Radio ist, wenn es gefunden wird, nicht weniger gefährlich als ein ganzes.

Das könnte er sagen, dann wäre er das Radio glücklich los, für Lina und für alle Welt, aber da spielt der letzte Tag auf dem Bahnhof auch noch eine gewisse Rolle. Der tote Herschel Schtamm, sein Bruder Roman mit den peinigenden Blicken, die eingeschlossenen Unbekannten auf dem Abstellgleis, sie alle haben auch ein Wort mitzureden, bevor das Radio endgültig vernichtet wird. Und die einzelnen Juden, die in der Frühe hoffnungsvoll mit Fragen angekommen sind und bestürzt wieder gegangen, ohne die Neuigkeit, auf die sie ein Recht haben. Die werden inzwischen schon zu Hause sein, Verwandte und Bekannte klopfen an die Türen, was Neues auf dem Bahnhof zu hören war. Nichts, werden sie erfahren, das Radio sagt nichts mehr, es ist kaputt, gestern spielte es noch, und heute kommt kein Ton mehr raus. Die Verwandten und Bekannten gehen wieder, verbreiten die letzte Neuigkeit in allen Häusern und Straßen, die bald wieder so elend aussehen wie vor dem Abend, an dem ein Scheinwerfer Jakob gegen halb acht auf dem Damm der Kurländischen festgehalten hat. Vieles will bedacht sein, bevor leichtfertige Entschlüsse gefaßt werden, bevor man sich Ruhe erkauft, die keine ist.

»Zeigst du mir jetzt das Radio?«

»Ich habe dir gestern schon gesagt, nein. Hat sich inzwischen vielleicht etwas geändert?«

»Ich finde es ja doch«, sagt Lina.

»Dann such weiter.«

»Wollen wir wetten, daß ich es finde?«

Sie geht zum offenen Angriff über, soll sie lieber suchen als Fragen stellen, das nächste Radio, das sie findet, wird Jakob ihr nicht wieder ausreden. Und das Radio, das sie nie findet, bleibt vorerst vom Feuer verschont, daran sind viele Gründe schuld, an erster Stelle aber Herschel, der Gelockte, der hat es schon am Vormittag, als er im Regen zwischen den Bohlen lag, so gut wie repariert.

Jakob geht gehobenen Herzens zur Arbeit, wer seine Haltung und den zügigen Schritt bemerkt und Vergleiche anstellt zu gestern oder zu den letzten Tagen, dem springen Veränderungen ins Auge, da schreitet ein ausgeglichener Mensch. Gehobenen Herzens, denn die Stunden im Bett waren reich an wichtigen Entschlüssen, die Verbindung zur Außenwelt ist wiederhergestellt. Das Radio hat die halbe Nacht gespielt, gleich nachdem Lina abgeschüttelt war, ist es angegangen und hat gespielt, bis der Schlaf ungerufen gekommen ist, aber da hatte man schon die und jene Botschaft im Ohr, und nicht von schlechten Eltern. Gehobenen Herzens, denn das Flämmchen der Erwartung soll nicht verlöschen, so Jakobs Ratschluß, die halbe Nacht hat er dafür Reisig, Holz und Zunder gesucht. Ihm ist ein beachtlicher Sprung nach vorne gelungen, ihm und den Russen, er hat sie in aller Stille eine große Materialschlacht gewinnen lassen, an dem Flüßchen Rudna, das nicht gleich vor der Haustür plätschert, aber doch erfreulich näher als die Stadt Bezanika.

Beim Überschlagen der bisher gelieferten Nachrichten ist Jakob aufgefallen, daß es sich rundum besehen nur um in die Länge gezogene Nichtigkeiten handelt, bis auf die allererste von Bezanika nichts mit Hand und Fuß. Aus jedem Einfall hat er eine Riesengeschichte gemacht, oft unglaubwürdig und durchschaubar, Zweifel sind bis zur Stunde nur deshalb ausgeblieben, weil die Hoffnung sie blind und dumm gemacht hat. Doch in der Nacht ist vor der Schlacht an der Rudna eine Erkenntnis gewonnen worden, Jakob hat endlich die Quelle seiner Schwierigkeiten gesehen. Mit anderen Worten, kaum war das Licht gelöscht, da leuchtete ihm auf, warum ihm die Erfindungen so mühsam und zuletzt fast gar nicht mehr gelangen. Er war zu bescheiden, argwöhnte er, er hatte stets versucht, sich mit seinen Nachrichten in Bereichen zu bewegen, die später einmal, wenn das Leben wieder seinen geregelten Gang geht, nicht nachzuprüfen sind. Bei jeder Neuigkeit hat ihm Befangenheit im Wege gestanden, irgendein schlechtes Gewissen, die Lügen kamen holprig und widerwillig von seinen Lippen, als suchten sie ein Versteck, um sich in aller Eile zu verkriechen, bevor sie jemand näher betrachtete. Aber dieses Vorgehen war von Grund auf falsch, so wurde letzte Nacht errechnet, ein Lügner mit Gewissensbissen wird sein Leben lang ein Stümper bleiben. In dieser Branche sind Zurückhaltung und falsche Scham nicht angebracht, du mußt da aus dem vollen schöpfen, die Überzeugung muß dir im Gesicht geschrieben stehen, du mußt ihnen vorspielen, wie einer auszusehen hat, der das schon weiß, was sie erst im nächsten Augenblick von dir erfahren. Man muß mit Zählen und mit Namen und mit Daten um sich werfen, die Schlacht an der Rudna soll nur ein bescheidener Anfang sein. Sie wird nie in die Geschichte eingehen, aber in unserer Geschichte erhält sie einen Ehrenplatz. Und wenn alles ausgestanden ist, wenn jeder, den es interessiert, den wahren Kriegsverlauf in Büchern nachlesen kann, dann sollen sie ruhig kommen und einen fragen: »He, du, was hast du damals für einen Blödsinn erzählt? Wann hat es je eine Schlacht an der Rudna gegeben?« – »Hat es nicht?« wird man dann verwundert antworten. »Zeigt mal das Buch her . . . Tatsächlich, es hat sie nicht gegeben. Sie steht nicht drin. Dann habe ich mich wohl verhört damals, entschuldigt bitte.« Sie werden einem wohl verzeihen, im schlimmsten Fall werden sie mit Schulterzucken gehen, vielleicht werden sogar solche unter ihnen sein, die sich für den Irrtum bedanken.

Jakob hat, was den Fortgang der Kampfhandlungen betrifft, ein wenig vorgearbeitet, wobei ihm seine Ortskenntnis von großem Nutzen war. Die Schlacht an der Rudna mit all ihren Nachwirkungen soll für die nächsten drei Tage ausreichen, die Bäume wachsen nicht in den Himmel. Denn das Überschreiten des Flusses ist nicht ganz ohne Probleme, so leicht machen wir es den Russen nicht, die Deutschen haben die einzige Brücke gesprengt, hat sich Jakob gedacht. Bevor der Vormarsch fortgesetzt werden kann, muß eine behelfsmäßige Pontonbrücke gebaut werden, und darüber vergehen die drei oder vier Tage. Dann ist auch das erledigt, die Russen marschieren auf das Städtchen Tobolin, aus dem die Deutschen eine Art Festung gemacht haben. Die hält wieder drei Tage stand, sie wird umzingelt, von der Artillerie reif geschossen und von der Infanterie gestürmt, in hoffnungsloser Lage unterschreibt Major Karthäuser, ein prächtiger Name mit vertretbarem Rang, die Kapitulationsurkunde, Tobolin ist befreit. Ganz nebenbei, darüber wird sich Mischa freuen, er hat dort eine Tante zu wohnen, die diesen Sieg hoffentlich noch erlebt. Die Tante Lea Malamut, sie besaß ein Galanteriewarengeschäft* und hat, als Mischa noch ein Junge war, zu jedem seiner Geburtstage ein Kästchen mit bunten Knöpfen und Schnüren geschickt. Aber wir wollen uns nicht länger als nötig in Tobolin aufhalten, von dort bis zur Kreisstadt Pry,

(franz.):
Geschäft mit
Schmuck- und
Kurzwaren

der nächsten in unserer Richtung, ist ein weiter Weg. An die siebzig Kilometer, die sind in groben Zügen schon entworfen, jedoch noch nicht in allen Einzelheiten fertig. Das wird Jakobs Nachtarbeit für die nächste Zeit, bis Tobolin ist vorläufig alles klar, und heute wird auf dem Bahnhof das Ergebnis der ruhmreichen Schlacht an der Rudna verkündet.

Gehobenen Herzens geht Jakob zur Arbeit, ihm kommt ein hübsches kleines Glanzlicht in den Sinn, das er dem Geschehen an der Rudna aufstecken könnte. Ob nicht vielleicht geheime deutsche Pläne den Russen in die Hände gefallen sein sollten, wodurch alle Aktionen des Gegners an dieser Front auf Wochen hinaus bekannt sind und daher wirkungslos. Das wären ein paar Rosinen in Jakobs Kuchen, aber sofort melden sich Zweifel, die Wahrscheinlichkeit betreffend, denn bewahrt man geheime Pläne an solch unsicherem Ort auf, immerhin sind die Deutschen keine Idioten. Und auch die Russen sind keine Idioten, selbst wenn sie Pläne der genannten Art erbeuten, werden sie es nicht per Radio in die Welt posaunen, sie werden es schön für sich behalten und in aller Stille ihre Vorkehrungen treffen. Also verzichten wir auf das kleine Glanzlicht, auch das Vorhandene genügt, um den Juden ein wenig von der Haltung zu geben, mit der Jakob immer noch zur Arbeit geht, gehobenen Herzens.

An der Ecke Tismenizer sieht er Kowalski warten, an sich nichts Besonderes, Kowalski wartet oft hier auf ihn, er wohnt hier. Beim Näherkommen stellt sich allerdings heraus, daß Kowalski in Begleitung ist, neben ihm steht ein junger Mann, das ist schon eher ungewohnt, vor allem hat man den jungen Mann noch nie gesehen.

Bereits von weitem zeigt Kowalski mit dem Finger auf Jakob, der fremde junge Mann läßt seine Blicke dem Finger folgen, als wollte Kowalski ihm erklären, jener da ist es, der mit der dunkelgrauen Jacke.

Jakob erreicht sie, man gibt sich die Hand und setzt den Weg zu dritt fort, die Vorstellung steht noch aus. Kowalski sagt: »Du kommst heute spät. Wir haben schon eine ganze Weile auf dich gewartet.«

5 »Waren wir vielleicht verabredet?« fragt Jakob. Er betrachtet den jungen Mann, der kein Wort redet, von der Seite, er wirkt ein wenig unbeholfen und verlegen, er blickt starr geradeaus, und ein Blinder muß erkennen, daß es mit seiner Anwesenheit etwas auf sich hat. Kowalski hat ge-
10 sagt, »wir haben gewartet«, also ist der junge Mann nicht zufällig hier, Kowalskis Finger sind im Spiel, er muß ihn herbestellt haben.

»Willst du uns nicht bekannt machen?« sagt Jakob.

»Ihr kennt euch nicht?« tut Kowalski verwundert. »Das ist
15 Josef Najdorf.«

»Ich heiße Jakob Heym.«

»Ich weiß«, sagt der schüchterne junge Mann, der also Najdorf heißt, seine ersten Worte, die noch auf gar nichts schließen lassen.

20 »Du arbeitest nicht auf dem Bahnhof?« fragt Jakob.

»Nein.«

»Sondern?«

»In der Werkzeugfabrik.«

»Aber dann gehst du ganz falsch. Du mußt doch genau in
25 die entgegengesetzte Richtung.«

»Wir fangen später an als ihr«, sagt Najdorf, und man sieht, ihm ist nicht wohl bei seiner Erklärung.

»Aha. Und weil du noch etwas Zeit hast, begleitest du uns eben das Stück bis zum Bahnhof. Ganz klar.«

30 Najdorf bleibt plötzlich stehen, wie man stehenbleibt, bevor man wegläuft, er macht einen verstörten Eindruck, leise sagt er zu Kowalski: »Geht es nicht doch ohne mich? Verstehen Sie, ich will mit dieser ganzen Sache nichts zu tun haben. Verstehen Sie, ich habe Angst.«

35 »Fang doch nicht schon wieder an. Habe ich dir nicht alles

von vorne bis hinten erklärt?« sagt Kowalski nervös und nimmt ihn am Arm, bevor er ihm desertieren kann. »Begreif doch endlich! Er wird schweigen, ich werde schweigen, und du wirst auch schweigen. Außer uns dreien erfährt kein Mensch davon. Was soll da passieren?«

Najdorf sieht immer noch ganz unglücklich aus, aber er bleibt, als Kowalski ihn vorsichtig losläßt.

»Worüber werde ich schweigen?« fragt Jakob, der nun doch Näheres erfahren möchte. Kowalski heißt ihn mit einer Handbewegung abwarten, die Handbewegung bedeutet vielerlei, sie bedeutet, du siehst doch, in welchem Zustand der Junge ist, man muß ihm einen Augenblick Ruhe gönnen, daß er mit sich und seiner Angst ins reine kommt. So inhaltsreiche Handbewegungen kann Kowalski machen. Er zwinkert Najdorf aufmunternd zu, was nicht so einfach ist bei den geschwollenen Augen, er sagt: »Jetzt kannst du ihm erzählen, was du bist.«

Najdorf zögert noch, Jakob ist nicht wenig neugierig, eine Überraschung am frühen Morgen, bei der ein junger Mann sich fürchtet und über die man, wenn auch aus bis jetzt unbekannten Gründen, Stillschweigen bewahren muß, so eine gelingt Kowalski nicht alle Tage.

»Eigentlich bin ich Rundfunkmechaniker«, sagte Najdorf endlich und gequält.

Rundfunkmechaniker ist er.

Kein Stuhl steht da für Jakob, die Blicke fliegen hin und her, die vergnügten und die vernichtenden, eine unsinnige Wut auf Kowalski macht Jakob das Atmen schwer. Spielt den lieben Gott, dieser ⌈Kretin⌉ von einem Freund, kümmert sich um Reparaturen, von deren Umfang er keine blasse Ahnung hat, und bildet sich bestimmt noch ein, daß man ihm dankbar sein muß für seine Unternehmungslust und seine Mühe. Denn leicht wird es nicht gewesen sein, an einem einzigen kurzen Abend, der um acht schon zu Ende ist, jemanden aufzutreiben, der was von Radios versteht, aber nicht zu schwer für einen Freund wie Kowalski. Steht und strahlt erwartungsvoll, wie hab ich das gemacht, großartig natürlich, noch so eine Hilfe, und man kann sich gleich aufhängen. Und für den hat man nun die Schlacht an der Rudna mitgewonnen, man bekommt Lust, das Radio nachträglich zu verbrennen. Gleich als man sich gestern auf Wiedersehen gesagt hat, muß er los gelaufen sein und das ganze Ghetto verrückt gemacht haben. Vorher gekannt hat er diesen Najdorf nicht, das hätte man gewußt, Kowalskis Bekannte sind leider auch die eigenen. Von einem zum anderen muß er sich geschlichen und mit seiner penetranten Stimme vertraulich gefragt haben: »Kennst du nicht zufällig jemand, der ein Radio reparieren kann?« – »Ein Radio? Wozu um Himmels willen brauchst du jemand, der ein Radio repariert?« – »Na wozu schon?« Irgendeiner hat ihn dann auf diesen armen Najdorf gehetzt, der mehr Verstand im kleinen Finger besitzt als Kowalski im ganzen Kopf, seine Angst ist der beste Beweis. Hat ihm wer weiß was erzählt, um ihn zu beruhigen, hat ihn hergeschleift, die peinlichste Situation heraufbeschworen, die man sich vorstellen kann, und jetzt steht man einem leibhaftigen Rundfunkmechaniker gegenüber.

»Da hast du aber einen schönen Beruf!« sagt Jakob.

»Nicht wahr?«

Kowalski freut sich wie ein König, die Freundschaftsdienste nehmen einfach kein Ende, neulich die wunderbare Errettung vom Klosett, heute die zweite Großtat, das soll ihm erst einer nachmachen, an einem Ort, an dem für Aufmerksamkeiten so wenig Platz ist. Aber er erwartet keine große Dankbarkeit, unter wahren Freunden sind diese Dinge selbstverständlich, da wird nicht lange geredet, da wird gehandelt. Und weil die Zeit allmählich drängt, und weil Jakob bis jetzt keine sichtbaren Zeichen von Freude oder Verstehen anzumerken sind, erklärt ihm Kowalski:

»Er soll nämlich dein Radio ganz machen. Und keine Angst, der Junge ist zuverlässig.«

»Das zu wissen ist gut«, sagt Jakob.

»Ich kann natürlich nichts garantieren«, sagt Najdorf bescheiden und bereit. »Wenn zum Beispiel eine Röhre hin ist, kann ich nichts machen. Ich habe keine Ersatzteile, das habe ich Herrn Kowalski gleich gesagt.«

»Geh erst mal hin und sieh es dir an«, sagt Kowalski

Jakob muß unter Zeitdruck einen Ausweg finden, man sollte meinen, es wird von Mal zu Mal leichter, weil Übung doch den Meister macht, aber es bleibt tatsächlich immer gleich schwer. Widerwillig erinnert er sich an die Beschlüsse der letzten Nacht, die sind leichter gefaßt als durchgeführt, wenn einem solche Hindernisse auftauchen, aber Jakob ruft sich zur Ordnung. Zu frohen Nachrichten gehören nun einmal frohe Gesichter, Jakob will keins gelingen, der Anblick des hilfswütigen Kowalski läßt kein Lächeln aufkommen. Jakob zieht mit viel Mühe den Mund in die Breite und zwingt die Augen zu verbissener Freundlichkeit, er versucht zu spielen, daß ihm soeben etwas überaus Wichtiges einfällt.

»Das kannst du ja noch gar nicht wissen«, sagt er. »Du hast dir ganz umsonst soviel Mühe gegeben. Das Radio ist inzwischen wieder ganz.«

»Was du nicht sagst!«

»Aber es war trotzdem nett von dir.«

»Wie ist es denn gekommen? Hast du es selber repariert?« fragt Kowalski, und man weiß nicht, ob er sich ehrlich freut oder ob er enttäuscht ist, weil seine Hilfsbereitschaft nun ins Leere schlägt.

»Es ist wieder ganz. Reicht dir das nicht?«

»Aber wie?« fragt Kowalski. »Ein Radio repariert sich nicht von selber?«

Wenn Najdorf nicht bei ihnen wäre, könnte Jakob sonst was erzählen, eine Röhre war locker, oder er hat ein paarmal kräftig mit der Faust draufgeschlagen, und da hat es wieder gespielt, Kowalski versteht ebensowenig von Radios wie er. Aber dieser Najdorf ist leider noch da mit seinem Fachverstand, er sieht nicht nur erleichtert aus, weil seine Hilfe nun doch nicht benötigt wird, er hat auch berufliches Interesse im Blick. Und jetzt geh und gib ihnen aus dem Stegreif die passende Erklärung, die Dummkopf und Fachmann gleichermaßen befriedigt, du mußt doch wissen, wie du dein Radio repariert hast, berichte schnell und mach ein fröhliches Gesicht dazu.

»Es war nur der Draht von der Zuleitungsschnur. Ich habe sie einfach ein Stückchen kürzer gemacht.«

Alles hätte sich also bestens gefügt, Jakob ist ein wenig stolz auf sich, die drei Parteien sind zufriedengestellt. Najdorf gibt ihm zum Abschied die Hand, nochmals besten Dank für seine Mühe, er geht in die Richtung, wo die Werkzeugfabrik liegt, und braucht keine Angst mehr zu haben.

Kowalski und Jakob setzen ihren Weg zum Bahnhof fort, Jakob ersinnt eine Rache für den verdorbenen Morgen, der so gut begonnen hat. Und zwar, die Schlacht an der Rudna wird Kowalski vorenthalten, sollen ihm andere die frohe Botschaft überbringen. Für Freunde, die keine Gelegenheit ungenutzt lassen, einen bis aufs Blut zu peinigen, sind in schlaflosen Nächten und unter Qualen gewonnene Schlachten zu schade. Auch wenn es ohne böse Absicht geschah, was Kowalski einem heute angetan hat, die Schwierigkeiten, in die er einen ohne böse Absicht bringt, nehmen beängstigend überhand, man kann dieser Entwicklung nicht tatenlos zusehen. Vorgestern erst hat er einem Lina auf den Hals gehetzt, heute Najdorf, er selbst ist von allen Fragern der unermüdlichste, da ist als Gegenmaßnahme eine einzige verschwiegene Schlacht wohl angemessen.

»Hat es letzte Nacht Neuigkeiten gegeben?« fragt Kowalski.

»Nichts.«

Ein paar Bekannte grüßen, die Straße führt als einzige zum Bahnhof, und langsam kommt man ins Gedränge. Jakob bemerkt, wie sie ihn forschend ansehen, Kowalski scheinbar auch, er sonnt sich ein wenig in Jakobs Glanz und flüstert irgendeinem: »Das Radio ist wieder ganz.«

Als hätte er seinen Anteil daran, und der andere beschleunigt die Schritte und flüstert es anderen, bald drehen sich viele nach Jakob um und sehen besser aus als gestern. Jakob nickt unmerklich, daß es stimmt, ihr habt richtig gehört, und das reparierte Radio wird wahrscheinlich eher auf dem Bahnhof sein als sein Besitzer.

»Was ich dich fragen wollte«, sagt Kowalski, »ich habe mir überlegt, daß es eigentlich langsam Zeit wird, auch an andere Sachen zu denken.«

»Zum Beispiel?«

»Zum Beispiel an Geschäfte.«

»An Geschäfte? An was für Geschäfte?«

»Ich bin Kaufmann«, sagt Kowalski. »Ist nicht jetzt die beste Gelegenheit, wenigstens in Gedanken alles für später vorzubereiten?«

»Wieso Kaufmann? Und was willst du vorbereiten? Steht dein Friseurgeschäft nicht da und wartet auf dich?«

»Das ist die Frage. Weißt du, ich überlege schon lange, ob ich nicht später vielleicht was anderes anfange.«

»Auf deine alten Tage was anderes?«

»Warum nicht? Ganz unter uns, ich habe etwas Geld versteckt. Nicht direkt ein Vermögen, verstehst du, aber kann man es nicht besser anlegen als in meinem alten Laden, der mir noch nie richtig gefallen hat? Dir doch auch nicht, wenn du ehrlich bist? Und wenn ich so was tue, will ich sicher sein, daß es nicht rausgeschmissen ist.«

»Und was soll ich dabei?«

»Ab und zu sagen sie doch im Radio bestimmt auch Wirtschaftsnachrichten durch?«

»Tun sie.«

»War nicht etwas dabei, wonach man sich richten könnte? Irgendein Wink?«

»Ich interessiere mich nicht dafür.«

»Du und dich nicht dafür interessieren!« sagt Kowalski.
5 »Etwas wirst du schon gehört haben.«

»Was willst du denn überhaupt wissen? Bis jetzt verstehe ich kein Wort.«

»Ich will ganz einfach wissen, welche Branche die besten Aussichten hat.«

10 »Manchmal wirst du direkt kindisch, Kowalski. Denkst du im Ernst, sie erzählen im Radio: Wir empfehlen Ihnen, nach dem Krieg Ihr Geld in den und den Geschäften anzulegen?«

Das sieht Kowalski ein, er sagt: »Na schön, dann frage ich
15 dich eben als Freund. Wenn du Geld hättest, wo würdest du es am ehesten reinstecken?«

Also überlegt Jakob auch, so eine Geldanlage will wohl überlegt sein, wo würde er es am ehesten reinstecken?

»Vielleicht bei Genußmitteln? Wenn du dich erinnerst,
20 nach dem vorigen Krieg sind alle verrückt danach gewesen. Und David Gedalje, du kennst ihn doch auch, hat sich damals aus Schnaps ein herrliches Haus gebaut.«

»Hat er, hat er«, sagt Kowalski, »aber wo sollen die Grundstoffe herkommen? Denkst du, in der ersten Zeit
25 werden genug Kartoffeln sein, daß man Schnaps aus ihnen machen kann?«

»So darfst du nicht rechnen. Grundstoffe wird es für gar nichts geben. Für Nachkriegsgeschäfte brauchst du keine Logik, sondern eine gute Nase.«

30 Kowalski zweifelt weiter, man sieht, die Nase steht ihm nicht nach Schnaps, dafür ist ihm sein Geld zu schade.

»Günstig müßte es eigentlich bei Textilien aussehen. Sachen werden immer gebraucht«, sagt er.

»Vielleicht hast du recht. Jahrelang haben sie nur Sachen
35 für Soldaten genäht. Soldatenhosen, Soldatenstrümpfe,

Soldatenjacken, Soldatenmäntel, die normalen Leute haben ihre alten Sachen aufgetragen. Und was heißt das?«

»Nu?«

»Es wird ein Bedarf sein.«

»Das ist nur die halbe Wahrheit, Jakob. Vergiß nicht, daß in derselben Zeit sehr viele Sachen ungenutzt im Schrank gelegen sind, nämlich die von allen Soldaten. Und die sind heute noch wie neu.«

»Hm«, sagt Jakob nachdenklich.

Und so weiter, sie ziehen zwei, drei andere Möglichkeiten in Betracht, Kowalski spielt sogar mit dem Gedanken, sich mit Jakob zusammenzutun und eine großangelegte Gastwirtschaft mit allen Schikanen auf die Beine zu stellen. Aber Jakob ist das Abenteuer zu groß, außerdem meint es Kowalski sicher nicht so ernst, Jakob kommt auf seinen ersten Vorschlag zurück. Der lautet, Kowalski soll in seinem alten Laden bleiben, und wenn er nicht weiß, wohin mit dem versteckten bißchen Geld, dann kann er sich modernisieren, dann schaff dir endlich neue Stühle an. Denn Bedarf hin und Bedarf her, die Haare und die Bärte werden immer weiterwachsen. Und als sie am Bahnhof ankommen, ist Kowalski fast schon wieder Friseur.

Lina gewinnt ihre Wette, denn Jakob ist dem ungleichen Kampf auf die Dauer nicht gewachsen, er zeigt ihr das Radio.

Nach einigen Tagen erfolgloser Suche, nichts war mehr da, was sie nicht schon kannte, hat sie sich aufs Bitten verlegt. Sie kann bitten wie keine zweite, besonders weiß sie, wie man Jakob bittet, mit Schmeicheln, Tränen, Beleidigtsein von ganz bestimmter Art, wieder Tränen, und das alles mit unglaublicher Ausdauer. Jakob hat wenige Tage standgehalten, dann ist er mit seiner Kraft am Ende, an einem vorausberechenbaren Abend gewinnt Lina ihre Wette.

Für mich, der ich wahrscheinlich als einziger noch lebe und

mir Gedanken machen kann, ist dieser Abend der unbegreiflichste in der ganzen Geschichte. Sogar als Jakob ihn mir erklärt hat, so gut er konnte, habe ich ihn nicht völlig begriffen, ich habe Jakob gefragt: »Hast du es da nicht zu
5 weit getrieben? Sie hätte dich doch verraten können, und alles wäre aus gewesen?« – »Aber nein«, hat Jakob lächelnd geantwortet, »Lina würde mich nie verraten.« Ich habe gesagt: »Ich meine ohne jede Absicht. Kindern fällt schnell ein unbedachtes Wort aus dem Mund, irgend je-
10 mand hebt es auf und baut sich ein ganzes Haus davon.« – »Lina überlegt sich genau, was sie redet«, hat Jakob geantwortet, und ich mußte es ihm glauben. Aber da war noch etwas anderes, das mir kaum verständlich erschien. »Da ist noch etwas, Jakob. Du konntest dir doch nicht
15 sicher sein, daß sie nicht alles durchschaut? Wie leicht hätte sie merken können, was in Wirklichkeit geschah, sie ist ein kluges Mädchen, wie du selbst sagst. War es nicht unverschämtes Glück, daß sie es nicht durchschaut hat?« – »Sie hat es durchschaut«, hat Jakob gesagt, und seine Augen
20 sind ganz stolz geworden. »Weißt du, mir war es eigentlich ganz egal, ob sie was merkt oder nicht. Ich wollte ihr einfach eine Freude machen, ohne Rücksicht auf die Folgen, deswegen bin ich mit ihr in den Keller gegangen.« Und nach einer Pause, die für mich viel zu kurz war, jenen
25 Abend zu begreifen, hat er noch hinzugefügt: »Oder nein, es war mir nicht egal. Ich glaube, ich habe damals gewollt, daß sie alles erfährt. Ich mußte irgend jemandem endlich mein Radio zeigen, und Lina war mir von allen die liebste dafür, mit ihr war es wie ein Spiel. Alle anderen wären über
30 die Wahrheit entsetzt gewesen, sie hat sich hinterher gefreut. Deswegen habe ich zu ihr an dem Abend gesagt, komm jetzt in den Keller, wir wollen zusammen Radio hören.« Und jetzt habe ich plötzlich gelächelt, jetzt habe ich gesagt: »Wenn ich damals gewußt hätte, was du alles
35 kannst, ich wäre zu dir gekommen und hätte dich gebeten,

mir einen Baum zu zeigen.« Was Jakob wieder nicht verstehen konnte. Hören wir uns diesen Abend an.

Beträchtliche Spannung, Lina hängt an Jakobs Rock, der Kellergang ist lang und düster. Die Metalltüren, an denen es auf Zehenspitzen vorbeigeht, sind alle verschlossen, als hätten sie Reichtümer von unschätzbarem Wert zu verbergen. Die Luft ist feucht und kalt, trotz August draußen. In besorgter Voraussicht hat Jakob auf Winterkleid, Strümpfe und Schal für Lina bestanden, an Decke und Wänden hängen Tropfen und glitzern wie schwache Lämpchen.

»Hast du Angst?«

»Nein«, flüstert sie entschieden, und so sehr gelogen ist das nicht, die Neugier wird sie alles andere vergessen lassen. Immerhin wartet am Ende des Ganges das Ding, nach dem tagelang vergeblich gesucht wurde und das man fast schon verloren gegeben hatte, und da wird sie jetzt sagen, ich fürchte mich, wir kehren lieber um.

Endlich bleibt Jakob stehen, fast der letzte Keller in der langen Reihe, er nimmt den Schlüssel aus der Tasche, sperrt auf, schaltet das Licht ein, das nur wenig heller ist als gar keine Lampe.

Der Keller muß beschrieben werden, vier Meter im Geviert und ohne Fenster. Am auffälligsten, eine Wand ist quer durch den Raum gezogen, macht fast zwei aus ihm, läßt nur einen schmalen Durchgang frei, die Bauherren haben sich einen Kohlenkeller vorgestellt. Das schnell aufgezählte Inventar, ein Bettgestell aus Eisen mit rotgerostetem Federboden, ein Häufchen Ofenschutt mit Kachelresten, grünen und braunen, und einigen Rohren nebst Knie. Und in der Ecke neben der Tür die einzige einschließenswerte Kostbarkeit, ein sorgsam geschichteter kleiner Stapel Holz, in dem hat der unbescheidene Wilddieb Piwowa vor Monaten geschlafen, als die Scheite noch eine Schlafgelegenheit hergaben. Dann ein Blick hinter die Trennwand, wieder Ofenschutt, Ziegelsteine und ein Spaten und ein löch-

riger Eimer und eine Axt. Schon alles, ich bin so akkurat, nicht weil die aufgezählten Dinge von Bedeutung wären, sondern weil ich später dort gewesen bin, bei meiner Suche nach Zeugen und Spuren und nicht vorhandenen Bäumen.
5 Genau wie ich die Entfernung zwischen dem Revier und der nächsten Ecke mit meinem Bandmaß nachgemessen habe, wie ich in Jakobs Zimmer gegangen bin, in dem inzwischen eine alleinstehende alte Frau wohnte, der nichts vom Schicksal irgendwelcher Vormieter bekannt war, das
10 Wohnungsamt hatte ihr fürs erste das Zimmer zugewiesen, so bin ich auch in diesem Keller gewesen. Der Keller gehörte nach wie vor zu dem Zimmer, Frau Domnik hat mir ohne viel Fragen den Schlüssel ausgehändigt, sie hat nur gesagt, sie sei noch nie nach unten gegangen, sie besäße
15 kein Zeug, das in den Keller müßte, und deswegen sollte ich mich nicht über den Staub und die mögliche Unordnung wundern, sie trüge keine Schuld daran. Staubig war es dann auch und überall Spinnweben, das ist die Wahrheit, aber von Unordnung habe ich nichts gemerkt, ich
20 fand alles so, wie Jakob es mir beschrieben hatte. Das Bettgestell, Ofenschutt, Axt und Eimer, sogar die Holzscheite lagen noch neben der Tür.
Jakob schließt von innen zu, Jakob sagt: »Damit uns niemand stört.« Dann sagt er: »Und jetzt setz dich hierher«,
25 und zeigt auf das eiserne Bettgestell.
Lina hat sich schon etwas umgesehen, bis jetzt vergeblich, trotzdem setzt sie sich ohne Widerrede, er könnte noch ganz andere Gehorsamsbezeigungen von ihr verlangen, unter diesen Umständen.
30 »Wo hast du denn das Radio?«
»Du wirst es schon noch aushalten.«
Er hockt sich vor sie hin, nimmt Linas Kinn in eine Hand, richtet ihr Gesicht auf sich, damit ja kein Blick verlorengeht, und beginnt mit den nötigsten Vorbereitungen: »Hör
35 genau zu, was ich dir sage. Als erstes mußt du mir ver-

sprechen, daß du artig bist und alles tust, was ich jetzt von dir verlange. Heiliges Ehrenwort?«

Das heilige Ehrenwort, nur für ganz wichtige Anlässe eingerichtet, wird ungeduldig gegeben, ihre Augen fordern, er möge sich nicht so lange mit Vorreden aufhalten.

»Du bleibst hier ganz still sitzen. Das Radio steht hinter dieser Wand dort. Ich gehe jetzt dahinter, schalte es ein, dann spielt es, und wir beide werden es hören. Aber wenn ich merke, daß du aufstehst, mache ich es sofort wieder aus.«

»Darf ich es nicht sehen?«

»Auf keinen Fall!« sagt Jakob entschieden. »Eigentlich darf man es auch nicht hören, wenn man noch so klein ist, das ist streng verboten. Aber ich mache mit dir eine Ausnahme. Einverstanden?«

Was bleibt ihr übrig, sie wird erpreßt und muß sich fügen. Hören ist besser als gar nichts, auch wenn sie sich den unmittelbaren Anblick versprochen hatte. Außerdem könnte sie ja, sie könnte, wir werden sehen.

»Was spielt denn dein Radio?«

»Das weiß ich nicht vorher. Ich muß es erst anstellen.«

Die Vorbereitungen sind abgeschlossen, mehr kann man zur eigenen Sicherheit nicht tun, Jakob steht auf. Geht zu der Wand, bleibt an dem Durchgang stehen und sieht Lina noch einmal an, mit Blicken, die sie nach Möglichkeit an das Bettgestell fesseln sollen, dann verschwindet er endgültig. Jakobs Augen müssen sich erst an das neue Licht gewöhnen, es reicht kaum bis hinter die Trennwand, er stößt mit dem Fuß an den löchrigen Eimer.

»War das schon das Radio?«

»Nein, noch nicht. Es dauert noch einen Augenblick.«

Etwas zum Sitzen wird benötigt, denn der Spaß kann sich hinziehen, wenn er erst ins Rollen kommt, Jakob stellt den Eimer verkehrt und macht es sich darauf bequem. Sehr spät begegnet ihm die Frage, was für ein Programm das Radio

überhaupt zu bieten hat, Lina hatte sie schon flüchtig berührt, und die Zeit ist reif für eine Antwort. Man hätte sich
vorher damit beschäftigen sollen, was man nicht alles hätte, vielleicht sogar ein wenig üben, so aber muß das Radio
5 spielen, wie es gerade kommt. Macht es Musik, wird aus
ihm gesprochen, Jakob erinnert sich, daß sein Vater vor
ewigen Jahren eine ganze Blaskapelle nachahmen konnte,
mit Tuba, Trompeten, Posaune und großer Pauke, zum
Totlachen hat es sich angehört, nach dem Abendbrot,
10 wenn der Tag ohne großen Ärger vergangen war, konnte
man ihn manchmal breitschlagen. Aber ob so ein Orchester gleich beim erstenmal gelingt, der Vater hat lange an
ihm gefeilt, Lina wartet still im Winterkleid, und Jakob
schwitzt schon, obwohl die Vorstellung noch gar nicht be-
15 gonnen hat.

»Es geht los«, sagt Jakob, bereit zum ersten besten.

Ein Fingernagel schnipst gegen den Eimer, so stellt man
Radios an, dann ist die Luft voll Brummen und Pfeifen. Die
Periode des Warmmachens wird übersprungen, diese Ein-
20 zelheit für Kenner, Jakobs Radio hat von Anfang an die
rechte Temperatur, und schnell ist auch die Senderwahl
getroffen. Ein Sprecher mit hoher Stimme, wie gesagt das
erste beste, meldete sich zu Wort: »Guten Abend, meine
Damen und Herren in fern und nah, Sie hören jetzt ein
25 Gespräch mit dem englischen Minister Sir Winston Churchill.« Dann gibt der Sprecher das Mikrophon frei, ein
Mann in mittlerer Stimmlage läßt sich hören, der Reporter:
»Guten Abend, Sir Winston.«

Dann Sir Winston persönlich, mit sehr tiefer Stimme und
30 deutlich fremdländischem Einschlag: »Guten Abend allerseits.«

Reporter: »Ich begrüße Sie sehr herzlich in unserem Sen-
deraum. Und gleich zur ersten Frage: Würden Sie unseren
Hörern bitte sagen, wie Sie aus Ihrer Sicht die augenblick-
35 liche Situation einschätzen?«

Sir Winston: »Das ist nicht allzu schwer. Ich bin fest davon überzeugt, daß der ganze Schlamassel bald zu Ende sein wird, allerhöchstens noch ein paar Wochen.«

Reporter: »Und darf man fragen, woher Sie diese schöne Gewißheit nehmen?«

Sir Winston (etwas verlegen): »Nun ja, an allen Fronten geht es gut vorwärts. Es sieht ganz so aus, als könnten sich die Deutschen nicht mehr lange halten.«

Reporter: »Wunderbar. Und wie steht es speziell in der Gegend von Bezanika?«

Ein kleiner Zwischenfall ereignet sich, das Schwitzen und die kalte Luft im Keller, oder Jakob kommt irgend etwas in die Nase, jedenfalls müssen Reportern Sprecher und Sir Winston alle durcheinander niesen.

Reporter (faßt sich als erster): »Gesundheit, Herr Minister!«

Sir Winston (nachdem er sich geschneuzt hat): »Danke. Aber zurück zu Ihrer Frage. In der Gegend von Bezanika steht es besonders schlecht um die Deutschen. Die Russen schlagen sie, wie sie nur wollen, Bezanika ist schon längst in ihrer Hand. Gerade gestern erst haben sie eine wichtige Schlacht an dem Fluß Rudna gewonnen, falls Sie wissen, wo das ist.«

Reporter: »Ja, den Fluß kenne ich.«

Sir Winston: »Dann wissen Sie auch, wo die Front heute schon verläuft. Es wird bestimmt nicht mehr lange dauern.«

Reporter (hocherfreut): »Da werden unsere Hörer sehr zufrieden sein, wenn es nicht eben Deutsche sind. Sir Winston, ich bedanke mich vielmals für die aufschlußreiche Unterhaltung.«

Sir Winston: »Bitte, bitte.«

Sprecher (nach kurzer Pause): »Das, meine Damen und Herren, war das angekündigte Gespräch mit dem englischen Minister Sir Winston Churchill. Auf Wiedersehen.«

Ein Fingernagel schnipst gegen den Eimer, so stellt man Radios ab, Jakob wischt sich den Schweiß von der Stirn. Ein bißchen mager das Interview, denkt er, und auch ein bißchen über Linas Kopf hinweg, aber man ist, das ändert sich leider nie, kein Scholem Alejchem an Erfindungsgabe, verlangt nicht zuviel von einem geplagten Mann, für heute wird es hoffentlich reichen. Jakob kommt wieder zum Vorschein, es erweist sich, nicht nur in der Gegend von Bezanika stehen die Dinge glänzend, hier im Keller nicht minder, Lina hat endlich mit eigenen Ohren ein Radio gehört, für Kinder streng verboten, und ist hingerissen. Es hätte auch anders kommen können, die Stimme zu verstellen war ein Schritt in Neuland, dazu gleich auf drei verschiedene Arten, Lina hätte auch frostig fordern können, er möge jetzt mit dem Unfug aufhören und endlich das Radio anmachen. Der Schlag hätte Jakob getroffen, schon der Gedanke, aber ihr fallen solche Worte nicht im Traum ein, alles ist in schönster Ordnung, das sieht er sofort.

»Hat es dir gefallen?«

»Ja.«

Beiderseitige Zufriedenheit, Jakob steht vor ihr und will von Aufbruch reden, wir haben alle unseren Spaß gehabt, das Bett wartet, aber Lina sagt: »Es ist doch noch nicht zu Ende?«

»Was denn sonst?«

»Ich möchte noch mehr hören.«

»Nein, nein, jetzt ist Schluß«, sagt er, aber er sagt es nur so dahin. Ein kurzes Wortgefecht, es ist schon zu spät, Lina möchte mehr hören, vielleicht ein andermal, irgend etwas, nie genug kriegen, er soll das Radio nur wieder anmachen, mit allem will sie zufrieden sein. Jakob niest von neuem, an diesem Abend hat die ganze Welt das Niesen, beim Naseputzen prüft er ihre Blicke und findet keinen Argwohn, das gibt den Ausschlag.

»Was willst du denn hören?«

Also sitzt Jakob wieder auf dem Eimer, in völliger Stille, allmählich von Ehrgeiz gepackt. Von Ehrgeiz betreffs der Blaskapelle, die geht ihm nicht aus dem Kopf, obwohl sie gute vierzig Jahre geschwiegen hat und eingestaubt ist und die Instrumente verrostet, Jakob will es wagen, entschlos- 5
sen wie er heute ist.

Am Anfang steht das Schnipsen, dann Brummen und Pfei- fen, das klingt beim zweitenmal schon gekonnter, und dann hebt sie kopfüber an, die Musik, mit Pauke und Bek- ken, denen der erste Takt gehört. Pauke und Becken folgt 10
eine einsame Posaune, die etliche Töne braucht, um auf die rechten Gleise zu gelangen. Die Melodie ist ungewiß, Ja- kob sagt, eine improvisierte Tonfolge, durchsetzt mit di- versen bekannten Themen, aber ohne jede Gesetzmäßig- keit, feststeht nur, es handelt sich um einen Marsch. Zag- 15
haft übernehmen die Füße das Schlagzeug, von den Fingern unterstützt, die sich des Eimers bedienen, so wird der Mund entlastet für das übrige Instrumentarium. Denn eine einzelne Posaune gibt noch keine Blaskapelle her, sie muß abgelöst werden von der Trompete, die wieder von der fi- 20
stelnden* Klarinette, und zwischendurch immer mal wie- der ein Tubaton* im hintersten Hals. Jakob verliert, wie es heißt, alle Hemmungen, der einzige Zwang, dem er sich unterwirft, er hat trotz der Eile eine gewisse Regel im Ohr, damals vom Vater streng beachtet, und zwar, Vokale sind 25
sparsam zu verwenden, nach Möglichkeit vollständig zu vermeiden. Weil Instrumente sich nur in Mitlauten äußern, genau genommen nur in Tönen, die sich zur Not mit Kon- sonanten beschreiben lassen, ihnen entfernt ähnlich sind, aber nicht gleich. Also kommt ihm kein simples Täterä 30
über die Lippen und kein Lalila, es gilt, Laute zu formulie- ren, die sich in keinem Alphabet finden, der Keller dröhnt von Niegehörtem. Mag sein, zuviel Mühe für ein Kind wie Lina, das mit weniger Gefeiltem auch zufrieden wäre, aber ich erinnere, Ehrgeiz ist im Spiel, eine freiwillige Prüfung, 35

in hohen Lagen spielenden

Tuba ist das tiefste Bass- instrument der Blechbläser.

und Meisterschaft gedeiht am besten ohne Zwang. Bald hält man die Tonart ohne Schwierigkeiten, Trompete und Posaune werfen sich Phrasen her und hin, üben sich im Wechselspiel und führen es fast allemal zu glücklichem En-
de. Die Klarinette rückt notgedrungen mehr und mehr in den Hintergrund, zu unnatürlich hohe Lage, dafür läßt sich die Tuba immer öfter hören, wagt sogar von Zeit zu Zeit ein kleines Kabinettstückchen, eine Tonfolge in unteren Regionen, und flüchtet sich, wenn der Atem knapp wird, in
zwei, drei Takte Eimerschlag.

Mit einem Satz, ein Stück Musikgeschichte wird geschrieben, Jakob feiert Triumphe, Lina hält es nicht mehr auf dem Bettgestell. Unhörbar steht sie auf, vergessen alle heiligen Ehrenworte, die Beine schleichen ihr widerspruchslos
zu der Trennwand. Sie muß das Ding sehen, das Jakob so ähnlich klingt und doch ganz anders, das mit verschiedenen Stimmen sprechen kann, niesen wie er und solche eigenartigen Geräusche machen. Ein Blick nur, selbst um den Preis eines entdeckten Vertrauensbruches, man kann gegen
die Beine, die ihren ausgeprägten Willen haben, nichts ausrichten. Dabei wäre soviel Vorsicht nicht nötig, der Krach, den das Ding macht, übertönt alles, dennoch wird geschlichen. Bis zum schmalen Durchgang, eben vollendet die Posaune ein gekonntes Solo und gibt an die Trompete
ab, Lina schiebt behutsam den Kopf um die Ecke. Unsichtbar für Jakob, der sitzt nicht nur seitlich, der hält auch die Augen fest geschlossen, Zeichen höchster Kraft- und Geistesanspannung, der lärmt weltvergessen nach nur ihm bekannten Regeln. Nein, Jakob merkt nicht, daß er für Augenblicke nackt und bloß sitzt, später wird er durch Linas versteckte Andeutungen hellhörig werden, und viel später erst wird sie ihm ins Gesicht sagen, was sich da in Wirklichkeit zugetragen hat, in jenem Keller. Vorerst reichen ihr ein paar Sekunden Hinschauen und Staunen, Lina ist nach In-
dien gefahren und hat Amerika entdeckt, dem Aussehen

dieses Dinges galt der Ausflug, und jetzt weiß man Bescheid, es sieht aufs Haar so aus wie Jakob. Nachher bleibt nur noch eine einzige Frage, sie wird sich erkundigen, ob er außer diesem Radio noch ein anderes hat, vermutlich hat er keins, wo sollte er es sonst versteckt halten, wenn nicht hier, Lina weiß, was keiner weiß. Sie setzt sich still zurück auf ihren Platz, das Vergnügen am Zuhören ist nicht kleiner geworden, nur vermischt mit ein paar Gedanken, die niemanden etwas angehen.

Dann findet der Marsch zum Ende, aber noch nicht die Vorstellung. Als Jakob ermattet und heilfroh und mit ausgedörrtem Mund zum Vorschein kommt, verlangt Lina stürmisch eine Zugabe, aller guten Dinge sind drei, jetzt erst recht. Das beweist ihm, sie hat keinen Verdacht geschöpft, das sollte es auch beweisen, er denkt, wenn dieser Marsch gut gegangen ist, dann kann ihm nichts mehr passieren.

»Aber das allerletzte!« sagte Jakob.

Er begibt sich wieder auf die Ausgangsstellung, den nächsten Sender schon im Sinn, schnipst. Lina hat großes Glück, Jakob findet bald die Rundfunkstation, in der Märchen erzählt werden, von einem freundlichen Onkel, der sagt: »Für alle Kinder, die uns zuhören, erzählt der Märchenonkel das Märchen von der kranken Prinzessin.« Er hat eine ähnliche Stimme wie Sir Winston Churchill, so tief, nur etwas leiser, und freilich ohne fremden Einschlag.

»Kennst du das?« fragt Jakob als Jakob.

»Nein. Aber wieso gibt es im Radio einen Märchenonkel?«

»Was heißt, wieso? Es gibt ihn eben.«

»Aber du hast gesagt, Radio ist für Kinder verboten. Und Märchen sind doch nur für Kinder?«

»Das stimmt. Aber ich habe gemeint, bei uns im Ghetto ist es verboten. Wo kein Ghetto ist, da dürfen Kinder hören. Und Radios gibt es überall. Klar?«

»Klar.«

Der Märchenonkel, ein wenig verstimmt über die Unterbrechung, aber gerecht genug, die Gründe bei sich selbst zu
suchen, zieht die Jacke aus, legt sie sich unter, denn der
Eimer ist hart und kantig und das Märchen eins von den
längeren, wenn man es überhaupt noch zusammenkriegt.
Mein Gott, wie lange das her ist, fällt ihm ausgerechnet
jetzt ein, für Märchen war der Vater nicht zuständig, die
waren Mutters Sache, du hast im Bett gelegen und gewartet
und gewartet, daß sie mit der Hausarbeit fertig wurde und
zu dir kam, fast immer bist du darüber eingeschlafen. Aber
manchmal hat sie sich doch zu dir gesetzt, hat ihre warme
Hand unter die Decke geschoben auf deine Brust und hat
Geschichten erzählt. Vom Räuber Jaromir mit den drei Augen, der immer auf der kalten Erde schlafen mußte, weil es
kein Bett gab, das groß genug für ihn gewesen wäre, vom
Kater Raschka, der keine Mäuse fangen wollte, immer nur
Vögel, so lange bis er eine Fledermaus gesehen hat, von
dem See Schapun, in den die Hexe Dwojre alle Kinder weinen ließ, daß er anschwoll und über die Ufer trat und
Dwojre elendiglich darin ersoff, und irgendwann von der
kranken Prinzessin.

»Wann fängt es denn endlich an?« fragt Lina.

»Das Märchen von der kranken Prinzessin«, beginnt der
Märchenonkel.

Wie der gute alte König, dem ein großes Land gehörte und
ein erstklassig schöner Palast und eine Tochter auch noch,
die alte Geschichte, wie der ganz furchtbar erschrocken ist.
Weil er sie nämlich ungeheuer lieb gehabt hat, seine Prinzessin, wenn sie hingefallen war und Tränen in den Augen
hatte, dann mußte er selber weinen, so lieb hat er sie gehabt. Und erschrocken ist er, weil sie an einem Morgen
nicht aus dem Bett aufstehen wollte und richtig krank ausgesehen hat. Da wurde der teuerste Arzt weit und breit
gerufen, damit er sie schnell wieder gesund und vergnügt

machte, aber der Arzt hat sie von oben bis unten abgehorcht und abgeklopft, dann hat er ratlos gesagt: »Es tut mir entsetzlich leid, Herr König, ich kann nichts finden. Ihre Tochter muß an einer Krankheit leiden, der ich in meinem ganzen Leben noch nicht begegnet bin.« Da war der gute alte König noch mehr erschrocken, er ist selber zu der Prinzessin gegangen und hat sie gefragt, was ihr um Himmels willen fehlt. Und da hat sie ihm gesagt, sie will eine Wolke haben, wenn sie die hat, wird sie sofort wieder gesund. »Aber eine richtige!« hat sie noch gesagt. Das war vielleicht ein Schreck, denn jeder kann sich vorstellen, daß es gar nicht einfach ist, eine richtige Wolke zu beschaffen, sogar für einen König. Den ganzen Tag konnte er vor lauter Kummer nicht regieren, und am Abend hat er Briefe an sämtliche klugen Männer seines Landes schicken lassen, in denen stand geschrieben, sie sollten alles stehen- und liegenlassen und unverzüglich zu ihm in den Königspalast kommen. Am nächsten Morgen schon waren sie alle versammelt, die Doktoren und die Minister, die Sterngucker und die Wetterforscher, und der König hat sich auf seinen Thron gestellt, damit ihn jeder im Saal gut hören konnte, und hat gerufen: »Ru-he!« Ganz still ist es da geworden, und der König hat verkündet: »Demjenigen von euch weisen Männern, der meiner Tochter eine Wolke vom Himmel holt, gebe ich soviel Gold und Silber, wie auf den größten Wagen im ganzen Land passen!« Als das die klugen Männer hörten, haben sie auf der Stelle angefangen zu klären und zu sinnen und zu trachten und zu rechnen. Denn das viele Gold und Silber wollten alle haben, wie werden sie nicht? Ein besonders Gescheiter hat sogar begonnen, einen Turm zu bauen, der bis zu den Wolken reichen sollte. Er dachte sich, wenn der Turm fertig ist, kletterst du rauf, schnappst dir eine Wolke und kassierst dann die Belohnung. Aber bevor der Turm auch nur halb so hoch war, ist er wieder umgefallen. Und auch die anderen hatten kein

Glück, nicht einer der Weisen konnte der Prinzessin eine
Wolke besorgen, die sie so gerne haben wollte. Immer dünner und kränker ist sie geworden, immer dünner, denn sie
hat vor Kummer keinen Bissen mehr angerührt, nicht ein-
5 mal mazzot mit puter*.

Eines schönen Tages hat der Gärtnerjunge, mit dem die
Prinzessin manchmal draußen gespielt hat, als sie noch ein
gesundes Mädchen war, der hat in den Palast reingeschaut,
ob in irgendeiner Vase Blumen fehlten. Und dabei hat er sie
10 in ihrem Bett liegen sehen, unter der Decke aus Seide und
bleich wie Schnee. Die ganzen letzten Tage schon hatte er
sich den Kopf zerbrochen, warum sie nicht mehr in den
Garten kam, aber den Grund dafür wußte er nicht. Und
deswegen hat er sie gefragt: »Was ist los mit dir, Prinzeß-
15 chen? Warum kommst du nicht mehr raus in die Sonne?«
Und da hat sie auch ihm gesagt, daß sie krank ist und nicht
eher gesund wird, bis ihr jemand eine Wolke bringt. Der
Gärtnerjunge hat ein bißchen nachgedacht, dann hat er
gerufen: »Aber das ist doch ganz einfach, Prinzeßchen!« –
20 »So? Das ist ganz einfach?« hat die Prinzessin verwundert
gefragt. »Alle Weisen im Land zerbrechen sich umsonst die
Köpfe, und du behauptest, das ist ganz einfach?« – »Ja«,
hat der Gärtnerjunge gesagt, »du mußt mir nur verraten,
woraus eine Wolke ist.« Da hätte die Prinzessin fast lachen
25 gemußt, wenn sie nicht so schwach gewesen wäre, sie hat
geantwortet: »Was stellst du auch für dumme Fragen! Jedes
Kind weiß, daß Wolken aus Watte sind.« – »Aha, und sagst
du mir noch, wie groß eine Wolke ist?« – »Nicht einmal das
weißt du?« hat sie sich gewundert. »Eine Wolke ist so groß
30 wie mein Kissen. Das kannst du selber sehen, wenn du bloß
den Vorhang zur Seite schiebst und zum Himmel blickst.«
Da ist der Gärtnerjunge ans Fenster getreten, hat zum Himmel geblickt und gerufen: »Tatsächlich! Genausogroß wie
dein Kissen!« Dann ist er losgegangen, hat bald der Prin-
35 zessin ein Stück Watte gebracht, und das war so groß wie
ihr Kissen.

(hebr.): Unge-
säuertes Brot
zum Pessach-
fest mit Puten-
fleisch

Den Rest erspare ich mir, jeder kann ihn sich leicht denken, wie die Prinzessin wieder blanke Augen bekommen hat und rote Lippen und gesund geworden ist, wie der gute alte König sich gefreut hat, wie der Gärtnerjunge die versprochene Belohnung nicht haben wollte und dafür lieber die Prinzessin heiraten, und wenn sie nicht gestorben sind, das ist Jakobs Geschichte.

Es dürfte derselbe Abend sein, höchstens einer davor oder einer danach, die sanfte schöne Rosa liegt bei Mischa und hört der Schlacht an der Rudna zu. Mischa erzählt sie leise, aber er flüstert nicht, zwischen leise reden und flüstern ist ein großer Unterschied, man wird zu Recht fragen, warum flüstert er nicht? Und man wird fragen, warum der Schrank nicht mehr in der Zimmermitte steht, sondern ganz normal an der Wand, und warum der Vorhang wieder das Fenster verdeckt, anstatt den Raum in zwei Hälften zu teilen? Wo die spanische Wand geblieben ist, wird man sich wundern, und vor allem, warum Rosa auf einmal nackt liegt, obgleich das Licht noch brennt, wieso geniert sie sich nicht mehr? Dann wird man gütigst einen Blick auf das zweite Bett werfen, wird es leer finden und alle Fragen gehen auf in einer: Wo ist der taubstumme Isaak Fajngold mit den scharfen Ohren?
Ich weiß es ebensowenig wie Mischa, von Rosa gar nicht zu reden, vor einer Woche ist er frühmorgens zur Arbeit gegangen wie alle Tage und seither verschollen. Den ersten Abend hat man es noch nicht tragisch genommen, Mischa hat gedacht, vielleicht ist er einen Freund besuchen gegangen, hat sich verplauscht, wird dann gemerkt haben, daß es schon acht vorbei ist und zu spät für den Heimweg, da hat er sich eben auf die Erde gelegt und dort genächtigt. »Wieso verplauscht?« hat Rosa mißtrauisch gefragt. »Er ist doch taubstumm?« – »Na glaubst du vielleicht, Taubstumme können sich nicht unterhalten?« hat Mischa gedan-

kenschnell geantwortet. »Glaubst du vielleicht, sie sind verurteilt, alles, was ihnen im Kopf herumgeht, für sich zu behalten? Sie können sich genauso verständigen wie du und ich, bloß eben in der Zeichensprache.«

5 Aber am zweiten Abend ist Fajngold auch nicht nach Hause gekommen und am dritten wieder nicht, deswegen ist Mischa am vierten Tag zum einzigen Bekannten Fajngolds gegangen, von dem er wußte, zu Hersch Praschker. Der mit Fajngold zusammen beim Aufräumungskommando arbei-
10 tet, die Straßen von Unrat und von Verhungerten säubert, aber Praschker hatte auch keine Ahnung. Er hat gesagt: »Morgen wollte ich zu ihm in die Wohnung kommen, warum er nicht zur Arbeit erscheint. Sie werden ihn noch holen, aufgeschrieben ist er schon.« – »Wann ist er das letz-
15 temal dagewesen?« – »Dienstag.« – »Und Mittwoch früh ist er von zu Hause losgegangen wie immer.«
Nie ist er angekommen, nie ist er heimgekehrt, vielleicht ist er geflohen oder gestorben oder verunglückt oder von der Straße weg verhaftet worden. Gegen Tod oder Unfall
20 spricht, daß er nirgendwo gefunden wurde, man hat sich erkundigt. Gegen eine vorbedachte Flucht spricht, seine Sachen liegen vollzählig im Schrank, nicht einmal die Photographie von seinem Enkel fehlt, von der hätte er sich nicht getrennt, die hat er gehütet wie einen Schatz. Bleibt
25 eigentlich nur Verhaftung von der Straße weg, warum ist schleierhaft, denn Fajngold ist immer ein anstelliger* und gesetzesfürchtiger Mensch gewesen, aber man kennt ja den Spruch, wo ein Wille ist, da ist auch ein Weg. Und aus all dem ergibt sich von selbst, warum Mischa die Schlacht an
30 der Rudna leise erzählt und nicht flüstert.
Den zweiten Abend hintereinander schon liegt Rosa neben ihm, und das ist noch nie vorgekommen. Der alte Frankfurter, als Theatermann an sich kein Freund von allzu strengen Sitten, hat zu bedenken gegeben: »Na schön, Kin-
35 der, ihr liebt euch, das kann man begreifen. Aber nun

*ehrenwerter, geschickter

übertreibt mal nicht gleich.« Deswegen und auch wegen Rosas Zurückhaltung hat sich die Zahl ihrer gemeinsamen Nächte in bescheidenen Grenzen gehalten, Mischa mußte sie zu jeder beinahe so überreden, als wäre es ihre erste, bis auf ganz wenige Ausnahmen. Und jetzt die zweite schon in 5
gerader Folge, Rosa stellt sich vor, so ungefähr muß es sein, wenn man verheiratet ist, aber, ehrlich gesprochen, wohl fühlt sie sich nicht dabei. Das liegt nicht an Mischa, daß er jetzt plötzlich anders wäre als vorher, hemmungsloser etwa oder unverschämter, der ist im Wert um keinen Punkt 10
gefallen, den sieht sie mit nicht weniger Liebe an als am ersten Tag. Oder sagen wir, am fünften. Das liegt, wie undurchsichtig es manchem klingt, an Isaak Fajngold, man hatte sich auf seltsame Weise an ihn gewöhnt. Aber wie kann man sich an jemand gewöhnen, der doch nur stört, 15
wie taubstumm er auch ist? In solcher Situation, bei der Alleinsein sich von selbst versteht, wie kann man das? Man kann es, und man kann es nicht, wir wollen es ergründen, erstens: In diesem Zimmer hat Rosa zu lieben angefangen, in Fajngolds Gegenwart, er war von der ersten Sekunde an 20
dabei, die Heimlichkeit vor ihm war fester Bestandteil aller Zärtlichkeiten. Dann zweitens, Fajngolds Bett ist jetzt nicht einfach leer, nein, Fajngold liegt nicht mehr darin, das macht einen erheblichen Unterschied. Jeder Blick hinter die spanische Wand, die überflüssig gewordene und 25
darum abgebaute, erinnert an sein dunkles Schicksal, ungewiß zwar, aber je länger man sich den Kopf zerbricht, ungewiß eigentlich nur, was die Todesart betrifft. Und drittens und endlich, als Mischa ihr gesagt hat, Fajngold ist verschwunden, da hat sie bestürzte Augen gemacht, wie 30
erwartet, aber nach einer Weile waren die Augen gar nicht mehr so bestürzt, sie hat sich dabei ertappt, wie sie gedacht hat: Endlich. Das war nicht gegen Fajngold gerichtet, ihm wünschte sie alles Gute, es hatte nur mit ihr und Mischa zu tun und sollte heißen, endlich allein, endlich ungestört, 35

endlich ein freier Winkel für uns zwei. Dabei hat sie sich ertappt, und es war ihr recht unangenehm, sie fand solchen Gedanken beschämend und mußte doch immer wieder denken: Endlich. Dann hat sie noch gedacht, ganz gut, daß Mischa nicht weiß, was für selbstsüchtiges Zeug mein Kopf ausbrütet. Und sie hat auch gedacht, was immer mit Fajngold geschehen ist, es ist so und so geschehen, für sich behaltene Gedanken können nicht ins Leben eingreifen.

Aber sie haben eingegriffen, so einfach war es nicht, mehrere Tage hat sie Mischa gegenüber Gründe vorgegeben, warum sie nicht in sein Zimmer mitgehen konnte, und er ist enttäuscht abgezogen. Bis gestern, bis sie keine Gründe mehr finden konnte oder wollte, er hat sie gefragt: »Und warum kommst du heute nicht?« Sie hat geantwortet: »Ich komme ja mit«, und da hat er es ausgesprochen: »Endlich!«

Sie sind in das Zimmer gegangen. Mischa hatte es vorher schon umgeräumt, denn Fajngolds Abwesenheit durfte man als endgültig betrachten. Der Schrank stand, wie gesagt, an der Wand, der Vorhang hing vor dem Fenster, Rosa ist mitten im Zimmer stehengeblieben und mußte sich erst gewöhnen. Denn so hatte sie es noch nie gesehen. Fajngolds glattgestrichenes Bett ist ihr natürlich aufgefallen, sie hat gleich geahnt, daß es damit noch Ärger geben würde. Sie hat gefragt: »Was ist das für eine Schachtel?« »Seine Sachen. Falls sie jemand abholt«, hat Mischa gesagt. Und sofort war die richtige Stimmung.

Irgendwann haben sie sich hingelegt, aber lange stumm und reglos und ohne Freude, wie alles anders war an diesem Abend, das Licht hat noch gebrannt. Mischa hat auf der Seite gelegen und sie auf dem Rücken, weil das Bett für zwei auf dem Rücken zu eng ist. Mit einem Blick auf das glattgestrichene Bett Fajngolds hat er gefragt: »Was meinst du, könnten wir nicht . . .«

»Bitte nein!« hat sie ihn ängstlich unterbrochen.

»Schon gut.«

Er hat das Licht ausgemacht, den Arm unter ihren Kopf geschoben, so fängt es sonst auch an, und wollte sie küssen, aber sie hat sich abgewendet. Bis er sie gefragt hat: »Was ist denn los mit dir?« 5

»Nichts.«

Er hat eine Weile nachgedacht, was nichts wohl bedeutet, dann hat er gesagt: »Aber du hast ihn doch so gut wie nicht gekannt? Und sogar wenn ja, was können wir denn ändern?« 10

Er wollte sie wieder küssen, sie hat ihn jetzt auch gelassen, aber eben nur gelassen. Bald hat er gemerkt, daß mit ihr nichts anzufangen war, da hat er die Augen geschlossen, morgen ist auch noch ein Tag, und ist eingeschlafen. Das war das einzige, das so war wie immer, er schläft immer als 15 erster ein.

Mitten in der Nacht hat sie ihn geweckt, er war nicht böse, er hat gehofft, sie hätte sich die Sache endlich anders überlegt, dafür läßt man sich gerne wecken.

»Ich muß dir etwas sagen, Mischa«, hat sie geflüstert. 20
»Ja?«

Daß sie nun schwieg, hat er ganz falsch aufgefaßt, er hat sie zu sich gezogen und wollte mit den Lippen über ihr Gesicht streifen, da hat er gemerkt, daß es naß und salzig gewesen ist, von den Augen abwärts. Der Schreck ist ihm in die 25 Glieder gefahren, weil er gewohnt war, daß sie selten lachte und niemals weinte, sogar als ihre einzige Freundin vor einem halben Jahr in den Zug steigen mußte, hat sie nicht weinen können, wenn man auch tagelang kein Wort von ihr zu hören bekam. Und jetzt auf einmal das Gesicht naß, 30 da kann man schon erschrecken, aber sie hat nicht geschluchzt oder gejammert, es muß ganz still vor sich gegangen sein, er wäre ja nicht einmal aufgewacht, wenn sie ihn nicht geweckt hätte. Und außerdem war es schon so gut wie vorbei, ihrer Stimme nach zu urteilen. 35

Jakob der Lügner

»Ich habe eine Bitte, die muß dir seltsam vorkommen.«
»Sag.«
»Ich möchte, daß das Zimmer wieder wird wie vorher.«
»Was heißt das – wie vorher?«
5 »Der Schrank soll wieder in die Mitte. Und der Vorhang.«
»Aber wozu denn? Fajngold ist doch nicht mehr da?«
»Ich möchte es so«, hat sie gesagt.
Es ist ihm wirklich seltsam vorgekommen, zuerst seltsam,
dann kindisch, dann albern, dann einfach lächerlich. Dann
10 hat er sich erinnert, irgendwann etwas über die unergründlichen Launen von Frauen gehört oder gelesen zu haben
und daß es sich empfiehlt, den Anfängen zu wehren. Die
ganze Veränderung, die sie wünschte, hätte ihn nicht mehr
als zehn Minuten gekostet, aber er hat gesagt: »Nur wenn
15 du mir einen vernünftigen Grund nennen kannst.«
»Ich möchte es so«, hat sie gesagt.
Und das war kein vernünftiger Grund, beim besten Willen
nicht, er hat sich standhaft geweigert. Er hat gesagt, daß es
sie zwar ehrt, wenn ihr Fajngolds Verschwinden so zu Her-
20 zen geht, obwohl sie ihn gar nicht gekannt hat, nur seinen
Atem und sein Schnarchen. Aber im Ghetto gehen schließlich jeden Tag viele Menschen verloren, die man ebensowenig kennt, und wenn man bei jedem einzelnen so ein
Theater machte, das möchte nicht zum Aushalten sein.
25 Und sie hat ihm vorgeworfen, er wäre ein abgestumpfter
grober Klotz, ihr erster Streit war entstanden, und wenn es
nicht die Verordnung mit acht Uhr gegeben hätte, wäre sie
bestimmt aufgestanden, hätte sich angezogen und adieu.
So aber hat sie ihm nur den Rücken zugedreht, damit er
30 merkt, wie sehr sie ihn verachtet.
Am nächsten Tag, also heute, hat er sie gleich von der
Fabrik abgeholt, denn bei ihr zu Hause wäre die Versöh-
nung viel schwerer gefallen, in Anwesenheit ihrer Eltern.
Sie war schon so schwer genug, nicht weil es an gutem
35 Willen gefehlt hätte, aber man war so ungeübt im Beenden

von Streitigkeiten. Am Ende haben sie beide zugegeben, sie hätten sich nicht ganz richtig benommen, ein Kuß in einer Haustür, und man konnte wieder freier atmen. Sie sind bei ihr zu Hause vorbeigegangen, um Bescheid zu geben, wo sie die kommende Nacht verbringt. Frankfurter hat nicht begeistert ausgesehen, er konnte nicht wissen, daß die letzte Nacht praktisch ins Wasser gefallen war, Mischa hat gehört, wie Frau Frankfurter ihrem Mann leise gesagt hat: »Laß sie doch.«

Dann also in sein Zimmer, sie sind beide nach besten Kräften freundlich zueinander gewesen, haben sich nach dem Zank ihre guten Seiten vorgeführt, aber man konnte spüren, daß noch etwas Zeit vergehen mußte, bis alles war wie vorher.

Mischa hat ihr die Schlacht an der Rudna erzählt, oder besser, weil wir wieder auf dem laufenden sind, Mischa erzählt ihr leise die Schlacht an der Rudna, wird endlich fertig, heute von Jakob gehört, sozusagen das Neueste aus dem Äther. Rosa zerschmilzt vor Freude, man weiß, wo die Rudna fließt und welchen Fortschritt seit Bezanika die Schlacht bedeutet, sie hätte nicht übel Lust, mit neuem Plänemachen zu beginnen. Doch Mischa steht der Sinn nicht nach Plänen, nicht im Augenblick, die laufen ihm nicht weg wie dieser zweite Abend hintereinander, er löscht das Licht. Um sich Rosa zu widmen, nicht mehr von Siegen soll die Rede sein, die letzte Nacht ist praktisch ins Wasser gefallen. Die Rudna und Fajngold und im Zorn gesagte Worte sind vergessen, man kommt sich auf vertrauten Wegen näher, soweit der eigene Wille zu befehlen hat. Aber der herrscht nicht unumschränkt, man erwischt sich bei Vergleichen, so ist es jetzt, eigentlich kein Unterschied zu früher, man liegt ein Stückchen neben sich und sieht sich zu. Und man hört vielleicht sogar, daß aus der anderen Zimmerhälfte keine fremden Atemzüge stören. Sagen wir es offen, das Nachholen einer ausgefallenen Nacht gerät recht kläglich, auch wenn sie es nie zugeben würden, auch wenn sie zufrieden tun wie Jungverliebte.

Mit leisem Bedauern wollen wir sie verlassen, und in der Hoffnung, es kommen wieder unbeschwertere Zeiten, die Hoffnung ist uns unbenommen. Hören wir noch, wie Mischa auf der Woge des Vertragens lächelnd fragt, was er lieber nicht gefragt hätte: »Möchtest du immer noch, daß ich das Zimmer wieder mit Schrank und Vorhang teile?« Das sagt er, und vor allem lächelnd, weil für ihn kein Zweifel ist, daß Rosa nun die Dinge anders sieht, daß sie von dummen Launen antworten wird, sie wüßte selbst nicht, was in sie gefahren wäre gestern, und daß der leidige Zwischenfall sich bestens zum Vergessen eignet.

Und vernehmen wir noch, wie Rosa sagt: »Ja, bitte.«

Jakob muß mit eigenen Ohren hören, wie entstellt seine Informationen weitergegeben werden.

Jakob will zu Lina auf den Boden, noch keine Schlafenszeit, aber man muß mit ihr ja mehr tun als nur aufpassen, daß sie sich ordentlich wäscht, die Zähne putzt und rechtzeitig ins Bett geht. Auf dem Bahnhof haben sie uns zwei Stunden früher laufenlassen, es war einfach nichts mehr zum Verladen da, die Posten hatten keine Lust, auf Herumlungernde aufzupassen, sie haben uns aufgefordert zu verschwinden. Ein paar besonders kühne Spekulanten vermuten, daß hinter dieser Aufforderung weit mehr steckt als Faulheit, vielleicht wollen sich die Herren Posten anbiedern, tüfteln sie, sie hätten uns auch zwei Stunden warten lassen können. In Reihe angetreten, aber sie haben uns nach Hause geschickt, vielleicht klopfen so unscheinbar neue Zeiten an die Tür. Jedenfalls sind die zwei Stunden bei Lina gut verbracht, findet Jakob vorerst, als er die Hand auf die Klinke legt, hört er, daß sie nicht alleine ist. Er hört Rafaels Stimme, die erkundigt sich: »Worum geht's denn dabei überhaupt?«

»Um eine Prinzessin«, sagt Lina.

»Wird sie entführt?«

»Wie kommst du darauf?«

»Natürlich wird sie entführt. Ich kenn das doch. Sie wird von einem Räuber entführt. Er will 'ne Menge Lösegeld für sie haben, aber der Prinz tötet ihn und befreit sie. Und hinterher heiraten sie.«

»Was du für einen Quatsch redest«, sagt Lina ärgerlich. »Das ist eine ganz andere Geschichte. Denkst du, es gibt bloß ein Märchen, wo eine Prinzessin vorkommt?«

»Dann erzähl's doch endlich!«

»Wollen wir nicht auf Siegfried warten?«

»Er kommt ja nicht.«

Jakob hört, wie sie warten, das Bodenfenster schlägt an, Rafael brüllt: »Siegfried!«

Dann sagt er, daß Siegfried nirgends zu sehen ist, und bald darauf verlangt Lina kreischend, Rafael soll mit dem Quatsch aufhören. Mit welchem weiß man nicht, aber er hört wohl nicht gleich auf, dann fragt er: »Von wem hast du denn die Geschichte gehört?«

»Von Onkel Jakob.«

Das gibt zu denken, wenn man heimlich vor der Tür steht. Nie hat ihr Jakob ein Märchen von einer Prinzessin erzählt, er müßte sich auf jeden Fall daran erinnern, das war der Märchenonkel, und sie macht ohne Zittern in der Stimme aus zwei verschiedenen Leuten einen Mann. Das gibt zu denken, womöglich hat Jakob auch die Marschmusik gespielt und Fragen gestellt und Antworten gegeben. Oder aber, Lina hat sich in der Eile versprochen, oder, was das beste wäre, sie greift zu einer Notlüge, um das Radio nicht zu verraten. Das bleibt dahingestellt, man wird sich noch darüber unterhalten müssen.

»Er kommt nicht mehr. Fang jetzt an«, sagt Rafael.

So geschieht es, Lina hüstelt, Jakob spitzt die Ohren, er hat noch nie gehört, wie seine Informationen weitergegeben werden.

»Es war einmal ein König, ein guter alter, und er hatte eine Tochter, das war die Prinzessin«, beginnt Lina.

»Wie hat der König geheißen?«

Lina scheint nachzudenken, ob Namen überhaupt erwähnt wurden, für Rafael zu lange, er sagt: »Du mußt doch wenigstens wissen, wie er geheißen hat?«

»Sein Name war Benjamin«, erinnert sich Lina. »Und die Prinzessin hieß Magdalena.«

»Wie hat er geheißen? Benjamin? Weißt du, wer Benjamin heißt? Mein Onkel in Tarnopol, der heißt Benjamin. Aber doch kein König!«

»Du kannst es glauben oder nicht, der König in dem Märchen hieß jedenfalls Benjamin.«

»Na meinetwegen«, sagt Rafi großzügig, am Namen soll es nicht scheitern, Jakob ist fast sicher, daß er die Arme vor der Brust verschränkt in gönnerhafter Weise.

Lina redet weiter, aber hastiger als zu Anfang, wie aus dem Konzept gebracht, wie in Erwartung weiterer Einwände: »Eines Tages wurde die Prinzessin krank. Der Arzt konnte nichts finden, weil er ihre Krankheit nicht kannte, aber sie wollte kein Brot mehr essen, und trinken wollte sie auch nicht mehr. Da ist der König selber zu ihr gegangen, er hatte sie nämlich schrecklich gerne, das hab ich noch vergessen. Und er hat sie gefragt, was ihr fehlt. Da sagte sie ihm, sie wird nicht früher wieder gesund, bis ihr jemand ein Stück Watte bringt, das so groß sein muß wie ihr Kopfkissen. Und da ist der alte König . . .«

Doch weiter kommt sie nicht, jetzt reicht es Rafael, er hat sich große Mühe gegeben und geduldig zugehört, aber was zuviel ist, ist zuviel, seine Leichtgläubigkeit hat weite, aber Grenzen.

»Was für eine Krankheit soll deine Magdalena gehabt haben?«

»Hast du doch gehört.«

»Und ich sage dir, so eine Krankheit gibt es überhaupt nicht! Auf der ganzen Welt nicht!«

»Das weißt du doch nicht!«

»Wenn sie wenigstens Masern hätte, oder Keuchhusten, oder Typhus«, sagt Rafael erschüttert. »Weißt du, was die Prinzessin in Wirklichkeit gehabt hat? Einen Furz im Kopf!«

Er lacht, viel lauter als Jakob, aber Lina kann nichts Komisches an seiner Erklärung finden. Sie fragt: »Willst du die Geschichte weiterhören oder nicht?«

»Ich will nicht«, sagt Rafael, immer noch erheitert, die besten Witze sind die eigenen. »Weil sie nämlich einen Furz im Kopf gehabt hat. Weil die ganze Geschichte nämlich ein einziger Quatsch ist. Zuerst das mit dem König, auf der ganzen Welt findest du keinen König, der Benjamin heißt. Und dann essen Prinzessinnen niemals Brot, sondern immer bloß Kuchen. Und der allergrößte Quatsch ist diese Krankheit. Oder hast du im Ernst schon mal gehört, daß man krank werden kann, wenn man keine Watte hat?«

Lina scheint von Rafaels Beweisführung beeindruckt, zumindest schweigt sie, hoffentlich ohne Tränen, denkt Jakob. Und er bleibt dabei, sie ist ein kluges Mädchen, Fehler unterlaufen jedem, die Aufregung im Keller kann an dem Mißverständnis Schuld getragen haben, oder in Linas Alter ist man mit solchen Gedankensprüngen einfach überfordert. Jakobs Hand liegt wieder auf der Klinke, eingreifen sollte man, trösten und erklären, sie werden noch, was Gott verhüten möge, zu den Fäusten greifen. Man könnte ganz harmlos hineingehen, guten Tag Lina, guten Tag Rafael, nett von dir, daß du sie einmal besuchst, wie geht es deiner Mutter? Dann wird das Gespräch schon von selbst auf den Streitfall kommen, der wird von zwei Parteien vorgetragen werden, Ruhe, Kinder, immer hübsch einer nach dem anderen. Dann wird man zweifellos schlichtende Worte finden, die Unklares in neuem Licht erscheinen lassen, kein Grund weit und breit, Kinder, aufeinander so böse zu sein, die Wirklichkeit sieht so und so aus, und am

Ende stehen Wohlgefallen und Verständnis. Er will sich also in das Kampfgetümmel stürzen, da hört er Rafaels friedfertige Stimme: »Wenn dir dein Onkel wieder mal ein Märchen erzählt, dann sag ihm, er soll sich was Besseres ausdenken als solchen Quatsch. Die Prinzessin hatte nämlich einen riesengroßen Furz im Kopf.«

Es kommt nicht zum Eingreifen, die Tür geht auf, Jakobs altgewohntes Glück mit Türen, sie geht nach außen und beschert ihm ein Versteck. Rafael macht sich davon zu lohnenderem Zeitvertreib, ganz sicher will er Siegfried suchen und berichten. Man hört ihn die Treppe hinunterlaufen und pfeifen, er pfeift »Zitronen und ⌐Pomeranzen⌐«, er pfeift auch, als Lina ihm den spärlichen Rest nachschreit, der noch zur Vollendung nötig ist: »Und sie hatte doch diese Krankheit! Und der Gärtnerjunge hat ihr die Watte beschafft! Und sie ist davon gesund geworden, und sie haben geheiratet!«

Alles ist gesagt, wenn auch in verschlossene Ohren, ganz unten verstummt ein Liedchen, die Haustür fällt ins Schloß, ganz oben streckt sich eine enttäuschte lange Zunge aus, und die Bodentür wird zugeknallt. Jakob vor der Tür wie am Anfang, Zweifel tauchen auf, ob die zwei geschenkten Stunden mit Lina gut verbracht sind, jetzt noch. Er sagt mir, es wäre ja ganz lustig gewesen, die beiden Kinder, aber er hätte plötzlich keine Lust mehr gehabt hineinzugehen, er hätte sich plötzlich abgespannt gefühlt. Er wollte die zwei Stunden nun lieber doch für sich behalten. Und er fragt mich, ob er mich mit solchen Einzelheiten langweilt, ich soll es ihm nur sagen.

Ich sage ihm: »Nein.«

Jakob geht mit seinen zwei Stunden spazieren, es ruht sich nicht nur aus in engen Zimmern und bei ans Herz gewachsenen Kindern, der Hang zum Schlendern ist ihm noch geblieben, trotz Scheinwerfer und Revier. Schlendern in einem Städtchen, aus dem du dein Leben lang nie weiter weggekommen bist als eine Woche, die Sonne scheint dir freundlich auf den Weg, so freundlich wie auch die Erinnerungen sind, um derentwillen du doch bloß dein Haus verlassen hast und zu denen dir jede zweite Straße eine Brücke baut, man weiß es bereits. Zweimal um die Ecke, schon stehst du vor dem Haus, in dem sich oft genug entschieden hat, wie gut dein nächster Winter wird. Kein anderer hat drin gewohnt als Aaron Ehrlicher, der Kartoffelhändler. Von den Preisen, die er gemacht hat, hing viel für einen ab, der Pufferpreis und damit auch der Umsatz. Er hat nie mit sich handeln lassen, soviel und keinen Groschen weniger, wenn es Ihnen zu teuer ist, Herr Heym, können Sie sich gerne weiter umsehen, ob Sie die Kartoffeln woanders billiger bekommen. Und wenn Sie die Stelle gefunden haben, dann sind Sie doch so gut und geben mir Nachricht, ich möchte auch dort kaufen. Nicht einmal hat er mit sich handeln lassen, Jakob hat irgendwann zu ihm gesagt: »Herr Ehrlicher, Sie sind kein Kartoffelhändler, Sie sind ein Kartoffelverkäufer.« Natürlich nur im Spaß, doch schallend gelacht hat Ehrlicher nicht. Man ist sich auch nie klargeworden, ob er ein armer Schlucker war, kleiner Gewerbetreibender wie man selbst, oder ein Geschäftsmann von der größeren Kategorie. Seine Frau hat einen schönen braunen Pelz getragen, und die Kinder waren dick und rund und eingebildet, andererseits, sein Büro roch nach Schimmel, klein und schäbig, nur Tisch und Stuhl und blanke Wand, er hat es seufzend vorgewiesen und gefragt: »Wie soll ich dabei kleinere Preise machen?«

Jetzt wohnen unbekannte Leute drin, du blätterst die Seite mit Aaron Ehrlicher um und gehst weiter, zwei geschenkte Stunden sind eine lange Zeit, gehst in das Libauer Gäßlein, genau bis vor die Nummer 38. Vor kein Haus gehst du so oft wie vor dieses, wenn du spazierst, vor keinem stehst du so lange, das hat gute Gründe. Daß du sogar den finsteren Hof betrittst, alles hat Gründe, argwöhnische Augen mustern dich durch die Fenster, was ein Fremder auf ihrem Hof zu suchen hat, aber so fremd bist du hier nicht.

Im dritten Stock, hinter der letzten Tür auf dem Gang links, dort hast du, hochtrabend ausgedrückt, das Glück deines Lebens verspielt oder gewonnen, du hast dich nicht entscheiden können, als es darauf ankam, und weißt heute noch nicht, wie gut oder wie schlecht das war. Josefa Litwin hat dich ins Gesicht gefragt, woran sie bei dir ist, und dir wollte nichts Klügeres einfallen, als den Kopf zu senken und zu stammeln, du brauchst noch etwas Zeit zum Überlegen.

Ein Prachtweib war sie, wenn die Augen zu bestimmen haben, du hast sie in der Eisenbahn zum erstenmal gesehen und gleich gedacht: Jungejunge! Sie trug ein Kleid aus grünem Samt mit weißem Spitzenkragen, dazu einen Hut, nicht kleiner als ein aufgespannter Regenschirm. Und war allerhöchstens Mitte Dreißig, also genau das Richtige für dich mit deinen vierzig damals, das Richtige, was das Alter anging. Aber du hast in dem Abteil im Traum nicht erwogen, daß dort, dir gegenüber, dein größtes Problem der nächsten Jahre sitzt. Du hast sie nur angegafft, mir erzählst du, wie ein junger Idiot, vielleicht ist es ihr nicht mal aufgefallen. Ein Zufall oder keiner, als ihr zusammen ausgestiegen seid, kein Träger in der Nähe, hat sie dich gefragt, ob du ihr nicht den schweren Koffer tragen könntest, sie wohnt nur ein paar Straßen weiter, in der Libauer Gasse Nummer 38. Aber sie hat dich nicht gefragt wie einen Mann minderer Stellung, obwohl du auch dann nicht abgelehnt hättest, sie war hilflos und freundlich und hat dich in ihrer Eigenschaft als schwaches Weib um einen Gefallen gebeten. In deiner Eigenschaft als Kavalier. Voller Freude hast du gesagt: »Was für eine Frage!« Hast ihren Koffer an dich gerissen, als hättest du Angst, es könnte doch noch ein Träger erscheinen, und bist hinter ihr hergelaufen, bis zur Nummer 38, bis vor ihre Wohnungstür. Dort hast du den

Koffer abgestellt, für Sekunden habt ihr euch verlegen angelächelt, dann hat sie sich nett bedankt und »auf Wiedersehen« gesagt. Und du bist dagestanden und hast gedacht: Schade.

Ein paar Wochen später, und das war bestimmt ein Zufall, ist sie an einem Nachmittag in deine Diele gekommen, in Begleitung eines Mannes. Du hast sie gleich erkannt, dich ohne jedes Recht über den Mann geärgert, aber dann hast du dich gefreut, weil sie dich auch erkannt hat. Kein Wort habt ihr gesprochen, die beiden haben Limonade getrunken und Himbeereis gegessen, du hast sie beobachtet und nicht erkunden können, wie die zwei zueinander standen, wozu auch.

Aber als sie schon am nächsten Tag wiedergekommen ist, diesmal alleine, da hast du gewußt, das ist kein Zufall. Zum erstenmal warst du zufrieden, daß deine Diele leer war, außer ihr saß kein Gast im Raum, und gleich am nächsten Tag. Du hast dich zu ihr gesetzt, ihr habt geschwatzt und euch bekannt gemacht, sie war seit vier Jahren die Witwe eines Uhrmachers. Das Eis, das sie verzehrt hat, hast du dir selbstverständlich nicht bezahlen lassen, sie durfte sich als eingeladen betrachten, für heute und so oft sie immer wollte. Der Mann von gestern wurde flüchtiger Bekannter genannt, kein Grund, sich nicht öfter zu treffen, auch sonst kein Grund. Also auf morgen in der Diele, noch einmal in der Diele, dann in einem anderen Restaurant, an neutralem Ort sozusagen, ein Tänzchen in Ehren. Dann bald bei dir in der Wohnung, über ihre bescheidenen, doch keineswegs dürftigen Vermögensverhältnisse warst du inzwischen unterrichtet, und daß sie kinderlos war, endlich auch in der Nummer 38. Ein Täßchen Tee und selbstgebackene Törtchen, Parfum lag zart und süßlich in der Luft, von Sympathie, vom ersten Augenblick an, eigentlich, war die Rede, und noch ein Täßchen, und draußen war noch mehr Kuchen.

Das ist ein Abend gewesen, wie ihn kein Dichter je beschrieben hat, mein Gott, und eine Nacht, mein Gott, na ja. Was soll man sagen, die Geschichte handelt nicht von Jakob und Josefa, bald muß auch diese Seite umgeschlagen werden. Soviel noch, vier volle Jahre haben sich daraus ergeben, vier Jahre Zusammenleben wie Mann und Frau, wenn sie auch nie endgültig zusammengezogen sind, wenn auch immer ein Thema ausgeklammert wurde: Rabbiner oder Standesamt. Am gründlichsten wohl von Jakob. Man hat Gelegenheit gehabt, sich ausgiebig zu erforschen, Josefa ist nicht alles Gold was glänzt gewesen, auch weniger kostbare Metalle waren verarbeitet. Manchmal fand Jakob sie herrschsüchtig, manchmal zu geschwätzig, manchmal nicht häuslich genug, und auch sie hat dies und jenes Haar an ihm gefunden, ohne daß es deswegen gleich zum Bruch gekommen wäre. Ganz im Gegenteil, sie sind trotz allem ordentlich miteinander ausgekommen, und Jakob dachte schon, so bald hört das nicht auf. Aber als sie ihm plötzlich, was heißt plötzlich, vorgeschlagen hat, sie sollten vielleicht doch besser in eine gemeinsame Wohnung ziehen und daß sie im Laden helfen könnte, da hat er gefürchtet, er wird sein eigener Angestellter und hat gesagt: »Darüber reden wir später.«

Dann eben später, Josefa hatte keine Eile, so schien es jedenfalls. Bis, wie gesagt, der bewußte Abend an der Reihe war, der in der Libauer 38, an dem Jakob das Glück seines Lebens verspielt oder gewonnen hat, wer will das wissen. Er ist gekommen wie immer, hat sich die Schuhe ausgezogen, die Füße auf das Sofa gelegt wie immer, Josefa stand mit dem Rücken zu ihm am Fenster.

»Was ist heute mir dir los?« hat Jakob sie gefragt. »Gibt es keinen Tee?«

Josefa hat sich nicht sofort umgedreht, aber bald. Sie hat ein ungemütliches Gesicht gemacht und sich nicht neben ihn auf das Sofa gesetzt, sondern in den Sessel gegenüber.

»Jakob Heym, ich muß mit dir reden.«

»Bitte«, hat er gesagt, auf allerhand gefaßt, doch nicht auf das, was nun gekommen ist.

»Kennst du Awrom Minsch?«

»Sollte ich ihn kennen?« 5

»Awrom Minsch ist der Mann, mit dem ich am allerersten Tag in deine Diele gekommen bin, falls du dich erinnerst.«

»Ich erinnere mich genau. Du hast damals gesagt, er ist ein flüchtiger Bekannter.«

»Heute früh hat mich Awrom Minsch gefragt, ob ich seine 10 Frau werden will.«

»Und was hast du ihm gesagt?«

»Jakob, es ist ernst! Du mußt dich endlich entscheiden!«

»Ich?«

»Hör auf mit deinen Witzen, Jakob. Ich bin jetzt achtund- 15 dreißig. Ich kann nicht immer so weiterleben. Er will zu seinem Bruder nach Amerika, er hat mich gefragt, ob ich als seine Frau mitkommen will.«

Was sollte Jakob da antworten, die Pistole auf der Brust hat ihm nicht behagt, vor allem aber nicht, daß Awrom 20 Minsch ihm bis zur Stunde verschwiegen worden war. Einen Heiratsantrag macht man keiner flüchtigen Bekannten, ein wenig muß man sie zu diesem Zweck schon kennen, und vier Jahre lang hat man sich eingebildet, man weiß alles voneinander bis zum letzten Rest. Der Umstand, 25 daß Josefa ihm nun gewissermaßen das Vorkaufsrecht überließ, hat Jakobs Enttäuschung nicht vertreiben können, längst nicht. Er hat sich schweigend die Schuhe wieder angezogen, hat bis zur Tür sorgfältig vermieden, ihren Augen zu begegnen, bei geöffneter Tür hat er verlegen gesagt: 30 »Ich muß die Sache erst in Ruhe überdenken.«

Man überdenkt und überdenkt und wird damit bis auf den Tag nicht fertig, so lang sind auch zwei geschenkte Stunden nicht, ein mitleidiger Mensch öffnet sein Fenster und ruft leise über den Hof: »Hallo, Sie!« 35

Jakob schreckt auf und sieht den Mond am Dach, Jakob
fragt: »Was ist?«

»Sie wohnen doch nicht in diesem Haus?«

»Nein.«

»Es ist schon lange sieben vorbei.«

»Danke.«

Jakob rafft sich auf, der Heimweg ohne Aufenthalt, wobei
weitere erinnerungsverdächtige Häuser unbeachtet bleiben, es ist schon lange sieben vorbei.

Lina liegt bereits im Bett, man muß ihr erklären, warum
man heute so ungewöhnlich spät von der Arbeit kommt,
weil heute besonders viel zu verladen war. Sie redet darauf-
hin nicht von privaten Sorgen, mit Märchen etwa oder mit
allzu mißtrauischen Nachbarssöhnen, und Jakob kann sie
schlecht danach fragen. Sie weiß, wie anstrengend die
Bahnhofstage sind, dazu noch die zusätzliche Arbeit, er soll
sich nicht lange aufhalten, ihr schnell den Kuß geben und in
sein Zimmer gehen, die Liebe ist ganz gegenseitig.

Jakob verläßt sie mit einem Gewissen, das reiner sein könnte, auf der Treppe nimmt er sich eine Entschädigung für
Lina vor, für morgen oder für die nächste Zeit. An seinem
Tisch ist er, mittlerweile, nicht unzufrieden mit dem letzten
Tag, alles in allem, vor seinem Abendmahl aus Brot und
Malzkaffee: Auf dem Bahnhof waren die Juden genügsam
und zurückhaltend, die Schlacht an der Rudna hat noch
nachgewirkt, dann zwei verträumte Stunden als Präsent,
vergnügliches Märchen an der Bodentür, weniger vergnüg-
lich Aaron Ehrlicher, aber dann Josefa. Josefa immer noch,
zwischen den wenigen Bissen, zwischen den Schlücken,
man wird das Weib einfach nicht los, was wäre aus uns
zwei Hübschen bloß geworden, wenn ich damals in der
Nummer 38? Man weiß es nicht, und doch beantwortet
sich die tausendmal gestellte Frage fast von selbst, ein Leben mitten zwischen Paradies und Hölle wäre es geworden,
also ein ganz gewöhnliches. Wie hätte es denn anders wer-

den sollen, und wodurch, als jene vier bekannten Jahre? Die angefüllt gewesen sind mit Abwechslung, Streit und Mißverstehen, mit Launen, Spaß und mit ein wenig Behaglichkeit. Und mit Verschweigen, wie man erst am allerletzten Tag erfahren hat. Man wird das Weib einfach nicht los, erst als es klopft.

Es klopft, Jakob hätte sofort Lust zu rufen: »Herein, Kowalski!« Das heißt, nicht direkt Lust, bloß er vermutet, aber dann vermutet er nicht mehr, weil es vor über einer Stunde sieben vorbei war, jetzt also lange acht schon, und so verrückt ist selbst Kowalski nicht. Jakob ruft: »Herein!«

Professor Kirschbaum beehrt Jakob beim Abendbrot, ob er stört, nein gewiß nicht, er möge doch Platz nehmen, was uns das seltene Vergnügen verschafft.

Kirschbaum setzt sich, zögert den Beginn der Unterhaltung mit mannigfachen Blicken hinaus, er verschafft sich besorgte Aufmerksamkeit, Jakob weiß nur nicht wofür.

»Können Sie sich nicht denken, weswegen ich Sie aufsuche, Herr Heym?«

Der erste Gedanke: »Ist es wegen Lina? Geht es ihr wieder schlechter?«

zur Sache zu kommen, das Wesentliche anzusprechen»Ich komme nicht wegen Lina. Ich komme, um gleich in medias res zu gehen*, weil ich mit Ihnen über Ihren Radioapparat sprechen möchte.«

Da ist man enttäuscht, da ist man betroffen, für ein paar Stunden hatte man das Ungetüm glücklich vergessen, gleich wird die Schlacht an der Rudna wieder herhalten müssen. Man ist seinen Mitbürgern kein Mensch mehr, man ist Besitzer eines Radios, unvereinbar miteinander, wie sich seit langem erweist, nun wieder, das Recht auf die normalen Gespräche alter Zeiten ist verwirkt. Über das Wetter, oder über die Schmerzen im Kreuz, wofür Kirschbaum ein idealer Partner wäre, Klatsch über gemeinsame Bekannte, von penetranten kleinen Dingen wird in deiner

Nähe nicht gesprochen, dafür bist du mit deinem Schatz zu schade.

»Sie wollen auch Nachrichten hören«, sagt Jakob, stellt es mehr fest, jetzt auch Kirschbaum am Halse, na schön, einer mehr oder weniger.

»Ich will keine Nachrichten hören«, sagt aber Kirschbaum. »Ich bin gekommen, um Ihnen Vorwürfe zu machen. Längst schon hätte ich das tun sollen.«

»Vorwürfe?«

»Ich weiß nicht, werter Herr Heym, von welchen Beweggründen Sie sich leiten ließen, als Sie die bewußten Informationen verbreiteten. Doch ich kann mir nur schwer vorstellen, daß Sie sich wohl überlegt haben, welcher Gefahr Sie uns alle dadurch aussetzen.«

Nicht Nachrichten, sondern Vorwürfe, Einfälle muß man haben, es bleibt dabei, Kirschbaum ist ein ganz und gar besonderer Mensch. Mußt du Professor mir in meinen Feierabend spucken, in meinen schwerverdienten, mußt mir gleich höchst verantwortungsbewußte Reden halten, von Dingen, die ich schon an den Sohlen abgelaufen habe, als dir mein Radio noch ein verborgenes Ding mit sieben Siegeln war, du mir. Anstatt mir auf die Schulter zu klopfen und zu sagen, bravo Herr Heym, machen Sie weiter so, die Leute brauchen keine Medizin so sehr wie Hoffnung, oder wenn schon nicht das, anstatt gar nicht erst zu kommen, denn man hat längst gelernt, auf Schulterklopfen zu verzichten, da klopfst du mir an die Tür, der Teufel soll dich holen, und mischst dich ein und willst mich überleben lehren. Und zu allem Überfluß, ein aufmerksames Gesicht muß man sich aufsetzen, weil deine Bedenken doch durch und durch ehrbar sind, weil man dich eventuell noch brauchen wird für Lina, und gute Gründe für sein Tun muß man dir auch vorweisen, obwohl einem nichts einfallen will, was dich weniger angeht. Bloß damit dein gelehrter Mund nach langen Erklärungen in der Lage ist zu sagen: »Ach so, ja, ja, ich verstehe schon.«

»Ich brauche Ihnen nicht zu sagen, wo wir leben, lieber Herr Heym«, sagt Kirschbaum.

»Das brauchen Sie nicht«, sagt Jakob.

»Und doch scheint es mir dringlich. Was geschieht zum Beispiel, wenn diese Informationen der deutschen Gestapo zu Ohren kommen? Haben Sie daran gedacht?«

»Ja.«

»Das kann ich unmöglich glauben. Denn sonst hätten Sie sich anders verhalten.«

»So«, sagt Jakob. »Hätte ich.«

Jakob steht auf zu einem Spaziergang, dem wievielten heute schon, vorbei an Tisch und Bett und Schrank und Kirschbaum, der Zorn geht, wenn schon nicht in Worte zu kleiden, in die Beine. Doch nicht der ganze Zorn, dafür ist das Zimmer zu klein, für die Stimme bleibt ein unüberhörbarer Rest, der Kirschbaum im ersten Augenblick pikiert. Als Jakob sagt: »Haben Sie ein einziges Mal gesehen, mit was für Augen sie mich um Neuigkeiten bitten? Nein? Und wissen Sie, wie nötig die eine gute Nachricht brauchen? Wissen Sie das?«

»Ich kann es mir lebhaft vorstellen. Und ich bezweifle auch nicht, daß Sie von besten Absichten geleitet sind. Trotzdem muß ich . . .«

»Bleiben Sie mir doch vom Leib mit Ihrem ›trotzdem‹! Genügt es Ihnen nicht, daß wir so gut wie nichts zu fressen haben, daß jeder fünfte von uns im Winter erfriert, daß jeden Tag eine halbe Straße zum Transport geht? Das alles reicht noch nicht aus? Und wenn ich versuche, die allerletzte Möglichkeit zu nutzen, die sie davon abhält, sich gleich hinzulegen und zu krepieren, mit Worten, verstehen Sie, mit Worten versuche ich das! Weil ich nämlich nichts anderes habe! Da kommen Sie mir und sagen, es ist verboten.«

Seltsamerweise denkt Jakob, ausgerechnet jetzt, an eine Zigarette, erzählt er mir, an die Juno ohne Mundstück, woran Kirschbaum denkt, bleibt ungewiß. Jedenfalls greift er in die Tasche seines abgeschabten Zweireihers, man wird es nicht glauben, ausgerechnet jetzt, und holt eine Schachtel heraus. Und Zündhölzer, und fragt Jakob, nach dessen kaum verklungenem Geschrei unangemessen höflich: »Möchten Sie?«

Eine Frage, so geht es unter gesitteten Menschen zu, ein feinfühliges Beispiel vielleicht, ein gutes, vielleicht auch Ausdruck aufkommender leiser Zweifel, oder nichts von beiden. Man schweigt und raucht und glättet sich die gefurchten Stirnen, jedenfalls.

Der gierig eingesogene Rauch schafft nicht nur Wohlgefühl, macht auch versöhnlicher, ich will erzählen, Jakob macht beim Rauchen eine Sinneswandlung durch, so etwas Ähnliches. Weil ein edler Spender verschüchtert vor ihm sitzt, Kirschbaum dreht hilflos die Zigarette in seinen schmalen Fingern, wagt kaum noch, einen flüchtigen Blick zu werfen, gar den Mund aufzutun für anderes als für den nächsten Zug. Weil doch gleich unbeherrschte Ausbrüche folgen, bleiben Sie mir doch vom Leib mit Ihrem »trotzdem«. Oder: Reicht Ihnen das nicht. Ist gekommen, um sich mit seinem Nachbarn auszusprechen, schließlich ist so ein Radio kein Privatbesitz in dieser Stadt wie Stuhl und Hemd, ist nicht gekommen, um anzuklagen, vielmehr um Wichtiges in ruhiger Rede und Gegenrede zu erörtern, dann das. Da kommen Sie mir und sagen, es ist verboten. Kirschbaum ist nicht gegangen, das deutet auf guten Willen oder auf besonders große Angst, er ist geblieben, hat in die Tasche gegriffen wie ein Zauberkünstler und geheime Wünsche erfüllt, da wird man ihm schon zwei gutnachbarliche Wörtchen gönnen dürfen.

»Natürlich weiß ich selber, daß die Russen dann auch nicht schneller kommen«, sagt Jakob bei halber Zigarettenlänge. »Und wenn ich es tausendmal erzähle, ihr Weg bleibt derselbe. Aber ich will Sie auf eine andere Kleinigkeit auf-

merksam machen. Seit sich die Nachrichten im Ghetto herumgesprochen haben, ist mir kein Fall bekannt geworden, daß sich jemand das Leben genommen hätte. Ihnen?«
Da blickt Kirschbaum erstaunt und sagt: »Tatsächlich.«
»Und vorher waren es viele, das weiß keiner so gut wie Sie. Ich kann mich erinnern, daß man Sie oft gerufen hat, und meistens war es zu spät.«
»Warum ist mir das nicht aufgefallen?« fragt Kirschbaum.

Einer der nächsten Tage bringt Unerhörtes, ein Auto fährt durch unser Städtchen, der einzige Personenwagen in der langen Geschichte. Unerhört zwar, doch nichts zum Hoffnungen daran knüpfen, selbst für die phantasiebegabtesten unter den kühnen Spekulanten nicht. Man ist geneigt zu sagen, ganz im Gegenteil. Zielstrebig fährt es, ohne Umweg, die genaue Route muß vor Fahrtantritt auf dem Stadtplan studiert worden sein, ein schwarzes, die Straßen werden leer, wie es daherkommt. Im Fond sitzen zwei Männer in Zivil, hinter dem Lenkrad eine gebügelte Uniform, eine Rolle spielen nur die beiden hinten. Das heißt, groß wichtig sind auch sie nicht, wichtig ist im Grunde das ganze Auto nicht, trotz seiner SS-Standarte*, und wo es herkommt, und wo es hinfährt, und wen es mitnimmt. Oder ein bißchen wichtig, sagen wir, oder: nicht ganz unwichtig, was die Folgen angeht.

Die beiden Männer heißen Preuß und Meyer, ich weiß, was sie reden, ich weiß nicht, was sie denken, obgleich das kein unlösbares Rätsel darstellt, ich kenne ihre Dienstgrade, wenn nötig sogar ihre knappgefaßten Lebensläufe, also auch ihre Namen. Leider werde ich mich später plump und direkt in die Handlung einmischen müssen, wenn es ans Erklären geht, denn nach Möglichkeit soll kein Loch bleiben. Die Erklärung wird es notdürftig stopfen, aber später, erst muß das Loch in seiner vollen Größe sichtbar sein.
Der Wagen hält vor Siegfried und Rafael, die wie zu allen

* Feldzeichen der »Schutzstaffel« der NSDAP

Zeiten auf der Straße lungern, auf dem Bordstein, und als einzige Helden weit und breit sich nicht verstecken. Alle anderen Juden, weder blind noch lahm, stehen hinter ihren Fenstern oder in schützenden Hausfluren, zittern um zwei
5 närrisch gewordene Kinder und vor dem noch ungewissen Schaden, den das deutsche Auto hier nur anrichten kann. Aber mancher Eingeweihte wird denken, so ungewiß ist der Schaden nicht, das Auto hält schließlich nicht vor irgendeinem Haus, es hält vor dem Haus von Jakob Heym.
10 Preuß und Meyer steigen aus mit Sonderauftrag, Preuß ein recht großer Mensch, braunhaarig, schlank, gutaussehend, höchstens etwas weichlich, Meyer, wie er mir beschrieben wurde, einen Kopf kleiner, bullig, auf den ersten Blick wild entschlossen. Vermutlich eine mit Sorgfalt zusammenge-
15 stellte Kombination, was dem einen fehlt, das hat der andere, und umgekehrt, also glückliche Ergänzung. Sie gehen in das Haus.
»Weißt du, welche Wohnung?« fragt Preuß.
»Eine Treppe«, sagt Meyer. »Die Namen sollen an den Tü-
20 ren stehen.«
Eine Treppe, Jakob wohnt zwei, trotzdem eine, bis vor die Tür von Kirschbaum. An die wird manierlich geklopft, vor der wird geduldig gewartet, bis eine Frauenstimme, der anzuhören ist, daß Besuch sehr ungelegen kommt, fragt:
25 »Wer ist da?«
»Machen Sie bitte auf«, sagt Preuß.
Obwohl kein sehr plausibler Grund zum Öffnen, wird ein Schlüssel fahrig ins Schloß gesteckt, umgedreht, die Tür geht auf, zuerst nur einen Spalt, dann vorbehaltlos, ganz
30 unnütz stellt Meyer seinen Fuß zwischen Tür und Schwelle. Da steht Elisa Kirschbaum, alt und streng, mit wohlverborgener Furcht. Ihre oft geflickte Schürze kann einen nicht täuschen, uns mustert nicht irgendwer, schon wie sie den Kopf hält, uns mustert eine Herrin, Preuß und Meyer.
35 Die Furcht ist wohlverborgen, die Verachtung nicht, ein

gleichgültiger Blick in die Gesichter zweier lästiger Besucher, dann ein Blick auf Meyers Fuß, der sich so schrecklich überflüssig vor der Schwelle großtut, Meyer kämpft mit sich. »Sie wünschen?«

»Guten Tag«, sagt Preuß höflich, vielleicht muß er einfach 5 so bei diesen Blicken. »Wir möchten zu Professor Kirschbaum.«

»Er ist nicht zu Hause.«

»Dann warten wir«, sagt Preuß, bestimmt. Er geht an ihr vorbei durch die Tür, endlich kann auch Meyer den stand- 10 haften Fuß aus seiner Lage erlösen, er folgt ihm. Sie sehen sich im Zimmer um, was die alle reden, geht ihnen doch gar nicht so schlecht hier, Buffet mit Nippes, Sofa und zwei Sessel, bißchen abgeschabt zwar, aber immerhin, prall gefüllter Bücherschrank wie im Film, an der Decke dreiar- 15 mige Lampe, fast ein Kronleuchter, die leben ja hier wie Gott in Frankreich. Vielleicht auch nur dieser Kirschbaum, soll immerhin früher was dargestellt haben, Sonderration oder so, Köpfchen haben sie ja, die Itzigs[*], schlauchen sich immer durch und fühlen sich überall sofort wie zu Hause. 20 Meyer läßt sich auf das Sofa fallen, Preuß noch nicht, weil Elisa Kirschbaum an der Tür stehenbleibt und nicht aufhört auszusehen, als warte sie auf eine Erklärung.

»Sind Sie Professor Kirschbaums Frau?« fragt Preuß.

»Ich bin seine Schwester.« 25

»Sie gestatten doch.«

Preuß setzt sich auch, in einen Sessel, schlägt die Beine übereinander, viel Zeit, Elisa Kirschbaum steht. Es hilft nichts, sie muß fragen: »Worum handelt es sich bitte.«

»Das geht dich einen Dreck an«, sagt Meyer. Länger kann 30 er nicht schweigen, was hier geschieht, kommt ihm schon sowieso gespenstisch vor, Affentheater, das reine Affentheater, aber nicht mit ihm. Auf eine unverschämte Frage will er mehr als Antwort geben, die Welt ein wenig wieder geraderücken will er, wo kommen wir sonst hin. 35

Schimpfwort
für Juden

Nun ja, Elisa Kirschbaum kann nicht eben das Mädchen rufen, daß es dem Flegel dort den Hut holt, ihr Waffenarsenal ist denkbar leer, zumindest aber kann sie Meyer mit Mißachtung strafen, sich an Preuß wenden und kühl fordern: »Würden Sie diesem Herrn bitte sagen, daß er sich in einer fremden Wohnung befindet und daß ich ein solches Benehmen nicht gewohnt bin.«

In Meyer sträubt sich dies und jenes, er will aufspringen, auffahren, aufschreien, aber Preuß sieht ihn dienstlich an, Sonderauftrag, dann sagt er: »Sie haben völlig recht. Entschuldigen Sie bitte.«

»Sie wollten mir mitteilen, weshalb Sie gekommen sind.«

»Ich glaube, das erkläre ich dem Herrn Professor lieber persönlich. Wissen Sie, wann er kommt?«

»Nein. Spätestens um acht.«

Sie setzt sich auf den freien Sessel, sehr gerade, sie legt die Hände in den Schoß, jetzt wird gewartet. Ich kann es getrost sagen, Kirschbaum kommt nach etwa einer halben Stunde, die Zeit vergeht mit Nichtigkeiten. Zum Beispiel, Meyer zündet sich eine Zigarre an, wirft das Streichholz auf die Erde, Elisa Kirschbaum hebt es auf, bringt ihm einen Aschenbecher und öffnet das Fenster. Meyer weiß nicht recht.

Oder, Preuß erhebt sich nach einigen auf den Tisch getrommelten Takten, ihn interessiert der Bücherschrank. Er öffnet die Glasscheibe, neigt den Kopf auf eine Schulter, liest Buchrücken, dann greift er ein Buch heraus, blättert, ein anderes, blättert, das eine ganze Weile, stellt alle wieder auf die rechte Stelle.

»Es sind ausnahmslos Bücher medizinischen Inhalts«, sagt Elisa Kirschbaum.

»Ich sehe.«

»Wir haben eine Genehmigung dafür erhalten«, sagt sie. Und, als Preuß fortfährt, stets andere zu betrachten: »Wollen Sie sie vielleicht sehen?«

»Nein, danke.«

Er findet eins, das ihm besonders zusagt, er setzt sich hin damit und hat seine Beschäftigung. Gerichtsmedizin.

Oder, plötzlich springt Meyer auf, stürzt zu einer Tür, reißt sie auf, blickt in eine leere Küche, beruhigt sich wieder, setzt sich.

»Hätte ja sein können«, erklärt er Preuß, der weiterliest.

Oder, wieder steht Meyer auf, diesmal ohne Hast, geht zum Fenster, sieht nach unten. Er sieht zwei Frauen, die zwei Kinder vom Auto in das gegenüberliegende Haus zerren, sieht in diesem Haus fast hinter jeder Fensterscheibe ein Gesicht, die Uniform steht neben dem Wagen, gelangweilt.

»Kann sich noch hinziehen«, ruft Meyer nach unten. Dann setzt er sich wieder, wie gesagt, eine halbe Stunde.

Oder, Elisa Kirschbaum geht in die Küche, man hört sie hantieren, sie kommt mit einem Tablett zurück. Zwei Abendbrotteller, zwei Tassen, Messer, Gabeln, Teelöffel, zwei Stoffservietten. Sie deckt den Tisch, Preuß sieht kaum vom Buch auf, anders Meyer, dem wird das immer bunter. Preuß sieht kaum vom Buch auf, er sagt: »Laß sie.«

Nach etwa einer halben Stunde kommt der Professor. Man hört seinen Versuch, den Schlüssel im Türschloß unterzubringen, von innen steckt ein zweiter, Meyer drückt seine Zigarre aus, im Aschenbecher. Preuß legt das Buch auf den Tisch, zwischen die Teller. Elisa Kirschbaum öffnet.

Der Professor bleibt erschrocken in der Tür stehen, da ist kein großes Verbergen, wenn man auch nicht völlig unvorbereitet dasteht, das Auto unten vor dem Haus. Allerdings hätte man eher Zusammenhänge mit Heym erhofft, richtiger, nicht erhofft, vermutet, erhofft hat man nur keinen Zusammenhang mit sich, vergebens. Preuß steht auf.

»Wir haben Gäste«, sagt Elisa Kirschbaum. Sie nimmt die Gerichtsmedizin vom Tisch, stellt sie in den Bücherschrank, schließt die Scheibe. Mit einem Tuch, das sie aus der Schürzentasche holt, wischt sie über irgendwelche Fingerspuren.

»Professor Kirschbaum?« fragt Preuß endlich.

»Ja?«

5 »Mein Name ist Preuß.« Und sieht dann zu Meyer.

»Meyer«, knurrt Meyer.

Auf Händeschütteln wird verzichtet, Preuß fragt: »Kennen Sie Hardtloff?«

»Sie meinen den Gestapo-Chef?«

10 »Ich meine Herrn Sturmbannführer Hardtloff. Er bittet Sie zu sich.«

»Er bittet mich zu sich?«

Da ringt selbst Elisa Kirschbaum um ihre Fassung, Meyer übrigens auch um seine, bittet ihn zu sich, der ganze Ton

15 hier, dieses Affentheater. Preuß sagt: »Ja. Er hatte am Morgen einen Herzanfall.«

Der Professor setzt sich, blickt ratlos zu seiner Schwester, die steht inzwischen wie aus Stein, Hardtloff hatte am Morgen eine Herzattacke.

20 »Ich verstehe nicht ganz.«

»Sie sollen ihn untersuchen«, sagt Preuß. »Wenn ich mir auch vorstellen kann, daß Ihnen das Leiden des Herrn Sturmbannführers nicht sonderlich nahegeht. Es liegt für Sie kein Grund zur Beunruhigung vor.«

25 »Aber . . .«

»Was aber?« fragt Meyer.

Wieder Blicke zur Schwester, ein Leben lang hat sie unangenehme Situationen aus der Welt geschafft, mit ihrer Kaltblütigkeit, mit ihrer Übersicht, mit ihrer unerbittlichen

30 Denkschärfe, alles Lästige hat sie von einem ferngehalten, deshalb ein letzter Blick zu ihr.

»Dis leurs que tu n'en as plus l'habitude«*, sagt sie.

»Was redet die?« fragt Meyer Preuß und steht nun auch auf, in voller Größe.

35 »Hören Sie bitte«, sagt der Professor. »Was Sie von mir

(franz.): Sag ihnen, dass das nicht unseren Gewohnheiten entspricht.

verlangen, das ist ausgeschlossen. Ich könnte es als Arzt unter keinen Umständen verantworten, daß ich nach so langer Zeit . . . Immerhin habe ich seit mehr als vier Jahren keinen Patienten mehr behandelt.«

Preuß bleibt bewundernswert gefaßt, er legt dem kampf- erprobten Meyer die beruhigende Hand auf die Schulter, Sonderauftrag, dann tritt er vor den Professor, aufdring- lich nahe. Seine Augen drücken Tadel aus, aber nicht un- freundlich, oder erbost gar, eher mitleidig, als wollten sie einen unbesonnen Handelnden zur Besinnung rufen, bevor es zu spät ist. Während er sagt: »Ich fürchte fast, Sie haben mich mißverstanden, Herr Professor. Wir sind nicht ge- kommen, um Ihnen eine Bitte vorzutragen. Machen Sie uns bitte keine Schwierigkeiten.«

»Aber ich sagte Ihnen doch . . .«

»Müssen Sie etwas mitnehmen?« fragt Preuß bestimmt.

Da begreift der Professor endlich, daß er nicht weiter nach Einwänden zu suchen braucht, die zwei bewegt anderes, als ihre Überredungskünste zu erproben. Die relative Freundlichkeit dieses Preuß ist dessen persönliche Note und berechtigt einen zu nichts. Also vergißt man alle Wenn und Aber, man eifert seiner Schwester nach. So unnahbar sein und so würdevoll wie sie, wenigstens das, wenigstens jetzt, ein Leben lang hat man sie darum bewundert, mehr noch als gefürchtet, manche nannten sie verschroben. Man wird zwei deutschen Kreaturen kein Schauspiel des Zu- sammenbruchs bieten, ob man etwas mitnehmen muß, ist gefragt worden, man wird vor ihnen nicht auf die Knie sinken, wie Elisa nur dasteht! Das ist auf Anhieb nicht nachzumachen, aber ganz alltägliche Bewegungen kann man finden, ein Gesicht wie Mittwoch, als wäre durch und durch Gewöhnliches geschehen, ein Würdenträger ist er- krankt, man soll ihn sich betrachten, der übliche Klein- kram.

»Haben wir uns richtig verstanden?« fragt Preuß.

Der Professor steht auf, unterhalb der Bücherregale sind Türen, er öffnet eine, sucht nach seiner Ledertasche, rundlich und braun, das Ärzteköfferchen.

»Sie ist im Schrank«, sagt Elisa Kirschbaum.

5 Er holt die Tasche aus dem Schrank, öffnet sie, prüft ihren Inhalt, dann hält er sie Preuß hin, der keinen Blick hineinverliert.

»Medizinische Utensilien.«

»Schon gut.«

10 Elisa Kirschbaum öffnet den Schrank ein zweites Mal, ein Schal, sie hält ihn ihrem Bruder hin.

»Ich brauche ihn nicht. Draußen ist es warm«, sagt er.

»Du brauchst ihn«, sagt Elisa Kirschbaum. »Du weißt nicht, wie kühl es nach acht ist.«

15 Er steckt den Schal in die Tasche, Meyer macht die Tür auf, der Abschied steht bevor.

»Auf Wiedersehen, Elisa.«

»Auf Wiedersehen. «

So sieht ein Abschied aus.

20 Dann vor dem Haus, sie steigen in den Wagen, sicher nach vorher festgelegter Sitzordnung, Preuß und der Professor hinten, Meyer vorne neben die Uniform. Elisa Kirschbaum steht am Fenster, die ganze Straße steht an Fenstern, aber nur das eine ist geöffnet. Der Wagen wendet in einem Zuge,

25 die flache Bordsteinkante wird überfahren, eine blaßblaue Wolke schwebt für Sekunden. Am Ende der Straße biegt er nach links, in Richtung Hardtloff.

Preuß läßt ein silbernes Zigarettenetui aufschnappen und fragt: »Möchten Sie?«

30 »Nein, danke«, sagt Kirschbaum.

Meyer schüttelte den Kopf, ohne sich umzudrehen, er sieht von der Seite die Uniform an, wie die das Affentheater findet, die grinst bloß in Fahrtrichtung. Preuß belauscht die zwei im Rückspiegel, Kirschbaum nicht, er sitzt, als wäre es schade um jede Bewegung.

»Stellen Sie doch Ihre Tasche auf die Erde«, sagt Preuß. »Es ist noch ein ganzes Stück.«

»Wie lange etwa?«

»Na, so dreißig Minuten.«

Kirschbaum behält die Tasche auf dem Schoß.

Man kommt an das Ghettotor, man hält, Meyer dreht die Scheibe herunter. Ein Posten steckt seinen Helm herein und fragt: »Was habt ihr denn da für einen Vogel?«

»Sag bloß, den kennst du nicht!« ruft Meyer. »Das ist doch der berühmte Professor Kirschbaum!«

Preuß hält dem Posten einen Ausweis hin und sagt sehr förmlich: »Machen Sie das Tor auf. Wir haben es eilig.«

»Ja, ja, nichts für ungut«, sagt der Posten. Er gibt einem zweiten Posten ein Handzeichen, der löst die Sperre und stößt das Tor auf.

Man fährt weiter, nun in den freien Teil der Stadt, das Straßenbild verändert sich. Passanten ohne gelbe Sterne werden Kirschbaum ins Auge springen, Geschäfte mit Auslagen, nicht gerade übervoll, doch Kunden kommen und gehen, und vor allem an den Straßenrändern Bäume, denke ich. Das »Imperial« am neuen Markt gibt einen deutschen Film. Hin und wieder ein entgegenkommendes Auto, eine Straßenbahn, Soldaten in Ausgehmontur mit zwei Mädels am Arm. Kirschbaum schaut mäßig interessiert, die Bilder können ihm nicht viel erzählen, können keine Erinnerungen treiben, wie bei Jakob beispielsweise, denn dies ist nicht seine Stadt.

»Wenn ich recht überlege, Sie müßten im Grunde doch froh sein, endlich wieder einen neuen Patienten unter die Finger zu bekommen«, sagt Preuß.

»Darf ich erfahren, wie Sie auf mich gekommen sind?«

»Das war nicht schwer. Hardtloffs Leibarzt wußte sich keinen anderen Rat, er verlangte die Hinzuziehung eines Spezialisten. Aber finden Sie in dieser Zeit einen Spezialisten. Wir haben die Einwohnerlisten durchgesehen und sind dabei auf Sie gestoßen. Der Leibarzt kennt Sie.«

»Er kennt mich?«

5 »Natürlich nicht persönlich. Nur Ihren Namen.«

Man kommt in die besseren Wohnviertel, die Häuser werden niedriger, stehen vereinzelter, mehr Grün, mehr Bäume auch. Kirschbaum öffnet die Ledertasche, entnimmt ihr ein Röhrchen, schraubt es auf, schüttet sich zwei Tabletten

10 in die Handfläche. Fragende Blicke von Preuß.

»Gegen Sodbrennen«, erklärt Kirschbaum. »Möchten Sie auch?«

»Nein.«

Kirschbaum schluckt die Tabletten, schraubt das Röhr-

15 chen zu, zurück in die Tasche, er sitzt wie vorher.

»Ist Ihnen jetzt wohler?« fragt Preuß nach kurzer Zeit.

»So schnell wirken sie nicht.«

Es geht hinaus aus der Stadt, wieder eine Kontrolle, es geht gewissermaßen über Land, Hardtloff hat sich ein ver-

20 schwiegenes Plätzchen gesucht. Zu beiden Seiten Birkenwald, Preuß sagt: »Sie werden natürlich wieder zurückgebracht, wenn alles erledigt sein wird.«

Kirschbaum stellt die Tasche nun doch auf die Erde, die ganze Fahrt stand sie auf dem Schoß, so dicht vor dem Ziel

25 nun doch auf die Erde, er lehnt sich tiefatmend zurück.

»Wenn Sie mir jetzt eine Zigarette geben würden?«

Preuß gibt sie ihm, auch Feuer, erwähnen wir wieder Meyers schlecht überspielte Fassungslosigkeit. Kirschbaum erleidet einen leichten Hustenanfall, beruhigt sich

30 bald, wirft die halb aufgerauchte Zigarette aus dem Fenster.

»Andererseits kann ich Ihre Bedenken irgendwo verstehen«, so nimmt Preuß einen lange verloren geglaubten Gesprächsfaden wieder auf.

35 »Ich habe keine Bedenken mehr«, sagt Kirschbaum.

»Doch, doch, ich sehe sie Ihnen an. Ihre Lage ist nicht eben beneidenswert, ich verstehe das schon. Wenn es Ihnen gelingt, den Sturmbannführer zu retten, stehen Sie wohl nicht sehr günstig vor ihren eigenen Leuten da. Und wenn es Ihnen nicht gelingt . . .«

Preuß unterbricht seine durchaus prägnante Analyse, der Rest wäre taktlos, außerdem überflüssig, auch bis hierher wird Kirschbaum begreifen, welcher Wert Hardtloffs Fortleben beigemessen wird. Meyer dreht sich zum erstenmal während der Fahrt nach hinten um, sein Gesicht verbirgt einem nicht, daß auch er die Fortsetzung der Preußschen Rede kennt, vor allem nicht, was er von dieser Fortsetzung hält, in dieser Absicht, sozusagen, dreht er sich für einen Augenblick. Kirschbaum beachtet ihn nicht, er scheint hinreichend mit sich selbst beschäftigt. Preuß versucht noch ein, zwei belanglose Sätze, aber Kirschbaum beteiligt sich nicht mehr.

Dann ist man vor der Villa Hardtloff. Eine Auffahrt durch wuchernden Park, Blumenrondell mit ausgetrocknetem Zierfischteich, alles ein wenig vernachlässigt, aber prächtig angelegt, sehr prächtig.

»Wir sind da«, sagt Preuß zum immer noch abwesenden Kirschbaum und steigt aus.

Die Freitreppe herunter hastet der Leibarzt, ein kahlköpfiger kleiner Mann in glänzenden Stiefeln und aufgeknöpfter Uniformjacke, verwahrlost aussehend wie der Garten. Seine Eile deutet auf Sorge oder Angst, vermutlich auf Angst, er trägt hier die Verantwortung. Für Hardtloffs Gesundheit und, wie man gehört hat, für das heutige gewagte Experiment. Schon von den oberen Stufen herab ruft er: »Es ist wieder schlimmer geworden! Wo bleibt ihr denn so lange?«

»Wir mußten warten, er war nicht zu Hause«, sagt Preuß.

»Schnell, schnell!«

Preuß öffnet, weil sich drinnen nichts rührt, die Tür auf

Kirschbaums Seite und sagt noch einmal: »Wir sind da. Steigen Sie bitte aus.«

Aber Kirschbaum sitzt, als wäre er mit seinen Gedanken längst noch nicht im reinen, er wendet nicht einmal den Kopf zu Preuß. Späte Aufsässigkeit oder die sprichwörtliche Zerstreutheit des Gelehrten, denkbar schlecht gewählter Zeitpunkt für was auch immer, man wird ungeduldig, Meyer wüßte schon, was da zu tun wäre.

Preuß greift den Professor am Arm, sagt leise: »Machen Sie doch keine Schwierigkeiten«, Korrektheit bis zuletzt, zieht ihn mit sanfter Gewalt nach draußen.

Kirschbaums Ausstieg vollzieht sich überraschend, er rutscht gemächlich Preuß entgegen, der zu überrascht ist, um ihn zu halten, Kirschbaum fällt aus dem Wagen, auf die verwahrloste Erde.

»Was ist denn los?«

Der Leibarzt mengt sich zwischen die zwei, beugt sich über den jüdischen Patienten, mühelos gelangt er zum eindeutigen Untersuchungsergebnis.

»Der Mann ist ja tot!«

Er sagt Preuß nichts Neues, inzwischen nicht mehr, Preuß nimmt die Ledertasche aus dem Wagen. Rundlich und braun, das übliche Ärzteköfferchen. »Müssen Sie etwas mitnehmen?« – »Medizinische Utensilien.« – »Schon gut.«

Vielleicht hat man ihn selbst erst auf die Idee gebracht. Preuß öffnet die Tasche, findet zwischen dem Kram das Röhrchen. Das gibt er dem Leibarzt.

»Gegen Sodbrennen«, sagt Preuß.

»Idiot«, sagt der Leibarzt.

Nun diese Erklärung, die angekündigte.

Die eigentlich überflüssige, aber ich stelle mir vor, daß mancher mißtrauisch die Frage stellen wird, auf welchem Wege ich in dieses Auto gelangt sein will. Doch kaum über Kirschbaum, auf welchem Platz also mein Informant gesessen hat, und nicht einmal unberechtigt wird mancher danach fragen, von seiner Warte aus.

Ich könnte natürlich antworten, ich bin kein Erklärer, ich erzähle eine Geschichte, die ich selbst nicht verstehe. Ich könnte sagen, ich weiß von Zeugen, daß Kirschbaum in das Auto gestiegen ist, ich habe in Erfahrung gebracht, daß er am Ende der Fahrt tot war, das Stück dazwischen kann sich nur so oder ähnlich zugetragen haben, anders ist es nicht vorstellbar. Aber das wäre gelogen, denn das Stück dazwischen kann sich sehr wohl anders zugetragen haben, ich meine sogar, viel eher anders als so. Und dieser Umstand ist, vermute ich, der wirkliche Grund für meine Erklärung.

Also: Einige Zeit nach dem Krieg bin ich in unser Ghetto gefahren, während meines ersten Urlaubs. Meine wenigen Bekannten hatten mir abgeraten, die Reise würde mir nur das ganze nächste Jahr verderben, Erinnerungen seien eins und Leben ein zweites. Ich habe ihnen gesagt, daß sie recht hätten, und bin gefahren. Jakobs Zimmer, das Revier, die Kurländische, Mischas Zimmer, der Keller, ich habe mir alles in Ruhe angesehen, gemessen, geprüft oder einfach bloß angesehen. In Jakobs Diele bin ich auch gewesen, ein Schuster war dort provisorisch eingezogen, er hat zu mir gesagt: »Bis ich was Besseres finde.«

Mir schien, daß es unter dem Leder irgendwie angebrannt roch, aber dem Schuster schien das nicht. Am vorletzten Tag meines Urlaubs habe ich beim Kofferpacken nachgedacht, ob ich nicht etwas vergessen hätte, wahrscheinlich würde ich nie mehr in diese Stadt zurückkehren, und jetzt wäre noch Gelegenheit für Vergessenes. Als einziges fiel mir Kirschbaums Autofahrt ein, doch die kam mir unkontrollierbar vor, außerdem fand ich, sie wäre nicht so überaus bedeutend für die Geschichte, um derentwillen ich gekommen war. Dennoch ging ich, wahrscheinlich aus Langeweile, am Nachmittag in die russische Kommandantur, oder weil ich kein geöffnetes Restaurant finden konnte.

Der diensthabende Offizier war eine Frau von ungefähr vierzig Jahren, im Range eines Leutnants. Ich habe ihr erzählt, daß ich in dem Ghetto war, daß mein Vater und Kirschbaum vor dem Krieg eng miteinander befreundet gewesen sind, daß mich daher Kirschbaums Schicksal interessiert. Ich habe eine richtige Rote-Kreuz-Aktion daraus gemacht. Dann habe ich ihr den Zusammenhang zwischen Kirschbaum und Hardtloff erläutert, ich wüßte nur, daß Kirschbaum in das Auto gestiegen sei, nichts weiter, und das war die Wahrheit. Die beiden Männer, die ihn geholt hätten, würden Preuß und Meyer heißen oder so ähnlich. Und ob sie mir, wenn schon nichts über den Verbleib des Professors, wenigstens etwas über die beiden sagen könnte, das wäre vielleicht ein Ansatzpunkt. Sie hat sich die Namen notiert und mich gebeten, in zwei Stunden wiederzukommen.

Nach zwei Stunden erfuhr ich, daß Meyer wenige Tage vor Einzug der Roten Armee erschossen worden ist, von ⌐Partisanen⌐, während eines nächtlichen Überfalls.

»Und der andere?« fragte ich.

»Ich habe hier seine deutsche Adresse«, sagte sie.

Ich wollte schon die Hand nach dem Blatt Papier ausstrekken, da sah sie mich besorgt an und sagte: »Sie haben doch keine Dummheiten vor?«

»Nein, nein, was denken Sie denn«, sagte ich.

Sie gab mir das Blatt, ich sah auf die Adresse und sagte: »Das trifft sich günstig. Ich wohne jetzt auch in Berlin.«

»Sie sind in Deutschland geblieben?« fragte sie verwundert. »Warum denn?«

»Ich weiß auch nicht«, sagte ich wahrheitsgemäß. »Es hat sich so ergeben.«

Preuß wohnte in Schöneberg, das liegt in West-Berlin. Nette Frau und zwei Kinder, der Frau fehlte ein Arm, an einem Sonntagnachmittag bin ich hingefahren. Als ich klingelte, öffnete mir ein großer, braunhaariger, gutaussehender Mann, etwas weichlich, kaum älter als ich.

»Sie wünschen?« fragte er.

»Sind Sie Herr Preuß?«

»Ja?«

Ich sagte: »Entschuldigen Sie die Störung. Könnte ich Sie wohl für wenige Minuten sprechen?«

»Bitte«, sagte er, führte mich in das Wohnzimmer und schickte die Kinder nach einigen Komplikationen hinaus. An der Wand hingen eine Reproduktion der »Hände« von Dürer und die Photographie eines kleinen Mädchens mit einem Trauerflor. Er forderte mich auf, Platz zu nehmen.

Ich nannte ihm zuerst meinen Namen, der ihn aufhorchen ließ, wenn er natürlich auch nichts Konkretes mit ihm anzufangen wußte. Mehr schon mit der Frage, ob ich richtig informiert sei, daß er für Hardtloff gearbeitet hätte. Ich konnte beobachten, daß er bleich wurde, bevor er leise fragte: »Weswegen kommen Sie?«

Ich sagte: »Ich komme wegen einer Geschichte. Genauer gesagt, wegen einer Lücke in dieser Geschichte, die Sie vielleicht schließen könnten.«

Er stand auf, machte sich an einem Schrank zu schaffen, fand bald, was er suchte, und legte ein Stück Papier vor mich auf den Tisch. Es war seine Entnazifizierungsurkunde, mit Stempel und Unterschrift.

»Sie brauchen mir das nicht zu zeigen«, sagte ich.

Er ließ das Papier trotzdem vor mir liegen, so lange, bis ich es gelesen hatte, dann nahm er es, faltete es zusammen und schloß es wieder weg.

»Kann ich Ihnen etwas anbieten?« fragte er.

»Nein, danke.«

»Vielleicht eine Tasse Tee?«

»Nein, danke.«

Er rief: »Ingrid!« Seine Frau kam herein, man sah deutlich, daß es ihr immer noch ungewohnt war mit dem einen Arm. Er sagte: »Das ist meine Frau.«

Ich stand auf, und wir gaben uns die Hand.

»Würdest du bitte runtergehen und den ⌈Siphon⌉ voll Bier holen? Sebald hat mir zum Wochenende zwei Liter versprochen«, sagte er zu ihr.

Als sie wieder draußen war, sagte ich: »Erinnern Sie sich an einen Professor Kirschbaum?«

»O ja«, sagte er sofort. »Sehr genau.«

»Sie haben ihn doch abgeholt, weil er Hardtloff untersuchen sollte? Zusammen mit einem gewissen Meyer?«

»Das stimmt. Meyer hat es einige Zeit später erwischt.«

»Ich weiß. Aber was ist aus Kirschbaum geworden? Hat man ihn erschossen, als Hardtloff dann doch starb?«

»Wie kommen Sie darauf? Die zwei sind sich nie begegnet.« Ich sah Preuß erstaunt an und fragte: »Hat er sich geweigert, ihn zu untersuchen?«

»So kann man es auch nennen«, sagte er. »Er hat sich im Auto vergiftet. Während der Fahrt, vor unseren Augen.«

»Vergiftet?« fragte ich, und er merkte, daß ich ihm nicht glaubte.

»Ich kann Ihnen das beweisen«, sagte er. »Sie müssen sich nur an Letzerich wenden, der wird Ihnen meine Worte in jedem Punkt bestätigen.«

»Wer ist Letzerich?«

»Er war damals der Fahrer. Er war die ganze Zeit dabei. Ich kenne leider seine Adresse nicht, ich weiß nur, daß er aus Köln kam. Aber die Adresse müßte sich ja irgendwie rauskriegen lassen.«

Ich bat ihn, mir diese Fahrt näher zu beschreiben, das Ergebnis ist bekannt. Es dauerte ziemlich lange, zwischendurch brachte uns seine Frau das Bier, ich trank ein Glas, es schmeckte abscheulich. Ich unterbrach ihn kaum, weil er von selbst in die Einzelheiten kam. Besonderen Wert legte er auf den Umstand, daß ihm Kirschbaum auch von seinen Tabletten angeboten hatte. »Und ich habe manchmal tatsächlich Sodbrennen, gar nicht so selten. Stellen Sie sich mal vor, wenn ich eine davon genommen hätte!«

»Das war ein massiver Mordversuch«, sagte ich.

Er erzählte weiter, hinaus aus der Stadt, das letzte Stück der Fahrt, die letzte Zigarette, Meyers eindeutige Blicke, bis vor die Villa, bis der Leibarzt kam, bis Kirschbaum tot vor ihm auf der Erde lag. Wie er plötzlich verstanden hätte, was da überhaupt geschehen sei, wie er das Köfferchen aus dem Wagen holte, das Röhrchen, es dem Leibarzt gab, wie der Leibarzt sagte: »Idiot.«

Wir schwiegen eine ganze Weile, er mußte annehmen, ich wäre so erschüttert, aber ich überlegte, wonach ich ihn noch fragen könnte. Er hatte gut erzählt, lückenlos und plastisch, ich fand auch einleuchtende Gründe, warum er sich an diese Fahrt so gut erinnerte.

Zum Schluß wollte er mir unbedingt noch anvertrauen, wie er heute über diese unselige Zeit dächte, sich mal mit einem vernünftigen Menschen das ganze Schmalz von der Seele reden, doch deshalb war ich wirklich nicht gekommen. Ich sagte, ich wäre ohnehin schon viel zu lange geblieben, ich hätte noch zu tun, er sicher auch, ich stand auf und bedankte mich für sein Entgegenkommen.

»Und merken Sie sich den Namen, falls Sie es nachprüfen wollen«, sagte er. »Egon Letzerich. Köln am Rhein.«

Auf dem Korridor begegneten wir seiner Frau, die gerade die Kinder ins Badezimmer führte. Sie trugen schon Schlafanzughosen, obenherum waren sie nackt.

»Na, wie sagt man?« sagte Preuß zu ihnen.

Beide gaben mir gleichzeitig die Hand, machten Knicks und Diener und sagten: »Auf Wiedersehen, Onkel.«

»Auf Wiedersehen«, sagte ich.

Die drei verschwanden im Bad, Preuß ließ es sich nicht nehmen, mich bis vor das Haus zu bringen. Falls die Haustür schon zugeschlossen wäre.

Die Haustür war noch offen. Preuß trat vor mir auf die Straße, er holte tief Luft, breitete die Arme aus und sagte: »Es wird wieder Mai.«

Ich hatte den Eindruck, er war ein wenig angetrunken, immerhin hatte er zwei Liter lauwarmes Bier zu sich genommen, bis auf ein Glas.

»Ach ja«, sagte ich, »wie war das eigentlich mit seiner Schwester damals?«

»Kirschbaums Schwester? Mit der hatten wir nichts zu tun. Die habe ich bloß bei dem einen Besuch gesehen. Ist da noch was gewesen?«

Als ich mich endgültig verabschieden wollte, sagte er: »Würden Sie mir auch eine Frage beantworten?«

»Natürlich«, sagte ich.

Er zögerte einen Moment, bevor er fragte: »Woher wissen Sie meine Anschrift?«

»Vom englischen Geheimdienst«, sagte ich. Dann ging ich wirklich.

Hardtloff ist tot, gestorben an schwachem Herzen, die Nachricht ist bis zu uns auf den Bahnhof gedrungen. In der letzten Nacht muß es geschehen sein, als wir gestern abend den Bahnhof verlassen haben, hing die Fahne auf dem Steinhaus schlaff am gewohnten Ort, als wir heute früh zur Arbeit angetreten sind, flatterte sie lustig auf halbmast, also irgendwann dazwischen. Die Fahne für sich ist freilich nur ein vager Anhaltspunkt, sie verrät nicht mehr, als daß irgend jemand Hochgestellter von uns gegangen ist, ohne Namen zu nennen. Den Namen nannte ein Posten, und zwar einem anderen Posten, im Laufe des Vormittags hat Roman Schtamm die aufschlußreiche Unterhaltung belauscht. Er ist an einen Kistenstapel gekommen, ohne jede verwerfliche Absicht, die beiden haben dahinter gestanden und über Hardtloffs Tod geredet, es war ein glücklicher Zufall. Roman ließ sich beim Aufheben der Kiste etwas mehr Zeit als üblich, es gelang ihm erst, als die beiden Posten das Thema wechselten.

Inzwischen weiß jeder von uns, wem die Fahne auf halber

Höhe weht, Roman sah keinen Anlaß, es für sich zu behalten. Man kann sagen, wir tragen die Neuigkeit mit Fassung, ändern wird sich für uns kaum etwas. Wenn jemals
überhaupt, dann nicht durch Hardtloffs Tod, dennoch
kann man sich Schlimmeres denken. Bloß Jakob bedauert, 5
daß Roman Schtamm und nicht er das Gespräch der Posten
mitangehört hat, das Mißgeschick des Sturmbannführers
hätte eine hervorragende Radiomeldung abgegeben. Nicht
nur des Inhalts wegen. Es wäre die erste Meldung gewesen,
die man ihm nicht auf Treue und Glauben hätte abkaufen 10
müssen, jeder einzelne hätte die Möglichkeit besessen, sich
von ihrer Richtigkeit zu überzeugen, durch eigenen Augenschein und ohne Mühe, am Fahnenmast hängt seit dem
Morgen die Bestätigung. Ihnen jetzt noch zu erzählen, daß
man Hardtloffs Tod schon in den Frühnachrichten ver- 15
nommen hätte, wäre recht sinnlos, vorbei ist vorbei, ein
Radio ist stolz, das hinkt den Ereignissen nicht hinterher.
Als die Trillerpfeife pünktlich zu Mittag schrillt, trennt sich
Jakob endgültig von diesem schönen Gedanken. Das Wä-
gelchen mit den Blechschüsseln wird herangezogen, wir 20
bilden die gewohnte makellose Reihe.
Einer hinter Jakob fragt leise: »Hast du vorige Nacht wie-
der gehört?«
»Ja«, sagt Jakob.
»Haben sie da auch was von Hardtloff erzählt?« 25
»Blödsinn. Denkst du, die geben sich mit solchen Kleinig-
keiten ab?«
Einer vor Jakob fragt: »Welche Sender hörst du eigent-
lich?«
»Wie es gerade kommt«, sagt Jakob. »Moskau, London, 30
Schweiz, das hängt auch vom Wetter ab.«
»Deutsche Sender nie?«
»Wozu?«
»Hörst du auch manchmal Musik?«
»Selten«, sagt Jakob. »Nur wenn ich auf Nachrichten war- 35
te. Ich habe das Radio ja nicht zum Vergnügen.«

»Ich möchte für mein Leben gerne wieder mal Musik hören. Irgendwas«, sagt einer vor dem vor Jakob.

Die Kessel mit der Suppe lassen lange auf sich warten, dabei ist die Reihe auf Ehrenwort schnurgerade. Man korrigiert von selbst immer noch eine Unregelmäßigkeit, sogar die kaum wahrnehmbaren, aber das schafft diesmal die Kessel nicht herbei. Statt dessen wird das Giebelfenster im Steinhaus geöffnet, eine Hand gebietet Ruhe, eine Stimme ruft von oben, wie der ärgerliche liebe Gott persönlich: »Zehn Minuten Pause! Mittag fällt heute aus!«

Den Schüsselwagen schiebt man wieder fort, die hungrige Schlange verliert an Ordnung und verläuft sich über das Gelände. Löffel werden sauber in Taschen zurückgesteckt, spärliche Flüche, Verwünschungen und böse Blicke, euch Hunden werden es die Russen schon zeigen.

Kowalski fragt in meiner Nähe: »Kriegen wir kein Essen, weil Hardtloff tot ist?«

»Ist doch klar«, sage ich.

»Wenn ihr mich fragt«, sagt Kowalski, »das ist es wert.«

Er erntet nicht gerade Lachstürme, kein Mittag, das trifft empfindlich, gewissermaßen ein Schlag auf den Magen. Aber Kowalski versucht es netterweise mit einem weiteren schlichten Scherz: »Stellt euch vor, jedesmal wenn einer von uns draufgeht, kriegen die Deutschen nichts zu fressen. Das möchte ein schönes Hungern sein!«

Nebbich*.

Wo Jakob hingeht für die zehn Minuten, dorthin folgt ihm ein treuer kleiner Schwarm von Juden, Kowalski gesellt sich hinzu, bevor man ihn noch recht vermißt. Jakob weiß sie hinter sich, das Essen fällt aus, also muß ein Wort von ihm Ersatz schaffen. Er geht zu einem leeren Waggon, dort finden sie alle einen Sitzplatz, Rücksicht, die längst zur Gewohnheit geworden ist. Jakob ist nicht ganz wohl in seiner Haut, er hatte sich vorgenommen, auf dem gestrigen Lorbeer ein wenig auszuruhen, auf der Befreiung des Städt-

* (jidd.): Ausdruck des Bedauerns

chens Tobolin. Major Karthäuser hatte unter unserer be-
geisterten Anteilnahme seinen Namenszug schwungvoll
unter die Kapitulationsurkunde gesetzt, die Festung war
gefallen, aber das war gestern. Kein Mensch konnte ahnen,
wie bedürfnisreich der nächste Tag sein würde, Jakob sitzt   5
unvorbereitet inmitten seiner Gemeinde.

Plötzlich, bekomme ich erzählt, wie sie so sitzen und ihn
ansehen, denn gleich muß er anfangen zu berichten, fährt
ihm ein böser Gedanke durch den Kopf, vertreibt Tobolin
und alle Siege. Plötzlich wird ihm klar, daß zwei Nachrich-   10
ten heute auf den Bahnhof gedrungen sind, wenn auch nur
eine davon gleich begriffen wurde, Hardtloff. Die andere,
die schlimme, ist unbeachtet geblieben, obwohl sie klar
und deutlich in der Luft lag, es fehlte nur an Mühe.

»So gut ist die Nachricht leider gar nicht«, sagt Jakob be-   15
denklich.

»Von welcher sprichst du?«

»Daß Hardtloff gestorben ist.«

»Hast du dir was aus ihm gemacht?« wird gespottet.

»Aus ihm nicht«, sagt Jakob. »Aber aus Kirschbaum.«   20
Man muß leider seine Ansicht teilen, leicht fällt das nicht,
ein zwingender Zusammenhang, die meisten verstehen
ohne weitere Erklärung. Die Verhältnisse sind nicht danach, daß ein jüdischer Arzt seinen arischen Patienten be-
trächtlich überleben könnte, in diesem besonderen Fall   25
schon gar nicht. »Was für ein Kirschbaum?« fragt einer,
man kann nicht jeden kennen. Er bekommt es erklärt, großer Kopf, zu Zeiten eine Berühmtheit auf dem Herzsektor,
hier Jakobs Nachbar, ist geholt worden, um Hardtloff zu
heilen. Dann reichlich späte stille Trauer um den Professor,   30
die zehn Minuten vergehen ohne Fragen und Erfolgsbe-
richte, Jakob hätte sich eine andere Ablenkung gewünscht.
Er verspürt Lust zu irgendeinem Trost, man kann sie doch
nicht so hungrig sitzenlassen, die alte Geschichte von den
geheimen deutschen Plänen, die den Russen in die Hände   35

fallen, in der Festung Tobolin, kommt ihm für eine Sekunde in den Sinn. Aber die Pfeife bewahrt ihn vor dieser Torheit, indem sie auf gewohnte Weise das Mittagessen beendet, das heute so besonders unschmackhafte.

Trotz Hardtloffs Tod also, der Tag verläuft trübe, und er tut es auch weiterhin. Inmitten der Arbeit taucht ein von zwei dürren Pferden gezogener Kesselwagen* auf, sein Anblick ist uns vertraut, auch das Klappern, man hört ihn schon von weitem. Im Durchschnitt kommt er jeden dritten Monat, im Sommer seltener, im Winter, wenn die Erde gefroren ist, etwas häufiger, aber immer montags. Sein Besuch gilt dem deutschen Holzhäuschen mit Herz, das kann drei Monate auf ihn verzichten, nicht länger, sonst läuft es über.

Auf dem Kutschbock sitzt ein Bauer aus der Umgebung, kein Mensch weiß, wie er zu dieser Ehre gekommen ist. Wir können ihn nicht ausstehen. Die Deutschen haben ihm, als er das erstemal hier erschienen ist, verboten, mit einem von uns zu reden, und er hält sich streng daran. Am Anfang, lange vor Jakobs Radio, haben wir versucht, ein Wort aus ihm herauszulocken, wir wußten selbst nicht welches, irgendeine Winzigkeit von draußen. Es wäre auch gefahrlos gegangen, aber er hat mit verkniffenem Mund auf dem Kutschbock gesessen und geschwiegen und zu den weit entfernten Posten geschielt, wahrscheinlich hatte er Angst um seinen Kopf oder um seinen Mist. Oder er ist ein ⌜Antisemit⌝, oder ganz einfach ein Idiot.

Er hält mit seinem Wagen hinter dem Klosett. Ein Deutscher kommt aus dem Steinhaus und mischt sich unter die Leute, die alle furchtbar beschäftigt tun, sobald das häßliche Klappern zu hören ist. Denn die Arbeit, für die jetzt vier gesucht werden, ist nicht leichter als Kistentragen, man stinkt hinterher wie die Pest und kann sich zu Hause erst waschen. »Du, du, du und du«, sagt der Deutsche.

Schmidt, Jakob und zwei Unbekannte gehen zähneknir-

Wagen mit Behältern zum Transport von Flüssigkeiten

schend hinter das Häuschen und beginnen mit der Dreckarbeit. Sie nehmen die beiden Schaufeln und die zwei Eimer, die an einer Wagenseite hängen, Jakob und der Rechtsanwalt heben den Deckel von der Grube. Dann schaufeln sie das Zeug in die Eimer, die beiden anderen schütten sie aus in den Kessel. Schmidts angeekeltes Gesicht macht die Sache nicht angenehmer, man muß mit drei Stunden rechnen, nach halber Zeit wird gewechselt, Schaufel gegen Eimer. »Haben Sie das schon mal gemacht?« fragt Schmidt.

»Zweimal«, sagt Jakob.

»Ich noch nie.«

Der Bauer auf dem Kutschbock sitzt mit dem Rücken zu ihnen. Er nimmt ein kleines Paket aus der Tasche, Pergamentpapier, wickelt es auf, Brot und Speck. Und die tiefe Sonne dazu, weltvergessen genießt er Mittag oder Vesper, Jakob laufen die Augen über.

Der ältere der Eimerträger bettelt den Bauern um einen Bissen an, leise Erklärung, was aus seinem Mittag geworden ist, ein kleines Stück Brot nur, vom Speck reden wir gar nicht. Der Bauer scheint unschlüssig, Jakob beobachtet beim Schaufeln, wie seine einfältigen Augen den Bahnhof nach Aufpassern abgrasen, von denen sich keiner für die Vorgänge hinter dem Herzhaus interessiert.

»Hab keine Angst«, sagt unser Mann, »du brauchst ja nicht mit uns zu sprechen. Laß bloß ein Stück Brot fallen, verstehst du, aus Versehen. Dafür kann dir keiner. Ich werde es aufheben, daß niemand was merkt . . . Hörst du? Niemand, nicht mal du selber wirst es merken!«

»Könnten Sie bei diesem Gestank essen?« fragt Schmidt.

»Ja«, sagt Jakob.

Der Bauer greift wieder in seine Tasche, holt das Pergamentpapier heraus, wickelt den Rest von Brot und Speck sorgsam ein, verstaut ihn. Entweder er ist satt, oder der Appetit ist ihm tatsächlich vergangen, nur noch ein reichlicher Schluck aus einer grünen Feldflasche, er wischt sich mit seinem schmutzigen Ärmel über den Mund.

»Arschloch«, wird er genannt, aber nicht einmal dieser wüste Name macht ihn lebendig.

Kurz vor dem Wechsel wird Schmidt auffällig langsam beim Schöpfen, hält schließlich ganz ein, behauptet, nicht mehr zu können. Daß sich ihm alles vor den Augen dreht, schwarze Flecken, er lehnt sich schwitzend an die Rückwand des Klosetts.

»Das liegt am fehlenden Mittag«, sagt Jakob.

Damit ist Schmidt nicht geholfen, große Schweißperlen wälzen sich auf seinem Gesicht, er versucht sich zu übergeben, doch es kommt nichts. Jakob schaufelt an seiner Stelle einen Eimer voll, Wartezeit für die Träger entsteht, auf die Dauer keine Lösung.

»Sie müssen weitermachen«, sagt Jakob.

»Sie haben gut reden«, sagt Schmidt keuchend, angelehnt und sehr bleich.

»Entweder Sie machen jetzt weiter, oder Sie können sich gleich hinlegen und sterben«, sagt Jakob.

Dazu hat Rechtsanwalt Schmidt erst recht keine Lust, er greift wieder nach seiner Schaufel und füllt auf unsicheren Beinen den Eimer, der längst schon wieder wartet. Er stöhnt, es sieht nach einem verzweifelten Versuch aus, und man muß fürchten, daß er fehlschlägt. Die Schaufel stochert an der Oberfläche, dringt nicht so tief, wie sie müßte, wird daher halbgefüllt wieder aus dem Dreck gezogen, Mehrarbeit für Jakob.

»Ich habe übrigens was von Ihrem Sir Winston gehört«, sagt Jakob, leise genug, daß der Bauer bei schärfsten Ohren nichts verstehen könnte.

»Von Sir Winston?« sagt Schmidt, schwach zwar, doch hörbar interessiert.

»Er ist erkältet.«

»Etwas Ernstes?«

»Nein, nein, nur Schnupfen und so. Er hat das halbe Interview über geniest.«
»Ein ganzes Interview?«
»Ein kurzes.«
»Und was sagt er?« fragt Schmidt.   5
Jakob gibt ihm zu verstehen, daß sich der Ort für einen
reinen Schwatz schlecht eignet, die Posten drüben, vorerst
kümmern sie sich noch um anderes. Aber in drei Stunden
kommt einer nachsehen, mit Sicherheit, bis dahin muß die
Grube leer sein. Bericht also nur dann, wenn er mit Arbeit   10
getarnt werden kann. Schmidt muß das einsehen, der Griff
um die Schaufel wird notgedrungen fester, die Tropfen auf
der Stirn bleiben dieselben, was sagt Sir Winston?
Jakob erzählt es ihm, das Kellergespräch zwischen Reporter und englischem Premier haftet noch im Gedächtnis,   15
wenn auch nicht mehr ganz frisch. Die Lage an der Ostfront, ohne Städte zu nennen, auf alle Fälle verzweifelt für
die Deutschen, das sind seine eigenen Worte, ein großer
bunter Strauß von guten Aussichten. Und Sir Winston
kann sich schon ein Urteil erlauben, finden Sie nicht, bei   20
seinem Überblick. Natürlich gibt es hier und da noch
Schwierigkeiten, ich frage Sie, in welchem Krieg geht alles
glatt?
Und es gibt auch Unterschiede zwischen Schmidt und Lina,
nicht zuletzt, die wollen beachtet werden. Man sitzt nicht   25
mit einem kleinen Mädchen im abendlichen Keller, aus
Spaß sozusagen oder aus Liebe, man steht im Sonnenlicht,
mit dem studierten Schmidt, jedes Wort ist abzuwägen, in
drei Stunden muß die Grube leer von Dreck sein.

Am Morgen dieses Tages, der für den Marsch auf die Kreis-   30
stadt Pry ausersehen ist, die Russen werden sie nicht ganz
erreichen, ihr aber doch ein gutes Stück näher kommen, so
will es Jakob, am Morgen dieses vielversprechenden Tages
sieht Mischa auf dem Weg zur Arbeit eine aufgeregte kleine

Gruppe stehen. Aus ihr wird in die Richtung gezeigt und in die, zwei reden hastig, die anderen hören bestürzt zu, Mischa will nicht vorbeigehen, ohne Näheres zu erfahren. Da fällt der Name einer Straße, der Franziskaner, Mischa packt den ersten besten am Arm, zieht ihn aus dem Durcheinander, er soll ihm um Himmels willen sagen, was mit der Franziskaner los ist. Das wird ihm schnell erzählt, ein Unglück hat sie heimgesucht, die Franziskaner wird in Dreierreihen aufgestellt. Sie gehen Haus für Haus durch, vorhin waren sie bei der Nummer zehn, in wenigen Stunden wird kein Mensch mehr dort wohnen, ins Lager oder sonst wohin.

»Und die Russen sollen schon Tobolin genommen haben«, sagt der Mann.

Mischa stürzt davon, das Schicksal der Franziskaner bewegt ihn nicht nur allgemein, denn die Franziskaner ist eine durch und durch besondere Straße, in ihr wohnt Rosa. Der Mann sagt, vorhin waren sie bis zur Nummer zehn, das heißt vor wenigen Minuten, um diese Zeit müßte Rosa normalerweise längst in der Fabrik sein. Mischa macht sich Vorwürfe, daß er sie nicht einfach gezwungen hat, jede Nacht bei ihm zu bleiben, vor allem die letzte. Er wird vor ihre Fabrik gehen, hereinlassen wird ihn der Torposten nicht, aber er kann in der Nähe stehenbleiben. Bis zum Feierabend, Mischa wird selber Posten sein, denn Rosa muß am Heimweg gehindert werden. Behüte Gott nur, daß man den ganzen Tag eine leere Fabrik bewacht, wenn Rosa pünktlich von zu Hause losgegangen ist, müßte sie dort sein, es bleibt keine andere Hoffnung. Mischa rennt, warum so eilig, weiß er selbst nicht, Rosas Feierabend liegt in weiter Ferne, er rennt.

Vor ihrer Fabrik, Näherei aus grauen Backsteinen, sieht die Welt ganz gewöhnlich aus, Mischa steht auf der anderen Seite der Straße, kein Mensch außer ihm. Er richtet sich auf einen langen Tag ein, doch der wird viel kürzer als erwartet. Aus der Fabrik kommt ein jüdisches Mädchen, Mischa fragt sich, wieso kommt die raus während der Arbeitszeit, sie schlendert ziellos über den Damm, an ihm vorbei. Mischa steht unschlüssig, bis sie fast die nächste Ecke erreicht hat, dann geht er ihr nach. Sie merkt es bald, dreht kokett den Kopf, einmal und ein zweites, so ein blauäugiger breiter junger Mann ist schließlich eine Seltenheit im Ghetto, am hellichten Tag dazu. Gleich geht sie langsamer, sie hat nichts dagegen, eingeholt zu werden, das geschieht schließlich auch, gleich hinter der Ecke steht er neben ihr.

»Entschuldigen Sie«, sagt Mischa. »Arbeiten Sie in dieser Näherei?«

»Ja«, sagt sie lächelnd.

»Wissen Sie zufällig, ob Rosa Frankfurter noch drin ist?« Sie überlegt einige Sekunden, bevor sie sagt: »Sie sind Mischa, nicht wahr?«

»Ja«, sagt er. »Ist sie drin?«

»Vor ein paar Minuten ist sie weggegangen. Man hat ihr gesagt, sie kann heute wieder nach Hause gehen.«

»Wieviel ist das, ein paar Minuten?« fragt er, mit schon kreischender Stimme. »Wieviel, genau?«

»Vielleicht zehn«, antwortet sie, verwundert über seine plötzliche Erregung.

Wieder stürzt er davon, er rechnet fieberhaft aus, daß es zu schaffen sein müßte, wenn die zehn Minuten stimmen. Von hier bis zur Franziskaner benötigt Rosa eine knappe halbe Stunde, im Spaziergang mehr, und beeilen wird sie sich doch nicht. Man hat ihr gesagt, sie darf nach Hause gehen, ohne Angabe von Gründen, die Lumpen, da braucht es keine Eile. Mit einemmal dreht sich Mischa um, hastet denselben Weg zurück, ein Flüchtigkeitsfehler soll korrigiert werden, ein unverzeihlicher. Das Mädchen kommt ihm langsam entgegen und lächelt wieder.

»Hat man Sie auch zurückgeschickt?« ruft er ihr schon von weitem zu.

»Ja.«

»Gehen Sie nicht nach Hause! Verstecken Sie sich!«

Er hört noch, wie sie fragt: »Aber warum denn?«

»Weil die Franziskaner deportiert wird!«

»Aber ich wohne gar nicht in der Franziskaner. Ich wohne in der Sagorsker.«

Das umständliche Gespräch kostet ihn viel zuviel Zeit, die Sagorsker also auch, er hat ihr alles gesagt, was er weiß. Sie soll sich daraus was reimen, sich das Leben retten oder nicht, wenn sie klug ist, stellt sie sich vor die Fabrik und sagt zu jeder, die sie nach Haus schicken: »Geh nicht nach Hause, versteck dich, egal wo du wohnst!« Das dreht sich ihm im Kopf, als er längst schon wieder rennt, Rosa hinterher. Und daß die Franziskaner und die Sagorsker sich gar nicht berühren, dazwischen liegt die Blumenbindergasse, die hat wenig Häuser, vor allem Lagerplätze, die heute ungenutzt sind, aber ein paar schon. Und hinter jeder neuen Ecke sucht er Rosa, vielleicht geht sie überhaupt nicht den kürzesten Weg, vielleicht macht sie einen Spaziergang bei dem Wetter und will den geschenkten Tag genießen. Wenn sie wirklich spaziert, wäre er mit Sicherheit vor ihr in der Franziskaner, er könnte ein Ende besetzt halten und sie abfangen. Aber eben nur ein Ende, die Franziskaner hat zwei davon, welches willst du besetzen bei so vielen Enden, und um diese Tageszeit findest du für keinen Preis einen Gehilfen. Ein neuer Hoffnungsschimmer leuchtet Augenblicke lang, Mischa setzt auf Rosas Selbsterhaltungstrieb. Gleichgültig, an welchem Ende sie auftaucht, sie wird sehen, was mit ihrer Straße geschieht. Vielleicht wird sie dann umkehren, wird in seine Wohnung laufen, sich im Hof versteckt halten und warten, bis er am Abend mit dem Schlüssel kommt. Aber allzu fest baut Mischa nicht darauf, dazu kennt er sie zu genau, die verrückte Rosa wird Vaterliebe und Mutterliebe nicht aus ihrem Kopf vertreiben können, solches nutzlose Jungmädchenzeug. Höchstens ein Zögern wird sie bei dem Anblick zustande bringen, dann wird sie weinend in ihr Verderben laufen, dorthin wird sie laufen, wo ihre Eltern sind und sie wohl entbehren können, und keinem Menschen damit helfen.

Alle Rechnerei hat ein Ende, als er sie in einer langen, schnurgeraden Straße endlich findet. In der Argentinischen Allee, deren Lindenbäume sorgsam abgesägt sind, dicht über dem Erdboden, die folglich ein weites Blickfeld bietet. So gut wie menschenleer, er erkennt ihr rötlichbraunes Kleid, als es noch ein Punkt ist, dann ihr blaues Kopftuch, ihren Gang, wie vorausgesagt langsam, Mischa denkt: Was für ein Glück.

Einige Meter hinter ihr hört er auf zu rennen, geht ihr still ein paar Schritte nach, Rosa besieht sich die hübschen alten Häusergiebel, frühere Kaufmannsgegend, Rosa spaziert. Die letzten Gedanken, bevor er sich zu erkennen gibt, sein Benehmen muß harmlos sein, er ist gerade auf dem Weg zu ihr nach Hause, weil er erfahren hat, daß die Fabrik ihr heute Ferien schenkt. Nichts von großen Sorgen, kein Sterbenswort vom Schicksal der Franziskaner darf fallen, sonst kommt ihr noch diese Elternliebe in den Sinn.

Er will ihr von hinten die Hände auf die Augen legen und sie mit verstellter Stimme raten lassen, das wäre ein zwangloser Anfang. Er merkt, daß seine Hände von Schweiß kleben, das Gesicht auch, er wischt es mit dem Ärmel trocken und sagt mit erzwungener Leichtigkeit: »Wie man sich so trifft.« Sie dreht sich schnell um, erschrocken zuerst, dann lächelt sie, die hübschesten Mädchen lächeln Mischa zu. Rosa fragt: »Was machst du denn hier?«

»Und was machst du hier?«

»Ich gehe nach Hause«, sagt sie. »Stell dir vor, ich war noch keine Stunde in der Fabrik, da durfte ich wieder gehen.«

»Und warum?«

»Keine Ahnung. Sie haben einfach gesagt, ich kann nach Hause gehen. Ein paar andere auch, aber nicht alle.«

»Bei mir war es ähnlich«, sagt Mischa.

»Du hast heute auch frei? Den ganzen Tag?«

5 »Ja.«

»Schön«, sagt Rosa.

Sie hakt sich bei ihm unter, ein versprengter Passant bestaunt das junge Liebesglück.

»Wir wollen zu mir gehen«, sagt Mischa.

10 »Aber wieso bist du ausgerechnet hier?«

»Weil ich dich von der Fabrik abholen wollte. Als sie mir freigaben, dachte ich, vielleicht lassen sie dich heute auch laufen.«

»Bist ein kluger Junge.«

15 »Aber du warst gerade weg. Ein Mädchen hat es mir gesagt, eine kleine Hübsche mit roten Haaren.«

»Das war Larissa«, sagt sie.

Sie gehen zu seiner Wohnung, gemächlich, denn die Richtung macht ihm keine Sorgen, die Franziskaner bleibt links

20 liegen. Rosa erzählt von Larissa, daß sie manchmal mit ihr über Mischa gesprochen hat, er wird ihr doch nicht böse sein deswegen, sie nähen am selben Tisch, und der Tag ist lang. Larissa ist ein stilles Wasser, aber tief, man soll sich nicht von ihren verträumten Augen täuschen lassen. Zum

25 Beispiel hat sie auch einen Freund, Najdorf heißt er, Josef, sie nennt ihn Jossele, arbeitet in der Werkzeugfabrik, Mischa wird ihn nicht kennen. Sie wohnen im selben Haus, Larissa hat noch eine Mutter und zwei erwachsene Brüder, mit den beiden Brüdern ist einmal eine komische Geschich-

30 te passiert. Die haben Josef Najdorf einmal verprügelt, als sie ihn mit ihrer Schwester auf dem Dachboden erwischt haben, und wobei glaubst du wohl? Beim Herumküssen natürlich, aber Larissa hat ihnen ganz schön was erzählt. Inzwischen sind sie friedlicher, sie haben eingesehen, daß

35 sie kein kleines Kind mehr ist, Jossele darf sie sogar manch-

mal in ihrer Wohnung besuchen, zu einer Unterhaltung, versteht sich. Und unvermittelt im schönsten Gerede bleibt Rosa stehen und fragt: »Wie kommt es überhaupt, daß sie uns einen ganzen Tag freigeben?«

»Woher soll ich das wissen?« sagt Mischa.

»Aber das muß doch Gründe haben?«

Er zuckt mit den Schultern, er hatte gehofft, daß sie gar nicht davon anfangen würde, die Antwort muß er ihr schuldig bleiben, aber recht hat sie schon, es ist seltsam.

»Ob das mit den Russen zu tun hat?« fragt sie.

»Mit den Russen?«

»Na ja. Wenn sie spüren, daß es mit ihnen zu Ende geht, und sie wollen sich schnell noch ein bißchen beliebt machen?« sagt Rosa. »Verstehst du nicht? Wegen später.«

»Vielleicht«, sagt Mischa, eine bessere Erklärung hat auch er nicht zur Hand.

Zu ihm nach Hause also, im Bummelgang, Rosa erweist sich auf nie gehörte Weise geschwätzig vor lauter Unbeschwertheit. Mischa läßt ihren Redefluß ungehindert plätschern, mit Larissa hat sie ihr Pulver längst noch nicht verschossen, auch Klara und Annette und vor allem Nina haben Affären, und was für welche, weiterhin fängt ihr Vater endlich an, zaghafte Gedanken in die Zukunft zu richten. Vorgestern abend hat er einen seltsamen Zettel auf den Tisch gelegt, sagt Rosa. Auf dem standen, in drei Gruppen aufgeteilt, Theaterrollen, die seinen Vorstellungen entsprechen, die später einmal zu spielen sein werden, so Gott will, lange genug hat sie ihm die Direktion vorenthalten. Einzelheiten weiß Rosa nicht, dafür versteht sie zu wenig vom Theater, aber es waren mindestens zwanzig.

Vor der Haustür fällt Mischa etwas Unangenehmes ein, keine Arbeit bedeutet kein Mittag heute, er fragt Rosa, ob sie zufällig ihre ⌐Lebensmittelmarken⌐ bei sich hat. Die liegen leider zu Hause, er denkt, auch das noch. Ob sie die schnell holen soll, aber das soll sie nicht, er gibt ihr den

Schlüssel, er wird gleich nachkommen, er geht mit den eigenen.

Im Laden ist Mischa der einzige Kunde, sonst, nach Feierabend geht es nie unter einer halben Stunde Warten ab.

5 »Um diese Zeit?« fragt Rosenek, der wohlgenährte. Seine Waage steht im Verdacht der Ungenauigkeit nach stets derselben Richtung, nur sie kann ihm zu dem Bäuchlein verholfen haben. Er versucht zwar, das kleine Ungeheuer mit viel zu weitem Kittel zu verbergen, aber Kittel und Rosenek

10 werden durchschaut, für die Hängebacken reicht kein noch so großer Kittel.

»Man hat heute frei«, sagt Mischa.

»Frei? Was heißt das?«

»Frei.«

15 Mischa legt die Lebensmittelmarken vor Rosenek auf den Ladentisch, alle.

»Wir haben erst Dienstag«, sagt Rosenek verwundert, gibt zu bedenken.

»Trotzdem.«

20 »Du mußt ja wissen.«

Rosenek greift aus einer mehligen Schublade hinter sich ein rundes Brot, das gar nicht nach Brot riecht wie früher, legt es auf den Tisch, zerschneidet es ächzend mit dem Sägemesser, dann auf die berühmte Waage, die verlogenen Ge-

25 wichte wie die Orgelpfeifen.

»Wiegen Sie bitte gut«, sagt Mischa.

»Was heißt das? Ich wiege immer gut.«

Mischa wird sich nicht auf Wortklaubereien einlassen, die doch zu nichts führen, er sagt: »Wiegen Sie besonders gut.

30 Ich habe Besuch.«

»Besuch? Was heißt das?«

»Besuch.«

Rosenek entdeckt sein Herz, er gibt Mischa die andere Hälfte von dem Brot, die angebliche, ohne sie auf die Waa-

35 ge zu legen. Zwei Hosentaschen Kartoffeln kommen hin-

zu, denn Mischa hat nichts bei sich, eine Tüte Erbsenmehl, Wurst, mehr der Erscheinung als dem Wesen nach, und ein Päckchen Malzkaffee.

»Auf den Marken steht auch was von Fett«, sagt Mischa.

»So, steht! Steht da auch, woher ich es nehmen soll?«

»Herr Rosenek«, sagt Mischa.

Rosenek sieht ihn an wie vor der schwersten Entscheidung seines Lebens, du bringst mich noch um, Junge, Rosenek fragt: »Brauchst du den Kaffee?«

»Nicht so sehr.«

Rosenek verharrt noch ein wenig in seiner unglücklichen Pose, endlich nimmt er das Päckchen Kaffee vom Tisch, begibt sich in ein Zimmer, das an den Ladenraum grenzt. Als er zurückkommt, trägt er ein Stück Pergamentpapier vor sich her, auf den ersten Blick sieht es aus wie nur ein Stück zusammengefaltetes Pergamentpapier, aber dann sieht man, etwas ist darin eingewickelt. Fett, Rosenek hat es sich vom eigenen Bauch abgeschnitten, nach seinem Gesicht zu urteilen.

»Weil du es bist«, sagt Rosenek. »Aber erzähl es um Himmels willen keinem.«

»Wie werde ich«, sagt Mischa.

Mischa kommt reich beladen nach oben, Rosa bestaunt das Mitgebrachte, sie hat das Fenster weit geöffnet.

»Sonst denkt die Sonne, es ist niemand zu Hause und geht wieder, sagt Mutter«, sagt sie.

Mischa verstaut Roseneks Geschenke im Schrank, säubert die Hosentaschen von Kartoffelerde. Rosa ruft ihn zum Fenster, ihre Stimme gefällt ihm nicht. Er beugt sich neben ihr hinaus, ein grauer Zug nähert sich, noch klein und ohne Einzelheiten. Man hört vorläufig nur das Bellen der Hunde, hin und wieder und ganz überflüssig, denn keiner tanzt aus der Reihe.

»Welche Straße heute?« fragt Rosa.

»Ich weiß nicht.«

Er zieht sie weg vom Fenster und schließt es, aber er kann nicht verhindern, daß sie hinter der Scheibe stehenbleibt und auf den Vorbeimarsch wartet. Rosa sagt: »Laß mich. Vielleicht sind Bekannte darunter.«

5 »Hast du Hunger?« fragt er. »Wollen wir uns was machen?«

»Jetzt nicht.«

Er spart sich weitere Angebote. Er weiß, daß sie auf alles, was er ihr jetzt vorschlagen könnte, antworten wird: »Jetzt 10 nicht.« Nur Gewalt kann sie vom Fenster trennen, eigentlich albern, denn sie ahnt nicht, wen sie in dem Zug zu sehen bekommt, aber sie bildet sich ein, bei solchen Begebenheiten dürfe sie den Kopf nicht in den Sand stecken. Eine Art Spielregel für Rosa, so ist sie. Am einfachsten wä-15 re, man packt sie, wirft sie aufs Bett und fängt an, sie abzuküssen, als wäre es plötzlich über einen gekommen. Mischa tut schon den ersten Schritt in diese Richtung, beim zweiten verläßt ihn der Mut, denn Rosa kennt ihn zu genau, sie würde die Lüge sofort durchschauen. Man muß sie 20 stehenlassen bis zu dem entsetzlichen Anblick, der bleibt ihr nicht erspart.

Er setzt sich auf das Bett, versucht, gefaßt auszusehen, was ganz und gar gleichgültig ist, weil Rosa unverwandt nach draußen schaut. Ihre Stirn lehnt an der Scheibe, je dichter, 25 um so eher bekommt man den Transport ins Blickfeld, ein kleiner Fleck aus Hauch bildet sich auf dem Glas, sie atmet mit offenem Mund wie alle Aufgeregten.

»Komm doch her«, sagt er.

Mußten sich die Idioten ausgerechnet seine Straße aussu-30 chen, es sind nicht genug andere da, Mischa hat Lust, aufzustehen und in den Flur zu gehen, oder wenigstens in Fajngolds Zimmerhälfte, die einen Tag nach Rosas Interven-tion* natürlich ihr altes Gesicht zurückbekam, was wird sie nur tun? Das Hundegekläff wird lauter, wenn es für einen 35 Moment aussetzt, hört man Schritte, sogar eine einzelne Stimme, die ruft: »Munter, munter!«

Einspruch

»Mischa!« sagt Rosa leise.

»Mischa!« schreit sie Sekunden später. »Mischa, Mischa, Mischa, das ist unsere Straße!«

Er steht jetzt hinter ihr, der Gedanke, daß die Eltern in dem Zug sein müssen, scheint ihr noch nicht gekommen zu sein. Sie zählt flüsternd Namen von Nachbarn auf, die sie erkennt, jeder hält etwas in der Hand, eine Tasche, einen Koffer, ein Tuch voll Mitnehmenswertem. Mischa findet Zeit, die Frankfurters zu suchen, er entdeckt sie vor ihr noch, Felix Frankfurter hat seinen unvermeidlichen Schal um den Hals geschlungen. Sein Gang erinnert irgendwie an Zuversicht, seine Frau geht, einen Kopf kleiner, neben ihm, sie blickt zu ihrem Fenster hinauf, Mischa war ja nie ein Geheimnis.

Rosa ist immer noch beim Aufzählen von Namen, die Blicke ihrer Mutter geben Mischa den letzten Anstoß. Er umklammert Rosa und trägt sie weg vom Fenster, er will sie auf das Bett legen und dort gefangenhalten, aber daraus wird nichts, sie fallen unterwegs hin, weil Rosa sich wehrt. Er läßt sich schlagen und kratzen und an den Haaren ziehen, er hält nur ihren Leib umklammert, sie liegen eine Ewigkeit auf der Erde. Sie schreit, daß er sie loslassen soll, vielleicht zwanzigmal schreit sie nichts anderes, nur: »Laß mich los!« Bis kein Bellen mehr zu hören ist, keine Schritte, ihre Schläge werden schwach und hören schließlich auf. Behutsam läßt er sie los, bereit, sie im nächsten Moment wieder zu greifen. Aber sie bleibt regungslos liegen, mit geschlossenen Augen und schwer atmend, wie nach einer großen Anstrengung. Es klopft an die Tür, und eine Frau aus dem Haus fragt, ob sie helfen könne, ihr wäre so, als hätte jemand geschrien.

»Nein, nein, es ist alles in Ordnung«, sagt Mischa durch die geschlossene Tür. »Danke.«

Er steht auf und öffnet das Fenster, sonst denkt die Sonne, niemand ist zu Hause und geht wieder, wie man gehört hat,

234   Jakob der Lügner

die Straße ist still und leer. Er sieht lange hinaus, als er sich umdreht, liegt Rosa noch immer auf der Erde, in unveränderter Stellung.

»Komm, steh auf.«

Sie steht auf, er hat den Eindruck, nicht weil er es gesagt hat. Noch keine Träne ist gefallen, sie setzt sich auf das Bett, er wagt nicht, sie anzureden.

»Du blutest am Hals«, sagt sie.

Er geht zu ihr, hockt sich vor sie hin, versucht, sie anzusehen, aber sie sieht an ihm vorbei.

»Deswegen hast du mich abgeholt«, sagt sie. »Du hast es gewußt.«

Er erschrickt, als ihm klar wird, welcher Vorwurf in ihren Worten steckt. Er möchte ihr erklären, daß keine Zeit mehr war, die Eltern zu warnen, aber im Augenblick wird sie keine Gründe gelten lassen.

»Hast du sie denn überhaupt gesehen?« fragt er.

»Du hast mich ja nicht gelassen«, sagt sie und fängt endlich an zu weinen.

Er sagt, daß er sie auch nicht gesehen hat, bis zum Ende des Zuges nicht, vielleicht haben sie die Gefahr rechtzeitig gespürt und sich in Sicherheit gebracht. Er weiß, wie lächerlich das ist, nach drei Worten merkt er, wie nutzlos er lügt, aber er bringt die Sätze zu Ende wie aufgezogen.

»Du siehst sie bestimmt wieder«, sagt er noch. »Jakob hat gesagt . . .«

»Du lügst!« schreit sie. »Ihr lügt alle! Ihr redet und redet, und nichts ändert sich!«

Sie springt auf und will hinausrennen, Mischa bekommt sie erst zu fassen, als sie die Tür schon aufgerissen hat. Im Flur richtet sich die Frau auf, aus Schlüssellochhöhe. Sie fragt: »Kann ich wirklich nicht helfen?«

»Zum Donnerwetter, nein!« schreit Mischa, jetzt schreit er auch.

Die Frau zieht sich beleidigt zurück, man darf annehmen,

daß ihre Hilfsbereitschaft auf ewig erloschen ist, zumindest für diesen Schreihals. Jedenfalls ist Rosa durch den Auftritt einer dritten Person zur Besinnung gekommen, so sieht es aus, sie geht zurück in das Zimmer, ohne daß Mischa sie zwingen muß. Er schließt die Tür, er fürchtet sich vor dem Schweigen. Deswegen beginnt er sofort, Fajngolds brachliegende Zimmerhälfte von neuem in Besitz zu nehmen, den Schrank an die Wand, genau vor das sauber gebliebene große Viereck auf der Tapete, den Vorhang von der Decke und wieder vor das Fenster. Denn Rosa wird jetzt hier wohnen, wenigstens das ist klar.

»Hast du zuletzt was über die Deportationen gehört?« fragt Mischa.
»Nein«, sagt Jakob.
»Sie haben nicht nur die Franziskaner geräumt. Sie sind auch in der Sagorsker und . . .«
»Ich weiß«, sagt Jakob.
Sie gehen ein paar Schritte wortlos, den Heimweg vom Bahnhof, Kowalski sind sie schon an der letzten Ecke losgeworden. Er hat sich sehr mit Fragen zurückgehalten in Mischas Gegenwart.
Auf dem Bahnhof fehlen fünf seit jenem Tag, vielleicht sogar mehr, man vermißt nur die fünf, die man selber kennt. Jakob hatte schon gedacht, es wären sechs, er hatte Mischa zu ihnen gerechnet, weil er an dem Tag nicht zur Arbeit gekommen ist, glücklicherweise war das ein Irrtum.
»Wie geht es mit Rosa?« fragt Jakob.
»Wie soll es gehen?«
»Kommt ihr mit dem Essen zurecht?«
»Glänzend!«
»Sie kann sich doch jetzt keine Marken mehr holen?«
»Wem sagst du das?«
»Könnte nicht jemand aus dem Haus helfen? Bei mir ist es ja ähnlich, mit Lina. Kirschbaum hat immer etwas für sie gegeben.«

»Ich glaube nicht mehr an ein gutes Ende«, sagt Mischa. »Sie gehen jetzt Straße für Straße durch.«

Jakob kommt es vor, als läge ein kaum versteckter Vorwurf in seiner Stimme.

5 »Kann sein«, sagt Jakob. »Aber überlege selber. Die Deutschen sind in Panik! Die Transporte sind der beste Beweis, daß die Russen schon ganz in der Nähe sein müssen! So gesehen, sind sie sogar ein gutes Zeichen.«

»Ein schönes gutes Zeichen. Erkläre das mal Rosa.«

10 An einem ihrer todlangweiligen und verweinten Nachmittage geht Rosa aus der Wohnung, obwohl Mischa es ihr streng verboten hat. Am liebsten hätte er sie eingeschlossen, auch wenn sie noch so protestierte, er hat es nur nicht getan, weil die Toilette auf dem Hof liegt.

15 Sie weiß kein bestimmtes Ziel, nur die Beine will sie sich vertreten nach einer reichlichen Woche Gefängnis. Die Gefahren, von denen Mischa immerzu redet, hält sie für übertrieben, in seinem Zimmer ist sie nicht sicherer als irgendwo, das Haus kann jeden Tag auch an die Reihe kommen. Und wer sollte sie erkennen, Bekannte gibt es kaum noch, die Straßenkontrollen beginnen erst am Abend, in der Gegend der Sperrstunde. Außerdem, das alles ist ihr im Grunde ziemlich gleichgültig, und außerdem, Mischa braucht von dem Spaziergang nichts zu erfahren, sie will nicht lange fortbleiben.

Es muß nicht unbedingt die Wahrheit sein, wenn sie ihm später, als er doch lange vor ihr zu Hause ist, erzählt, daß sie zufällig den Schlüssel zu ihrer Wohnung bei sich gehabt hätte. Und daß sie, ohne es eigentlich zu wollen, plötzlich in der Franziskaner stand, die Füße haben aus alter Gewohnheit diesen Weg genommen, sagt sie.

Die Straße kommt ihr unwirklich leer vor, sie wird auch für den Durchgangsverkehr gemieden, als ob in ihr die Pest gewütet hätte. Rosa blickt in verlassene Parterrezimmer, in

Zimmer von Leuten, die sie noch vor wenigen Tagen ge-
grüßt hat, hinter einem Fenster entdeckt sie einen Jungen.
Er ist ungefähr vierzehn Jahre alt, er kniet vor einem offenen Schrank und stopft in großer Hast alles, was er greifen
kann, in einen Rucksack, Geschirr, Bettwäsche, eine Hose,
einen Holzkasten, ohne seinen Inhalt erst auf Brauchbar-
keit zu prüfen. Rosa sieht ihm starr zu, dem einzigen Le-
bewesen außer ihr. Der Schrank scheint vollkommen leer,
aber der Rucksack ist noch nicht voll, der Junge richtet sich
auf und blickt sich suchend im Zimmer um. Dabei sieht er
die großen Augen hinter der Scheibe, im ersten Moment
erschrickt er, dann sieht er auch den Stern auf Rosas Brust,
und über sein Gesicht zieht sich ein einladendes Grinsen.
Wahrscheinlich vermutet er harmlose Konkurrenz.
Rosa geht eilig weiter, sie fragt sich, ob in ihrer Wohnung
inzwischen auch schon so einer gewesen ist, sie weiß kein
anderes Wort, ein Plünderer. Dabei empfindet sie keine
Wut, doch Verständnis allein genügt nicht, ihr ist es unangenehm, daß hinter den Wänden ein zweites heimliches
Leben existiert, ein auf den ersten Blick nicht erkennbares,
und langsam alle Spuren verwischt.
Leise öffnet sie ihre Haustür und lauscht mit klopfendem
Herzen. Gerne hätte sie Mischa bei sich, vielleicht wäre er
zu überreden gewesen, nun ist sie einmal ohne ihn hier.
Sicher kann man nie sein, aber nach einer guten Weile Stille
nimmt sie doch an, daß außer ihr niemand im Haus ist. Sie
geht schnell die zwei Treppen hoch, bevor sie die Tür auf-
schließt, sieht sie durch das Schlüsselloch. Dann steht sie
im Zimmer, das sieht sehr aufgeräumt aus. Der Staub hatte
noch nicht viel Zeit, sich zu setzen, die vier Stühle stehen
ordentlich um den Tisch, auf dem eine gelbe Decke liegt, an
jeder Längsseite ein Zipfel. Der Wasserhahn tropft. Bis
jetzt war keiner mit Rucksack hier, das sieht Rosa auf den
ersten Blick, und auch, daß ihre Eltern ohne Eile aufge-
brochen sein müssen.

Als erstes sucht sie nach irgendeiner Nachricht, die Idee kommt ihr jetzt erst, sie erinnert sich, daß ihre Mutter keine Sekunde fortgegangen ist, ohne eine Nachricht zu hinterlassen. Aber diesmal hat sie mit der alten Gewohnheit gebrochen, offenbar, denn es findet sich kein beschriebenes Blatt Papier, auf dem ohnehin nur stehen könnte: »Ich weiß nicht wohin, ich weiß nicht wie lange.«

Dann sucht Rosa noch einmal, jetzt keine Nachricht mehr, einfach so. Mischa erzählt mir, sie ist eben ein sentimentales Ding, sie wollte sich einen Überblick verschaffen, was ihre Eltern mitgenommen haben. Wahrscheinlich weint sie ganze Bäche voll dabei, die braun und weiß karierte lederne Einkaufstasche fehlt und der schwarze Pappmachékoffer, an Behältnissen nichts weiter. Da Rosa alles Inventar genau kennt, wäre sie am Ende ihrer Suche in der Lage, eine Liste des Mitgenommenen aufzustellen. Auch das Album mit Bildern und Rezensionen, das Buch vom wahren Leben Felix Frankfurters.

Ihre eigenen Sachen liegen unberührt, unter vielem die Lebensmittelkarte, ein Teil ist schon verfallen. Rosa steckt sie ein, sonst gibt es keine Gegenstände, an denen sie besonders hängt. Sie zwingt sich zu praktischen Überlegungen, da ist noch eine Aktentasche, in die tut sie ihr zweites Kleid. Wäsche und Strümpfe, ihren Mantel zuletzt. Dabei wundert sie sich, daß sie es fertigbringt, bis zum nächsten Winter zu denken. Mit dem Mantel geht die Tasche nicht mehr zu. Rosa will ihn anziehen, aber sie müßte dann die Sterne vom Kleid abtrennen und an den Mantel nähen. Also stopft sie ihn doch in die Tasche und bindet sie mit dem Gürtel des Mantels zu. Wenn sie dem Jungen auf der Straße begegnen sollte, wird er sie um ihre reiche Beute beneiden.

Rosa dreht den Wasserhahn fester zu, sie ist fertig hier. Als sie geht, läßt sie den Schlüssel in der Tür stecken, für den Jungen oder für einen anderen, als eine Art Schlußstrich.

»Du darfst zehnmal raten«, sagt mir Mischa, »du wirst nicht darauf kommen, wohin sie jetzt gegangen ist.«

Rosa besucht Jakob, den sie nicht kennt, nur aus Mischas Berichten, aus denen aber ganz gut. Seit Bezanika war kein gemeinsamer Abend, an dem nicht von ihm die Rede gewesen wäre, von seinem Radio, von seinem Mut, von den Fortschritten der Russen an der Front. Rosa hat damals, als die erste große Freude über die Neuigkeit vorüber war, gefragt, warum dieser Jakob jetzt erst anfängt, Nachrichten zu verbreiten, man lebt doch schon drei Jahre im Ghetto, und wenn er ein Radio versteckt hält, dann hat er es von Anfang an.

»Wahrscheinlich sind die Deutschen bis jetzt die ganze Zeit marschiert. Sollte er vielleicht erzählen, daß es von Tag zu Tag schlechter wird?« hat Mischa ihr geantwortet, und das klang überzeugend.

Sie steht also vor seiner Tür, nicht aus Rachsucht oder aus persönlichem Groll, versucht sie sich einzureden. Sicher ist er nett und freundlich und will das Beste, aber die täglich froher klingenden Verheißungen, und dann das leere Zimmer in der Franziskaner, das ganze Viertel sogar, sie wird ihn fragen, wie sich eins mit dem anderen verträgt. Sie wird zu bedenken geben, ob es erlaubt ist, in ihrer Lage solche Hoffnungen zu wecken, kommen Sie mir doch nicht mit dem Radio, das kann erzählen, was es will, man braucht sich doch bloß umzusehen.

Rosa klopft mehrmals vergeblich, warum hat sie nicht vorher bedacht, daß Jakob ungefähr zur selben Zeit nach Hause kommen muß wie Mischa. Das Warten macht sie unsicher, wenn sie ihm dann gegenübersteht, wird ihr Kopf wie ausgehöhlt sein. Noch könnte sie fortgehen, vielleicht vor Mischa in der Wohnung sein und Ärger vermeiden, den es im anderen Falle todsicher geben wird. Je länger sie wartet, um so deutlicher muß sie sich eingestehen, daß sie mit höchst nebelhaften Absichten gekommen ist. Jakob wird sich immer nur auf sein Radio berufen, gleich, was sie ihm vorwirft, sie hatte gehofft, daß sie alle die Zeit unbeschadet überdauern würden, nun ist es anders gekommen, das ist bei Lichte besehen ihr ganzer Grund. »Sie spielt schneller als sie denkt«, hat ihr Vater einmal nach einer Damepartie gesagt, ihr Vater. Rosa kommt der Gedanke, daß Jakob vielleicht andere Nachrichten verbreitet, als er in seinem Radio hört.

Da steht Lina am Ende des Ganges, frisch von der Straße und von Rafael gekommen, sie sieht eine junge Frau mit prall gefüllter Aktentasche vor der gewissen Tür und tritt neugierig näher. Sie mustern sich ein bißchen, beide hegen noch keinen Verdacht. Lina fragt: »Willst du zu Onkel Jakob?«

»Ja.«

»Er muß bald kommen. Möchtest du nicht lieber drin warten?«

»Wohnst du denn hier?« fragt Rosa.

Statt einer Antwort holt Lina den Schlüssel hinter dem Türrahmen hervor, schließt auf, einladende Handbewegung mit ein wenig Stolz. Rosa betritt zögernd das Zimmer, sofort wird ihr ein Stuhl zurechtgeschoben, sie ist einer aufmerksamen Gastgeberin in die Hände gefallen. Lina setzt sich auch, man betrachtet sich weiter, wohlwollend.

»Du bist die Lina, stimmt's?« sagt Rosa.

»Woher weißt du meinen Namen?«

»Von Mischa«, sagt Rosa. »Ihr kennt euch doch gut?«

»Klar. Und jetzt weiß ich auch, wer du bist.«

»Da bin ich gespannt.«

»Du bist Rosa. Na?«

Sie erzählen sich, was sie schon voneinander wissen, Lina ist Mischa im übrigen noch böse, weil er sie die ganze Zeit, als sie krank im Bett lag, nicht ein einziges Mal besucht hat, immer nur schöne Grüße über Jakob. Rosa sieht sich unauffällig um, allerdings erwartet sie nicht, daß der Apparat frei im Zimmer steht, jedem zufälligen Gast zur Freude.

»Was willst du denn von Onkel Jakob?« fragt Lina, als der übrige Gesprächsstoff sich bald erschöpft hat.

»Wir warten lieber, bis er kommt.«

»Sollst du etwas von Mischa ausrichten?«

»Nein.«

»Du kannst es mir ruhig sagen. Er hat vor mir keine Geheimnisse.«

Aber Rosa hat trotzdem nicht die Absicht, sie lächelt und schweigt, da versucht es Lina auf Umwegen.

»Warst du schon mal bei uns?« fragt sie.

»Noch nie.«

»Zu uns kommen nämlich in letzter Zeit allerhand Leute. Und weißt du, was sie wollen?« Lina macht eine Pause, die Rosa dazu nutzen soll, den besonderen Vertrauensbeweis zu erkennen, bevor sie verrät: »Sie wollen Nachrichten hören. Kommst du auch deswegen?«

Rosas Gesicht verliert das Lächeln, deswegen ist sie bestimmt nicht hier, wohl eher im Gegenteil. Sie bereut inzwischen, überhaupt gekommen zu sein, vom ersten Augenblick an ständig mehr, sie fühlt sich mit ihrer Verzweiflung am falschen Ort, hier geht es redlich und nach bestem Glauben zu. Sie stellt sich die Frage, was sie tun würde, wenn Jakob jetzt hereinkäme und ihr erzählte, daß der Transport mit ihren Eltern auf seinem Weg nach da und da den Erlösern begegnet sei. Und sie wagt keine Antwort, auch nicht auf die zweite Frage, ob sie sich über den wahren Grund ihres Kommens bis jetzt selbst belogen hat, für ausgeschlossen hält sie es nicht.

»Was ist?« fragt Lina. »Kommst du auch deswegen?«

»Nein«, sagt Rosa.

»Aber gehört hast du auch davon?«

»Wovon?«

»Daß alles bald anders wird?«

»Ja«, sagt Rosa.

»Warum freust du dich dann nicht?«

Rosa setzt sich aufrechter, erreicht ist die Schwelle, an der man entweder umkehrt oder die Wahrheit sagt, aber was ist die Wahrheit, außer ihren Bedenken. Sie sagt: »Weil ich nicht daran glaube.«

»Du glaubst nicht, was Onkel Jakob erzählt?« fragt Lina, in einem Ton, als hätte sie nicht ganz richtig gehört.

»Nein.«

»Du meinst, er schwindelt?«

Rosa gefällt das Wort, in diesem Zusammenhang muß man erst darauf kommen, sie hätte Lust, sich mit dem netten Mädchen über nette Dinge zu unterhalten. Auf keinen Fall mehr in der eingeschlagenen Richtung fortzufahren, wie konnte sie das tun, mit einem Kind. Ohne Angabe von beweiskräftigen Gründen ist sie plötzlich überzeugt, daß sie einen Fehler begangen hat, der hoffentlich ohne Folgen bleibt. Sie kann nicht einfach mir nichts, dir nichts aufstehen und gehen, Rosa sitzt verloren und wartet, nun nicht mehr auf Jakob, nun auf eine unverfängliche Gelegenheit, den als falsch erkannten Besuch zu beenden. Aber die rückt in immer weitere Ferne, Lina ereifert sich nach der Schrecksekunde so sehr, daß einem angst werden kann. Denn ihr Onkel ist alles andere, nur kein Lügner, das hätte Rosa nicht gesagt, doch, genau das hat sie gesagt, wie kann man nur solche Dinge behaupten? Wo sie doch selbst auf seinem Radio gehört hat, daß die Russen bald hier sein werden, mit ihren eigenen Ohren, was sagst du jetzt? Ein Mann mit einer ganz tiefen Stimme hat es einem anderen Mann erzählt, seinen Namen weiß sie nicht mehr, aber an die Stimme erinnert sie sich genau, wortwörtlich hat er gesagt, daß der Schlamassel bald zu Ende sein wird, höchstens noch ein paar Wochen. Ob der vielleicht auch geschwindelt hätte, wie Rosa überhaupt darauf käme, ihrem Onkel die Unwahrheit zu unterstellen, sie soll nur auf ihn warten, der wird ihr schon die richtige Antwort geben.

Bevor noch alles ausgesprochen ist, empört und in fliegenden Sätzen, unterbricht sich Lina und starrt an Rosa vorbei, erschrocken, Rosa wendet den Kopf zur Tür. Da steht Jakob, mit steinernem Gesicht, wie es heißt, man hat keinen Luftzug gespürt.

Rosa erhebt sich, wieviel er gehört haben mag oder wie wenig, sie kommt sich durchschaut vor, seine Augen blikken so bestürzt. Sie geht mit gesenktem Kopf zur Tür, keine Gelegenheit für einen gefälligen Abgang wird sich mehr finden, sie hat etwas angerichtet. Jakob tritt für sie einen halben Schritt zur Seite, aber noch einmal den Weg zurück zum Stuhl, denn die Aktentasche liegt vergessen auf der Erde. Den ganzen langen Korridor wagt Rosa nicht, sich umzudrehen. An der Treppe tut sie es doch, Jakob steht noch unbeweglich und schaut ihr nach, gleich wird ihm die Kleine erzählen, was er sicher schon weiß.

Bleiben wir bei Rosa, sie kommt auf die Straße, in der beginnenden Dämmerung, dort wartet die nächste Unannehmlichkeit. Auf den ersten Blick wilde Aufregung, die Juden flüchten in die Hausflure, wieder einmal, zuerst erkennt Rosa nicht wovor. Dann sieht sie ein Auto sich nähern, einen dunkelgrünen kleinen Lastwagen, auf dem Trittbrett steht ein Uniformierter. Rosa rennt die wenigen Meter zurück in Jakobs Haus, von der Panik angesteckt und ohne zu überlegen, sie lehnt sich an die Wand und hält die Augen geschlossen. Sie öffnet sie, als sie eilige Schritte vernimmt, ein alter Mann stellt sich keuchend neben sie, auch von der Straße.

»Was wollen die, Mädchen?« fragt er.

Rosa zuckt mit den Schultern, gleich wird der Wagen vorüberfahren und vergessen werden, die Szene mit Mischa wartet schon. Der Mann vermutet, daß es sich um eine Angelegenheit von allerhöchster Stelle handelt, sonst würden sie zu Fuß kommen, wie man es alle paar Tage hört. Zu beider Entsetzen kreischen Bremsen, der ängstliche Alte umklammert Rosas Arm, daß es ihr weh tut.

Zwei in Uniform kommen ausgerechnet in ihren Hausflur, Lederriemen unter dem Kinn, der Alte läßt und läßt Rosas Arm nicht los. Draußen läuft noch der Motor, die Deutschen wähnen sich zuerst alleine in dem Halbdunkel, als sie schon fast an der Treppe sind, sagt einer von ihnen: »Sieh mal!«

Sie wenden sich den beiden Gestalten an der Wand zu, Rosa scheint sie mehr zu interessieren als der Mann, aber vielleicht bildet sie sich das nur ein. Sie kommen einige Schritte näher, da winkt der eine ab und sagt: »Nee, nee.«

Der andere sagt: »Macht euch weg hier.«

Dann gehen sie die Treppe hinauf, ihre lauten Stiefel schrecken das ganze Haus auf. Man hört eine Tür schlagen, erregte Stimmen von überall her und durcheinander, wo Ruhe viel angebrachter wäre, ein Kind weint.

»Komm!« flüstert der Alte.

Rosa läuft hinter ihm her, in der Tür verhält er zögernd, weil er sich vor dem Wagen fürchtet, aber an dem müssen sie vorbei, wenn sie die Aufforderung des Deutschen befolgen wollen.

»Na los, gehen Sie schon«, sagt Rosa.

Sie hasten gerade über den Damm, auf das gegenüberliegende Haus zu, von drinnen wird schon die Tür für sie geöffnet. Der Alte setzt sich erschöpft auf die unterste Treppenstufe, er stöhnt, als wäre er um den ganzen Häuserblock gelaufen und reibt sich die Herzgegend. Rosa sieht außer ihm noch drei Männer und eine Frau im Flur, in dem es noch dunkler ist als im anderen, sie kennt niemanden. Sie schaut zur Tür, die ist aus Blech, ein vierter Mann steht am Schlüsselloch, ein ziemlich junger, und berichtet für alle.

»Noch nichts«, sagt er.

»Wen suchen die denn da drin?« fragt die Frau den Alten.

»Weiß ich«, sagt der Alte und hört nicht auf, sich das Herz zu reiben.

»Wohnt da jemand Besonderes?« fragt ein Glatzkopf.

Er bekommt vorerst keine Antwort, alle sind auf dem Heimweg von der Arbeit und fremd in dieser Straße, bis Rosa leise sagt: »Sie holen Jakob Heym.«

Wer ist Jakob Heym, was für ein Jakob Heym, der Späher am Schlüsselloch richtet sich auf und fragt: »Jakob Heym? Ist das der mit dem Radio?«

»Ja.«

»Schöne Geschichte«, sagt er, Rosa findet, ohne großes Mitgefühl: »Es mußte ja mal rauskommen.«

Da wird der Alte auf den Stufen wütend, was Rosa verwundert, er schien nur mit seiner Angst und seinem Herzen beschäftigt, jetzt schwellen ihm die Adern. »Warum mußte es rauskommen, du Grünschnabel? He, warum? Ich kann dir sagen, warum es rausgekommen ist. Weil es irgendein Lump verraten hat! Darum! Oder denkst du von alleine?«

Der Grünschnabel läßt die Zurechtweisung verlegen und ohne Widerspruch über sich ergehen, er beugt sich wieder zum Schlüsselloch und sagt nach kurzer Pause: »Immer noch nichts.«

Der Alte winkt Rosa mit einer Kopfbewegung zu sich und rückt, als sie vor ihm steht, ein Stück zur Seite. Also setzt sie sich neben ihn.

»Kennst du ihn?« fragt er.

»Wen?«

»Diesen Jakob Heym?«

»Nein.«

»Woher weißt du dann, daß er da wohnt?«

»Von Bekannten«, sagt Rosa.

»Sie sind immer noch drin«, berichtet der Grünschnabel.

Der Alte schweigt für Sekunden nachdenklich, dann sagt er zur Tür hin: »Wenn sie ihn bringen, sag mir Bescheid. Ich möchte wissen, wie er aussieht.«

Rosa kommt das im Moment ein wenig geschmacklos vor, später nicht mehr.

»Er hat viel riskiert«, sagt der Alte bewundernd, jetzt wieder zu Rosa, die nickt. Und sich fragt, was sie Mischa nur erzählen wird, über den Besuch in ihrer Wohnung soll er ausgiebig schimpfen, den kann sie nicht verschweigen, auch wenn sie es wollte, die Aktentasche und die Lebensmittelkarte würden ihn ohne eigenes Geständnis verraten. Aber Jakob möchte sie lieber nicht erwähnen, damit wagt sie sich Mischa nicht unter die Augen, jetzt schon gar nicht mehr. Und wie bitter es ist, die Begegnung mit Jakob kann sie ohne Gefahr verschweigen, Jakob wird gehindert sein, sie bei Mischa Lügen zu strafen.

»Vielleicht ist er gar nicht zu Hause«, sagt der Alte.

»Er ist zu Hause«, sagt Rosa gedankenlos.

Der Alte sieht sie verwundert an, die Frage schon im Blick, aber er kommt nicht dazu, sie auszusprechen, denn der Grünschnabel ruft von der Tür: »Ihr habt euch geirrt. Sie bringen eine Frau heraus!«

Gönnen wir uns eine freiere Sicht, begeben wir uns auf die Straße, die abgeführte Frau ist Elisa Kirschbaum. Sie muß für die Unfähigkeit ihres Bruders bezahlen, dafür, daß er es entgegen den Erwartungen nicht vermochte, den Sturmbannführer zu heilen, spät genug ist es ihnen eingefallen. Schon vor geraumer Zeit hatte man im Haus eine solche Entwicklung der Dinge befürchtet, man kann ja zwei und zwei zusammenzählen, irgend jemand hatte das bis dahin für uns unbekannte Wort ⌈Sippenhaft⌉ ins Gespräch geworfen. Jakob ist gleich am Abend des Tages, an dem die Bahnhofsflagge auf halbem Mast wehte, zu Elisa Kirschbaum gegangen. Er hat ihr zu bedenken gegeben, ob es nicht besser wäre, wenn sie sich bei Freunden, die sie doch sicher hätte, versteckt hielte, wenigstens für einige Zeit, bis man absehen könnte, ob die drohenden Repressalien auch tatsächlich eintreten würden. Denn wie schmerzlich es auch sei, für ihren Bruder mußte man das Schlimmste annehmen, und wenn das Wunder geschähe, wenn er trotz allem unversehrt zurückkehren sollte, erklärte er sich bereit, ihr sofort Nachricht zu geben. Aber sie wollte nichts von alldem wissen, sie hat Jakob gesagt: »Das ist sehr freundlich von Ihnen, verehrter Herr Heym. Aber lassen Sie das bitte meine Sorge sein.« Als hätte sie noch einen Trumpf in der Hand, von dem niemand etwas ahnte.

Jetzt geht sie vor den beiden Deutschen her, eilig, damit keine Handhabe gegeben ist, sie zu stoßen oder zu berühren. Und auch eilig, wie Jakob hinter dem Fenster vermutet, um der Straße, die trotz der scheinbaren Öde voller verborgener Augen steckt, kein großes Schauspiel zu bieten. Der Aufwand an geballter Kraft, die die zwei hinter ihr ausstrahlen, wirkt übertrieben groß für eine so zierliche Arrestantin, Elisa Kirschbaum bleibt hinter dem Wagen stehen, ohne sich nach ihren Begleitern umzublicken. Einer öffnet die Wagenklappe, an ihrer Innenseite ist ein kleines Fußbrett, sie will hinaufsteigen. Da fährt der Wagen an, Elisa Kirschbaum tritt ins Leere und fällt auf den Damm. Der Wagen wendet bloß, um auf der anderen Straßenseite zu halten, der Fahrer steckt schon vorher den Kopf aus dem Fenster. Jakobs Standpunkt ist so weit entfernt, daß er die Gesichter der Beteiligten nicht erkennen kann, Näherwohnende erzählen später, die Deutschen hätten gegrinst, als handelte es sich um einen oft erprobten Spaß. Elisa Kirschbaum erhebt sich sofort, mit einer Behendigkeit, die verwundert, sie steht wieder bereit, bevor der Wagen mit dem Wenden fertig ist. Er muß zwei Anläufe nehmen. Dann steigt sie hinauf, es ist ziemlich hoch für sie, trotz aller Bemühungen erhält sie einen Stoß. Die beiden klettern auch nach hinten, die Klappe wird hochgezogen, Elisa Kirschbaum ist hinter der dunkelgrünen Plane endgültig verschwunden. Der Wagen fährt davon, nach einer Sicherheitsfrist öffnen sich viele Haustüren. Und die schmalen Bürgersteige füllen sich allmählich wieder mit schweigenden und debattierenden Leuten, von denen die meisten auf dem Heimweg von der Arbeit sind, wie man weiß, und fremd in dieser Straße.

Die Rote Armee steht indessen, laut Radio, unmittelbar vor der Kreisstadt Pry. Pry ist nicht mit Bezanika zu vergleichen, Pry kann sich jeder vorstellen, bei Pry muß man nicht erst fragen, wo liegt das überhaupt. Pry ist exakt hundertsechsundvierzig Kilometer von uns entfernt, die meisten Ortsansässigen kennen das Städtchen von gelegentlichen Besuchen. Wenige haben sogar dort gewohnt und sind nach Kriegsausbruch hierher geschafft worden, denn Pry besitzt auf Grund seiner glücklichen Bevölkerungsstruktur kein eigenes Ghetto.

Die Position der Russen wird zum Gegenstand eines Wortwechsels, Kowalski hat mit einem seiner drei Zimmergenossen, deren Namen mir unbekannt sind, einen Streit. Nun ist es, wie der verträgliche Jakob und ich mit ihm zur Genüge wissen, die leichteste Sache von der Welt, anderer Meinung zu sein als Kowalski, aber in diesem besonderen Fall ist man geneigt, ihm recht zu geben. Es geht um keine Kleinigkeit, es geht darum, daß dieser eine, nennen wir ihn der Einfachheit halber Abraham, daß also Abraham behauptet, die Russen wären schon durch Pry hindurch, auf dem Weg nach Mieloworno. In seiner Fabrik, nehmen wir an der Ziegelbrennerei, hat es einer erzählt, Kowalski dagegen schwört Stein und Bein, sie sind noch nicht einmal in Pry. Aber Abraham sieht absolut keinen Grund, Kowalski mehr zu glauben als seinem Kollegen.

»Wer arbeitet auf dem Bahnhof?« fragt Kowalski erbost. »Du oder ich? Wer hört alles aus erster Hand? Du oder ich?«

Für Abraham ist das kein gültiger Beweis, vor allem wohl nicht, weil seine Version viel angenehmer klingt als die Kowalskis, jeder Mensch kann sich einmal irren, sagt er. Auch den logischen Einwand, daß alles, was dieser mysteriöse

Kollege in der Ziegelbrennerei angeblich wissen will, auf irgendeine Art von Jakob stammen muß, läßt er nicht gelten. »Oder gibt es vielleicht ein zweites Radio?«

»Was weiß ich«, sagt Abraham.

Kowalski könnte es gleich sein, soll Abraham denken, was er will, soll er auf plumpe Gerüchte hereinfallen wie ein gläubiges Kind, aber irgendwie fühlt er sich für die Wahrheit mitverantwortlich. Denn das Radio ist gewissermaßen auch sein Radio, uralte Freundschaft mit Jakob, die bis auf den Tag nicht abgerissen ist, um ein Haar hätte er es sogar in die eigene Wohnung bekommen, bei der Stromsperre damals. Also erklärt er mit geduldiger Zunge den langen Weg, den jede Nachricht von Jakobs Mund bis zu der Fabrik zurücklegen muß, über wie viele Leute, welchen Gefahren sie auf diesem Weg ausgesetzt ist, Gefahren der Verstümmelung und der Beschönigung. Wie jeder eigenes hinzutut, aus dem Guten Besseres macht, und die Nachricht kommt schließlich, wie sich herausstellt, in einem Aufzug an, daß sie ihr eigener Vater nicht wiedererkennt.

»Jedenfalls sind die Russen unterwegs nach Mieloworno«, sagt Abraham beharrlich. »Vielleicht hast du dich verhört, oder er hat sich verhört. Frage ihn morgen lieber noch mal.«

Kowalski fragt Jakob nicht morgen, die Vorwände für ein gemächliches Plauderstündchen mit Jakob sind selten genug, Kowalski geht sofort zu Jakob.

Er findet ihn in denkbar schlechter Verfassung, matt, gleichgültig, wortkarg, vor einer halben Stunde haben sie Elisa Kirschbaum abgeholt.

»Störe ich?« fragt Kowalski und zaubert ein Lächeln, das ihm gleich nach dem ersten forschenden Blick in Jakobs Gesicht verfehlt vorkommt.

»Du bist es«, sagt Jakob. Er schließt hinter Kowalski die Tür und legt sich angezogen auf das Bett, wo er allem Anschein nach schon gelegen hat, bevor es klopfte. Er ver-

schränkt die Hände unter dem Kopf und starrt zur Decke,
Kowalski wundert sich, was mit ihm plötzlich los ist, vorhin, als sie vom Bahnhof gekommen sind, hat er noch einen
ganz vergnügten Eindruck gemacht, wenn man in den letzten Jahren überhaupt von vergnügt sprechen darf.
»Ist was passiert?« fragt Kowalski.
Passiert oder nicht passiert, Jakob spürt eine bislang unbekannte Schwäche, erschreckend plötzlich, als er vorhin
vom Dachboden herunterkam, wohin er Lina begleitet hatte, mußte er sich am Geländer festhalten. Er hat versucht,
sich den neuen Zustand mit dem endlosen Hunger zu erklären, aber damit war nur das Zittern der Knie ergründet,
kaum die Herkunft der anderen Schwäche, der ebenso quä-
lenden, der Mutlosigkeit. Ihr forscht er nun nach, zur Dek-
ke starrend, und versucht dabei, sie sich auszureden, sie
kleiner zu machen als sie tatsächlich ist, so dick und ge-
wichtig. Der Vorfall mit Elisa Kirschbaum war sicher nur
ein kleiner Baustein, er hat Jakob ohne Frage mitgenommen, aber es wäre übertrieben zu sagen, er ist das Erlebnis
gewesen, das Jakob von einer Minute auf die andere den
Mut nahm. Schwerer wog schon der Besuch Rosas, sich
anhören zu müssen, wie Lina ihn mit Lügen verteidigt hat,
mit seinen eigenen Waffen, wenn man auch diesem Besuch
nicht die Hauptschuld an Jakobs schwindenden Kräften
geben sollte. Es kommt von überallher ein bißchen zusammen, am meisten wohl, wenn man sich ganz einfach die
Lage um einen herum ansieht. Immer öfter nimmt dich
einer zur Seite und sagt dir, Jakob, Jakob, ich glaube an
kein gutes Ende mehr, und wenn du den einen mit ganz
frisch eingetroffenen Meldungen notdürftig getröstet hast,
stehen schon sechs andere da und wollen dir dasselbe sagen. Die Russen bedrängen, laut Radio, Pry, Gott allein
weiß, wen sie in Wahrheit bedrängen, oder wer sie be-
drängt. Laut Radio müßte man bald das erste Geschütz-
feuer in der Ferne sehen, man sieht Tag für Tag das gleiche

Bild, diese widerliche Trostlosigkeit. Allmählich mußt du Rückzugsgefechte ins Auge fassen, denn du hast dich beim Vormarsch zu einem Tempo hinreißen lassen, das der Wirklichkeit leider nicht standhält.

Und Kowalski steht unnütz herum und wartet vergeblich auf einen einladenden Blick.

»Soll ich vielleicht wieder gehen?« fragt er nach angemessener Frist und setzt sich.

Jakob erinnert sich an seinen Gast, er läßt die Decke in Ruhe und sagt: »Entschuldige, ich fühle mich nicht besonders.«

»Ist was gewesen?«

»Ja und nein«, sagt Jakob. »Vorhin haben sie Kirschbaums Schwester geholt. Aber abgesehen davon, man wird langsam alt.«

»Kirschbaums Schwester? Jetzt noch?«

»Stell dir vor.«

Jakob steht auf, in seinen Ohren lärmen verdächtige Signale, kombiniert mit Schwindel und Übelkeit, fehlt bloß noch, daß er ernsthaft krank wird. Er hört aus ziemlicher Ferne, wie Kowalski sagt: »Was ist mit dir?«

Er setzt sich schnell an den Tisch, zum Glück wird es besser, ihm kommt Lina in den Sinn, und was aus ihr werden soll, und daß man lieber gesund bleibt. Und ein kleines Schildchen, als er Kowalski endlich ansieht, kommt ihm in den Sinn, ein weißes Schildchen mit der grünen Aufschrift: »Wegen Krankheit vorübergehend geschlossen«. Er hat es von Lajb Pachman mit übernommen, als er ihm die Diele abgekauft hat, es gehörte neben vielem anderen Zeug zum Inventar. Ein einziges Mal nur hat er es gebraucht, während all der zwanzig Jahre, die über Puffern, Eis und vergleichsweise kleinen Sorgen vergangen sind, hat das Schildchen nur ein einziges Mal in der Ladentür gehangen. Dabei war es nicht einmal eine richtige Krankheit, Jakob besaß eine Konstitution wie ein Pferd, er war, als er die verklemmte Jalousie reparieren wollte, von der Leiter gestürzt und hatte sich ein Bein gebrochen, da nützt die beste Gesundheit nichts. Lange vor Josefa Litwins Zeit war das, die hätte man gut zur Pflege brauchen können, gepflegt hat ihn eine verschrumpelte alte Hexe aus dem Hinterhaus. Gegen Bezahlung, versteht sich, weil man sonst keinen Menschen hatte. Aber was heißt gepflegt, sie hat den Tisch mit dem Essen so hingeschoben, daß man sich selber was nehmen konnte, von Zeit zu Zeit den Aschenbecher ausgeschüttet und das Zimmer gelüftet, das Bett am Morgen glattgestrichen, ansonsten gesagt: »Und wenn Ihr noch etwas braucht, Reb* Heym, dann ruft mich, ich lasse mein Fenster offen.« Ein paarmal hat Jakob es versucht, aber entweder hatte sie ihr Fenster doch geschlossen, oder sie war schwerhörig wie ein altes Maultier. Und jeden zweiten oder dritten Abend ist Kowalski vorbeigekommen, mit einem kleinen Fläschchen, hat einen bedauert, wie man mit dem geschienten Bein vor ihm lag und sich nicht rühren konnte. Hat dagesessen, bis die Flasche leer war, große Unterhalter sind sie beide nicht gewesen, Jakob hat Gott gedankt, daß der Bruch ohne Komplikationen verheilt ist. Ein paar Tage mehr und die Langeweile hätte ihn noch getötet. Und kurze Zeit darauf hat er das unschuldige Schildchen in den Ofen gesteckt, hat seine grimmige Freude daran gehabt, wie es in den Flammen spurlos vergangen ist, die Drohung hat so nachhaltig gewirkt, daß er bis auf den Tag von jeder Bettlägerigkeit verschont blieb.

»Soll ich nicht doch lieber gehen?« fragt Kowalski dazwischen, am Ende seiner Geduld.

»Bleib«, sagt Jakob.

Kowalski sieht ihn fragend an, es kommt ihm vor, als hätte Jakob die Absicht, ihm etwas mitzuteilen, und kaum etwas Gutes, wenn man die verflossenen Minuten mit der schleppenden Einleitung bedenkt. Dabei war ein völlig harmloser Besuch geplant, denn unterwegs hatte er beschlossen, sich

Abkürzung von »Rebbe«, geachtete Person

gar nicht erst wegen Pry zu vergewissern, da war jeder Irrtum ausgeschlossen, dieser Abraham mußte einem Wichtigtuer ins Garn gegangen sein. Er wollte ganz einfach vorbeikommen und guten Abend sagen und ein bißchen von früher und von später reden, mit wem sonst, wenn nicht mit dem einzigen alten Freund, kommt er nicht zu dir, kommst du eben zu ihm.

»Was meinst du, Kowalski, wieviel ein Mensch aushalten kann?« fragte Jakob endlich.

Also philosophieren will er, muß Kowalski denken, er wartet auf Erläuterung der Frage, auf Präzisierung nach irgendeiner Richtung hin, aber Jakob scheint sie ganz allgemein gestellt zu haben. Er sagt: »Na, was meinst du?«

»Wenn du mich so fragst«, sagt Kowalski, »viel. Blödsinnig viel.«

»Aber es gibt Grenzen.«

»Sicher . . .«

»Es tut mir leid«, sagt Jakob, »bei mir ist die Grenze jetzt erreicht. Vielleicht wäre ein anderer weitergekommen, ich kann nicht mehr.«

»Was kannst du nicht mehr?«

»Ich kann nicht mehr«, sagt Jakob.

Kowalski läßt ihm Zeit, er weiß nicht, daß Jakob die bedingungslose Kapitulation vorbereitet, das schlimmste aller Eingeständnisse. Er sieht nur sein knochiges Gesicht, auf die Hände gestützt, vielleicht etwas bleicher als sonst, womöglich etwas müder, aber doch das Gesicht desselben Jakob, den man kennt wie keinen zweiten. Beunruhigt ist er, weil solche Anfälle von Trübsinnigkeit bei Jakob vollkommen ungewohnt sind, mürrisch und zänkisch ist er von Zeit zu Zeit, aber das ist ein Unterschied. Wehklagend kennt man ihn nicht, wehklagen alle anderen, Jakob war so etwas Ähnliches wie ein Seelentröster. Man ist, ob bewußt oder unbewußt, nicht selten zu ihm gegangen, um sich die eigenen Schwachheiten austreiben zu lassen. Schon vor der

Radiozeit, eigentlich sogar schon vor der Ghettozeit. Wenn ein besonders beschissener Tag vorüber war, wenn man von früh bis spät hinter der Schaufensterscheibe gestanden hat und vergeblich Ausschau nach Kunden gehalten, oder irgendeine Riesenrechnung ist gekommen, und es wollte einem im Traum nicht einfallen, aus welcher Tasche man sie bezahlen sollte, wohin ist man dann am Abend gegangen? In seine Diele, aber nicht, weil bei ihm der Schnaps besonders gut geschmeckt hätte. Es war derselbe wie überall, dazu noch verboten, da ohne Lizenz ausgeschenkt. Man ist hingegangen, weil die Welt nach solchem Besuch ein kleines bißchen rosiger ausgesehen hat, weil er eine Kleinigkeit überzeugender als andere »Kopf hoch« sagen konnte oder »es wird schon wieder werden« oder etwas in der Art. Vielleicht auch deswegen, weil er der einzige im dünn gesäten Bekanntenkreis war, der sich überhaupt die Mühe gegeben hat, einem so etwas zu sagen. Kowalski läßt ihm Zeit.

Da fängt Jakob zu reden an, dem Schein nach zu Kowalski, denn kein anderer ist im Zimmer, den Worten nach zu einem größeren Auditorium*, also einfach vor sich hin in die Luft, mit Wehmut in der leisen Stimme und mit dieser nie gehörten Resignation, die letzte einer verschwenderischen Vielzahl von Meldungen an alle. Daß sie ihm, wenn es ihre schwachen Kräfte erlauben, nicht böse sein sollen, er hat nämlich gar kein Radio, er hat nie eins besessen. Er weiß auch nicht, wo die Russen sind, vielleicht kommen sie morgen, vielleicht kommen sie nie, sie stehen in Pry oder in Tobolin oder in Kiew oder in Poltawa oder noch viel weiter entfernt, vielleicht sind sie inzwischen sogar vernichtend geschlagen, nicht einmal das weiß er. Das einzige, was er mit Gewißheit sagen kann, sie haben vor so und so langer Zeit um Bezanika gekämpft, woher die Gewißheit, das ist eine ganze Geschichte für sich, die interessiert heute keinen Menschen mehr, jedenfalls ist es die Wahrheit. Und daß er

Zuhörerschaft

sich wohl vorstellen kann, wie bestürzend dieses Geständnis in ihren Ohren klingen muß, darum noch einmal die Bitte um Nachsicht, er wollte nur das Beste, aber seine Pläne haben sich zerschlagen.

Dann ist es lange still im Zimmer, ein König hat gewissermaßen abgedankt. Jakob versucht vergeblich, in Kowalskis Gesicht Bewegung zu entdecken, der sieht durch ihn hindurch und sitzt wie eine Salzsäule. Natürlich fallen Jakob, kaum ist das letzte Wort verklungen, Gewissensbisse an, nicht wegen der Mitteilung selbst, die war notgedrungen fällig und duldete keinen Aufschub. Aber ob man sie schonender hätte vortragen können, eventuell in einen Rückzug der Russen eingebettet, die ganze Last nicht mit einemmal auf andere Schultern abwälzen, die auch nicht breiter sind als die eigenen. Ob Kowalski unbedingt der richtige Mann war, in dessen Gegenwart der Schlußstrich gezogen werden mußte, gerade Kowalski. Wenn er es von einem Fremden gehört hätte, von einem Jakob nicht so Nahestehenden, sicher hätte er an einen Irrtum geglaubt oder an gehässige Verleumdung, nach einer Nacht voller Zweifel hätte er dir gesagt: »Weißt du, was sich die Idioten erzählen? Daß du kein Radio hast!« – »Das stimmt«, wäre dann die Antwort gewesen, sie hätte ihn auch getroffen, aber vielleicht nicht so sehr, weil er in der Nacht zuvor diese Möglichkeit zumindest erwogen hätte. Und es wäre auch irgendwie einzurichten gewesen, genau so, Kowalskis Pech, daß er ausgerechnet an diesem Abend gekommen ist.

»Du sagst nichts?« sagt Jakob.

»Was soll ich sagen.«

Aus unergründlichen Tiefen fördert Kowalski sein Lächeln, ohne dieses Lächeln wäre er nicht Kowalski, sieht Jakob auch wieder an, mit Augen zwar, die weniger lächeln als der Mund, aber dennoch nicht vom Ende aller Hoffnung künden, eher pfiffig blicken, als sähen sie, wie immer, so auch diesmal hinter die Dinge.

»Was soll ich sagen, Jakob? Ich verstehe dich schon, ich verstehe dich sehr gut. Weißt du, ich bin so ziemlich das Gegenteil von einem ⌜Husaren⌝, du kennst mich lange genug. Wenn ich hier ein Radio gehabt hätte, von mir hätte wahrscheinlich kein Mensch ein Wort erfahren. Oder noch wahrscheinlicher, ich hätte es aus Angst einfach verbrannt, ich mache mir da gar nichts vor. Ein ganzes Ghetto mit Nachrichten zu beliefern! So weit wäre ich nie gegangen, weiß man, wer mithört? Wenn ich irgendwann im Leben jemand verstanden habe, dann dich jetzt.«

Solchen Flug der Gedanken konnte Jakob nicht erwarten, der durchtriebene Kowalski hat sich selbst übertroffen, hat seine Berechnungen sogar da angestellt, wo es nichts zu rechnen gab. Wie willst du ihn überzeugen, daß du wenigstens jetzt die Wahrheit sagst, du kannst ihm höchstens anbieten, alle Winkel in Stube und Keller zu durchstöbern. Doch mit nach außen gekehrten Handflächen beteuern: »Wann habe ich dich je belogen?«, das kannst du nun nicht mehr. Und wenn du ihn tatsächlich aufforderst zu suchen, alle Radios, die du bei mir findest, Kowalski, gehören dir, er wird dir wissend zublinkern und etwas Ähnliches entgegnen wie: »Lassen wir doch die Späße, Jakob, wozu kennt man sich vierzig Jahre?« Er wird dir zu verstehen geben, daß jedes Versteckspiel überflüssig ist, Unmögliches läßt sich durch nichts beweisen, Jakob sagt erschrocken: »Du glaubst mir nicht?«

»Glauben, nicht glauben, was heißt das schon«, sagt Kowalski, leise und abwesender als erwartet, in einem ähnlichen Tonfall wie Jakob eben, bei seiner kleinen Rede an alle. Weiter sagt er nichts, vorerst, er klopft mit den Fingern ein getragenes Motiv auf den Tisch und hält den Kopf weit zurückgelehnt, in verborgene Gedanken vertieft.

Jakob erwägt weitere Rechtfertigungen, er legt Wert darauf, daß seine Verurteilung glimpflich ausfällt, dazu muß man seine Gründe für das Unternehmen kennen und auch die Gründe für den plötzlichen Abbruch. Aber über die ist er sich selbst noch nicht im klaren, deswegen, und weil er begreift, daß es bei alldem nicht nur um ihn geht, auch um Kowalski, schweigt er und hebt sich die Bitte um mildernde Umstände für einen späteren Zeitpunkt auf.

Dann folgt die ernüchternde Überlegung, daß es überhaupt nicht um ihn geht, kein Mensch im Ghetto ist unwichtiger als er, ohne Radio. Von Bedeutung sind nur seine Abnehmer, Kowalski neben vielen anderen. Und die pfeifen auf noch so plausibel klingende Rechtfertigungen, die haben andere Sorgen, und nicht eben kleine, die wollen zum Beispiel wissen, wie es nach Pry nun weitergeht.

Kowalski beendet Geklopfe und Gegrübel, er steht auf, legt Jakob die freundschaftliche Hand auf die Schulter. Er sagt: »Keine Angst, Alter, vor mir bist du sicher. Ich werde dich nicht mehr fragen.«

Er geht zur Tür, das Lächeln von neuem belebend, bevor er sie öffnet, dreht er sich noch einmal um, zwinkert tatsächlich, mit beiden Augen.

»Und ich bin dir nicht böse.«

Und geht.

Am nächsten Morgen, nach der schlaflosesten Nacht seit langem, ist Jakob auf dem Weg zur Arbeit. Er hat, ehe er auf die Straße trat, Kirschbaums Türklinke verstohlen niedergedrückt, warum auch immer, doch die Tür war verschlossen. Der Nachbar Horowitz hat ihn am nichtssagenden Schlüsselloch ertappt und gefragt: »Suchen Sie was Bestimmtes?«

Natürlich suchte Jakob nichts Bestimmtes, nur so, menschliche Neugier, er hat sich Horowitz flüchtig erklärt und ist gegangen. Dann war da der bunte Fleck vor dem Haus, auf der Fahrbahn, wo gestern der kleine deutsche Lastwagen gestanden hatte. Ein paar Tropfen Öl waren ihm entfallen und prangten nun als dünne Fäden in allen möglichen Far-

ben auf dem versickernden Rest eines Stausees, den Siegfried und Rafael gemeinsam dort errichtet hatten, zuerst durch die Hosenbeine, dann, als ihre Quellen versiegt waren, mit Hilfe eines Wassereimers. Unmittelbar nach Elisa
5 Kirschbaums Abfahrt hatten sie sich an die Arbeit gemacht, denn solche Gelogenheit findet sich nicht alle Tage, bei dem Autoverkehr. Jakob stand noch mit der über die Ferkelei entrüsteten Lina hinter dem Fenster und beobachtete sie dabei.

10 Aber zurück auf den Weg, schon von weitem sieht Jakob eine größere Menschenansammlung, an einer Straßenecke, genau vor dem Haus, in dem Kowalski wohnt. Jakobs erster Gedanke, er vermutet Kowalski mitten in dem Haufen, der beste Freund ist bestimmt auf die Straße gekommen
15 und hat, wie es ihm angeboren ist, den Mund nicht halten können. Entweder ist er beim nächtlichen Klären doch noch zu der Überzeugung gelangt, daß man ihm die Wahrheit gesagt hat, oder, was bei Kowalski wahrscheinlicher ist, er glaubt weiterhin nicht, tut aber so nach außen hin,
20 denn wahre Freundschaft heißt zusammenhalten. Ist aus dem Haus getreten und hat im Handumdrehen die Juden mit der Hiobsbotschaft zu Tode erschreckt, weil er unbedingt der erste sein muß, ob in die Hölle oder ins Paradies, Kowalski immer vorneweg. Hat einem damit alle Rück-
25 zugswege abgeschnitten, die man nach langem Erwägen zwar nicht beschreiten wollte, aber was geht das Kowalski an?
Jakob bekommt Lust zurückzugehen, erzählt er, und einen kleinen Umweg zu machen, es wird auch so schon schwer
30 genug, auf dem Bahnhof werden sie ihn noch genug foltern. Das hier soll Kowalski alleine durchstehen, das ist seine Sache, das ist eine günstige Gelegenheit, sich nicht einzumischen. Da fällt Jakob, noch in einiger Entfernung von der Gruppe, auf, daß die Leute kaum reden, dabei
35 müßten sie aufgeregt sein nach der vermuteten Nachricht,

die meisten stehen stumm und betroffen, wie sich beim
Näherkommen erweist, einige schauen nach oben. Zu einem geöffneten Fenster, an dem auf den ersten Blick nichts
Absonderliches ist, einfach leer und offen. Jakob weiß
nicht genau, ob es sich um Kowalskis Fenster handelt oder
um eins daneben. Auf den zweiten Blick sieht er doch das
Besondere, ein kurzes Stück Schnur, am Fensterkreuz und
gerade fingerlang, darum so spät bemerkt.

Jakob stürzt durch den Auflauf in das Haus, er versucht
zwei Stufen auf einmal, aber nur die beiden ersten gelingen
ihm so, zum Glück wohnt Kowalski in der ersten Etage.
Die Tür steht offen wie das Fenster, es zieht also, die drei
Zimmernachbarn Kowalskis, von denen wir einen willkürlich auf den Namen Abraham getauft haben, sind nicht
mehr zu Hause. Nur Kowalski ist zu Hause, und zwei
Wildfremde im Zimmer, die ihn als erste der Vorüberge-
henden hängen sahen. Sie haben ihn abgeschnitten und auf
das Bett gelegt, jetzt stehen sie hilflos herum und wissen
nicht, was weiter zu tun wäre. Einer von ihnen fragt Jakob:
»Haben Sie ihn gekannt?«
»Was?« fragt Jakob vor dem Bett.
»Ob Sie ihn gekannt haben?«
»Ja«, sagt Jakob.

Als er sich nach einer Weile umdreht, ist er alleine, die Tür
haben sie zugemacht. Jakob geht zum Fenster und sieht auf
die Straße, nichts mehr von Menschenansammlung, nur
noch Passanten. Er will das Fenster schließen, aber es
klemmt, er muß vorher die doppelt verknotete Schnur vom
Rahmen lösen. Dann zieht er den Vorhang zu, das wenige
Licht macht ihm Kowalskis Gesicht erträglicher. Er rückt
einen Stuhl heran, auf das Bett möchte er sich nicht setzen,
er nimmt Platz für ungewisse Zeit. Ich sage ungewiß, denn
über die Länge seines Aufenthalts kann er später keine Angaben machen.

Der Anblick von Toten ist Jakob alles andere als ungewohnt, nicht selten muß man über irgendeinen die Füße heben, der verhungert auf dem Gehsteig liegt und vom Räumkommando noch nicht ausgemacht wurde. Aber Kowalski ist nicht irgendeiner, gütiger Gott, das ist er nicht, Kowalski ist Kowalski. Ein Geständnis hatte seinen Tod zur Folge, dazu noch eins, das er vorgab, nicht zu glauben, warum bist du Wahnsinniger nicht gestern abend geblieben? Wir hätten alles in Ruhe beredet und uns schon das bißchen Mut zum Weiterleben verschafft. Was haben wir uns nicht schon alles verschafft, reell oder unreell, wenn es gelingt, fragt keiner hinterher nach Art und Weise, warum mußtest du an deinem letzten Abend den Pokerspieler spielen? Wir hätten uns gegenseitig helfen können, aber nur du hast gewußt, wie es in uns beiden aussah, du hast dich vor deinem Freund Jakob Heym verborgen, du hast mir das falsche Gesicht gezeigt, und dabei hätten wir weiterleben können, Kowalski, an uns sollte es nicht liegen.

Von Beruf Friseur, hatte etwas Geld versteckt, wie man weiß, mit der Absicht, sich später zu verändern, wäre aber vermutlich weiterhin Friseur geblieben, war ausstaffiert mit dieser und jener fragwürdigen Eigenschaft, war mißtrauisch, verschroben, ungeschickt, geschwätzig, obergescheit, wenn man alles zusammenrechnet, im nachhinein, plötzlich liebenswert, hat Jakob einmal aus einer schrecklichen Lage befreit, aus einem deutschen Klosett, legte sich aus Werbegründen den »Völkischen Landboten« zu, konnte zeitweilig sieben große Kartoffelpuffer hintereinander essen, vertrug aber kein Eis, borgte lieber als er zurückgab, wollte berechnend wirken, war es aber so gar nicht, bis auf einmal.

Wie nicht anders zu erwarten, in Jakobs Kopf überstürzen sich die Selbstvorwürfe, er hätte Kowalski auf dem Gewissen, er mit seiner kleinlichen Müdigkeit wäre schuld daran, daß Kowalski zum Strick griff, was man einmal anfängt, muß man auch durchhalten, man muß seine Kräfte vorher einschätzen. Ich habe Jakob unterbrochen, ich habe ihm an dieser Stelle gesagt: »Du redest Unsinn. Du hast deine Kräfte nicht überschätzt, denn du konntest nicht wissen, daß es so lange dauert.« Und ich habe ihm gesagt: »Nicht du bist schuld an Kowalskis Tod, sondern er hatte es dir zu verdanken, daß er bis zu diesem Tag gelebt hat.« – »Ja, ja«, hat mir Jakob geantwortet, »aber das hilft alles nichts.«

Schließlich steht Jakob auf. Er zieht den Vorhang wieder zur Seite, läßt auch, als er geht, die Tür weit offen, damit einer der Nachbarn, wenn er von der Arbeit kommt, den Vorfall bemerkt und das Nötige in die Wege leitet. Für den Bahnhof ist es längst zu spät, man kann dem Posten am Tor schlecht sagen, man wäre unterwegs aufgehalten worden, das Mittagessen fällt unabänderlich aus. Jakob geht nach Hause, mit der einzigen Hoffnung, daß Kowalski seine Gründe für sich behalten hat, daß er ausnahmsweise einmal verschwiegen gewesen ist. Denn Jakob hat wieder sein Radio gefunden.

Jakob kann tausendmal wiederfinden, berichten, Schlachten ersinnen und in Umlauf setzen, eins kann er nicht verhindern, zuverlässig nähert sich die Geschichte ihrem nichtswürdigen Ende. Das heißt, sie hat zwei Enden, im Grunde natürlich nur eins, das von Jakob und uns allen erlebte, aber für mich hat sie noch ein anderes. Bei aller Bescheidenheit, ich weiß ein Ende, bei dem man blaß werden könnte vor Neid, nicht eben glücklich, ein wenig auf Kosten Jakobs, dennoch unvergleichlich gelungener als das wirkliche Ende, ich habe es mir in Jahren zusammengezimmert. Ich habe mir gesagt, eigentlich jammerschade um eine so schöne Geschichte, daß sie so armselig im Sande verläuft, erfinde ihr ein Ende, mit dem man halbwegs zufrieden sein kann, eins mit Hand und Fuß, ein ordentliches Ende läßt manche Schwäche vergessen. Außerdem haben sie alle ein besseres Ende verdient, nicht nur Jakob, das wird deine Rechtfertigung sein, falls du eine brauchst, habe ich mir gesagt und mir also Mühe gegeben, wie ich meine mit Erfolg. Aber dann sind mir doch starke Bedenken gekommen betreffs der Wahrhaftigkeit, es klang im Vergleich einfach zu schön, ich habe mich gefragt, ob es gutgehen kann, wenn man irgendeinem traurigen Tier aus Liebe den prächtigen Schwanz eines Pfauen anhängt. Ob man es dann nicht verunstaltet, dann fand ich doch, daß der Vergleich hinkte, aber einig geworden bin ich mir nie. Und jetzt stehe ich da mit den zwei Enden und weiß nicht, welches ich erzählen soll, meins oder das häßliche. Bis mir einfällt, alle beide loszuwerden, nicht etwa aus fehlender Entscheidungsfreudigkeit, sondern ich denke nur, daß wir auf diese Art beide zu unserem Recht kommen. Die von mir unabhängige Geschichte einerseits, und andererseits ich mit meiner Mühe, die ich mir nicht umsonst gemacht haben möchte.

Also zuerst ein Ende, das sich nie ergeben hat.

Kowalski darf Auferstehung feiern, Fensterkreuz und Schnur werden von ihm keines Blickes gewürdigt, denn Jakob verzichtet auf das Geständnis. Sie unterhalten sich an dem bewußten Abend über belangloses Zeug, obwohl Jakob der Sinn nach anderem steht, aber Kowalski braucht davon nichts zu merken. Später erst, als er wieder alleine ist, wird Jakob sich klar, daß es seine schwindenden Kräfte übersteigt, mit den Radiolügen fortzufahren, dazu noch auf ungewisse Zeit. Dennoch soll der wahre Sachverhalt nicht nach außen dringen, Jakob malt sich aus, welche Folgen das hätte, zum Beispiel könnte er befürchten, daß dann die Reihe von Selbstmorden, die für einige Zeit glücklich unterbrochen war, von neuem aufleben und ins Unermeßliche wachsen würde.

Die folgenden Nächte, die ja nun durch das Wegfallen aller Selbstvorwürfe wegen Kowalskis Tod frei werden, diese

Nächte verbringt Jakob mit der Suche nach einer letzten glaubhaften Lüge. Sie soll erklären, warum das Radio aufgehört hat zu spielen, er muß diese schlimmste aller Plagen loswerden, aber die Lüge will ihm nicht einfallen, die ist schwerer zu finden als alle bisherigen.

Ich stelle mir einen Moment lang vor, Jakob wäre auf die simple Idee gekommen zu behaupten, das Radio sei ihm gestohlen worden. Gestohlen wird im Ghetto viel, warum nicht auch ein Radio, man hat schon Gegenstände von geringerem Wert und Nutzen vermißt. Ich stelle mir vor, ein ganzes Ghetto sucht den gewissenlosen Dieb, man sieht sich nur noch prüfend in die Augen, Besuche dienen nur noch der Tarnung von Inspektionen. Am Abend horcht jeder an der Tür seines Nachbarn, vielleicht hat er gerade Radio London eingeschaltet, vielleicht ist er dieser gemeine Mensch, hat er nicht schon immer so etwas Eigenartiges im Blick gehabt, wovor einen die innere Stimme gewarnt hat? Nur eins kann man nicht begreifen, welcher Vorteil erwächst dem Dieb aus seiner Untat, doch keiner, er wird jetzt auch nichts anderes erfahren, als er ohnehin von Jakob oder einem der Zubringer gehört hätte, nur die übrigen tappen im Dunkeln, wo liegt da der Sinn? Wie anders soll man sich seine Motive erklären als mit einer durch und durch niederen Gesinnung? Ich stelle mir weiter vor, die Suche nach dem Dieb nimmt beängstigende Formen an, daß sich eine Art illegaler Exekutive bildet, die nach Feierabend Haus für Haus durchkämmt. Und nehmen wir an, unter den einigen tausend Bewohnern ist noch so ein Mensch wie Felix Frankfurter, ein einziger nur, der auch ein Radio verborgen hält und es, im Unterschied zu Frankfurter, nicht vernichtet hat.

Ich bin mir wohl bewußt, daß dieser eine Mensch sehr problematisch für die ganze Geschichte wäre, denn entweder er hat, wie Frankfurter, aus Angst nie gehört, oder er hat gehört und muß dann wissen, daß Jakobs tägliche Berichte nichts als Lügen waren, bis auf die Schlacht um Bezanika. Und hat die ganze Zeit dazu geschwiegen. Wie unwahrscheinlich jede dieser beiden Möglichkeiten auch sein mag, lassen wir doch eine beliebige von ihnen für drei weitere Sätze bloß gelten, denn jener Mann ist gewissermaßen nur ein Hirngespinst, eine flüchtige Spielerei. Das Radio wird während der Durchsuchung bei ihm gefunden, er wird im Zorn erschlagen, schöne Spielerei kann man sagen, oder er wird nicht erschlagen, das tut nichts zur Sache. Das Radio bringt man zu Jakob, dem rechtmäßigen Besitzer, die Vorstellung seines Gesichts ist den ganzen Einfall wert. Dann gehen die Dinge wieder ihren geregelten Gang, Jakob hört und berichtet, noch tagelang spricht man von dem empörenden Zwischenfall, wie ein einziger Mensch nur so niederträchtig handeln kann, für nichts und wieder nichts.

Aber genug damit, Jakob kommt nicht auf die Idee mit dem Diebstahl, weder im wirklichen Ende, was mich wundert, noch in meinem. Bei mir plagt er sich vergeblich, er wird und wird das Radio nicht los, da beschließt er, die Juden loszuwerden. Er empfängt keine Besucher mehr, macht die Tür einfach nicht auf, auf dem Bahnhof sondert er sich ab, sein Mittag löffelt er in der Nähe des deutschen Steinhauses, also dort, wo man ihn nichts fragen kann. Und sofort nach Arbeitsschluß ist er wie ein Gespenst verschwunden, er nimmt Umwege in Kauf, um den auf ihn Lauernden zu entgehen. Hin und wieder stellt man ihn doch, trotz aller Vorsicht, dann wird gefragt, was mit ihm plötzlich los ist, warum er nichts mehr erzählt.

»Es gibt nichts Neues«, sagt er dann. »Wenn es etwas Neues gibt, werde ich es euch schon sagen.«

Oder noch wirksamer, er sagt: »Es ist mir zu gefährlich geworden, so kurz vor Schluß will ich nichts mehr riskieren. Tut mir die einzige Liebe und fragt mich nicht mehr.«

Er macht sich damit nicht gerade beliebt, nur wenige haben Verständnis für seine Lage, der große Mann von gestern sinkt rapide im Ansehen. Feigling wird er geheißen und Scheißkerl, auch deshalb, weil er sich störrisch weigert, das Radio einem anderen zu überlassen, einem, dem das Herz nicht in den Hosen sitzt. Aus Augen wird er bald angesehen, vor denen man sich fürchten kann, geflüstert wird hinter seinem Rücken, was man besser nicht hört, aber Jakob macht seinen Entschluß nicht rückgängig. Sollen sie ihn für den bösen Mann halten, er würde an ihrer Stelle genauso denken, sollen sie ihn bei jeder Gelegenheit wissen lassen, wie Verachtung schmeckt, alles ist besser, als ihnen die Wahrheit zu sagen.

Ganz von Wohlgesonnenen ist er aber nicht verlassen, ich denke mir, daß Kowalski und Mischa ihm bleiben. Mischa trägt weiterhin mit ihm Kisten, Kowalski sagt manchmal, wenn auch seltener als früher: »Na, was ist, Alter? Wenigstens mir kannst du doch einen kleinen Wink geben? Es braucht ja keiner was zu merken.«

Jakob lehnt jedesmal ab, läßt es darauf ankommen, den ältesten Freund zu verlieren. Er verliert ihn nicht, Kowalski erweist sich als hartnäckiger Freund.

Eines Tages sagt Mischa: »Jakob, es ist mir unangenehm, aber sie reden davon, dir das Radio wegzunehmen.«

»Wegzunehmen?«

»Ja«, sagt Mischa ernst. »Mit Gewalt.«

Jakob sieht zu den anderen hinüber, der und jener ist also zur Nötigung bereit, Jakob will nicht wissen, wer es ist.

»Kannst du sie nicht davon abhalten?« fragt er.

»Wie denn?« fragt Mischa. »Ich würde es gerne tun. Aber kannst du mir sagen, wie?«

»Sage ihnen, ich habe es so gut versteckt, daß sie es unmöglich finden«, sagt Jakob.

»Das werde ich tun«, sagt Mischa.

Zu Hause verbietet Jakob Lina strengstens, sich während seiner Abwesenheit in seinem Zimmer aufzuhalten, aus Vorsicht läßt er den Schlüssel nicht mehr im Mauerloch hinter dem Türrahmen liegen, für Lina nicht und für keinen. Sie soll nach Möglichkeit auf ihrem Boden bleiben und sich nicht rühren, er gibt ihr gegen die Langeweile das Buch von Afrika mit nach oben, darin kann sie lesen lernen, davon hat sie mehr als von Herumlungern und Nichtstun.

Die nächsten Tage werden zu einer anstrengenden Prüfung für Jakobs angegriffene Nerven, die Hände im Schoß muß er stillhalten und warten, auf Befreier und Einbrecher, ungewiß bei beiden, ob sie kommen oder ausbleiben. Mischa sagt, er hat keine Ahnung, ob die Gegenpartei ihren Sinn geändert hätte, denn seit seine Sympathie für Jakob bemerkt wurde, trotz allem was geschehen ist, seit er seine Dienste als Vermittler zur Verfügung gestellt hat, ist er von den Beratungen ausgeschlossen. Mehr noch, ein Bröckchen der allgemeinen Verachtung fällt auch auf ihn, das gleiche gilt für Kowalski.

Ich habe mir keine Gedanken darüber gemacht, wie ich selbst mich in dieser Angelegenheit verhalte, auf welcher Seite ich stehe, ob ich Jakobs Freund bin oder Feind. Aber wie ich mich kenne, auch wenn ich bedenke, wieviel mir die ständigen Informationen bedeutet haben, bin ich sein Feind, einer der schlimmsten sogar. Nehmen wir an, ich plädiere entschieden, sich durch das Gerede nicht verwirren zu lassen, ihm das Radio lieber heute wegzunehmen als morgen. Viele sind meiner Ansicht, aber auch andersdenkende Juden melden sich zu Wort, zum Beispiel diejenigen, die von Anfang an das Radio für eine Gefahr gehalten haben. Die sind im Grunde zufrieden über Jakobs Sinneswandlung, sie sagen: »Macht doch nicht gleich ein solches Geschrei. Wenn die Russen überhaupt kommen, dann kommen sie so und so.« Und wieder andere sagen: »Laßt uns noch abwarten, vielleicht kommt Heym von alleine zur Besinnung. Man muß ihm etwas Zeit lassen.«

Jedenfalls findet der Einbruch nicht statt, nicht in meinem Ende.

Zu einer Nervenprobe für Jakob werden diese schlimmen Tage auch in anderer Hinsicht, irgendwann muß er feststellen, daß er einer nun fast schon alten Gewohnheit treu geblieben ist, daß er wieder einmal seine Kräfte überschätzt hat. Er war überzeugt, die Welle von Feindschaft, mit der ja gerechnet werden mußte, würde ihm nur wenig ausmachen, er könnte sie heil überstehen, er hat sich Mut zugesprochen mit dem Gedanken, er hätte Übung in solchen Dingen, die ganzen Jahre in der Diele wären schließlich kaum etwas anderes gewesen als ein Kampf einer gegen alle. Das war ein leichtfertiger Trugschluß. Unberücksichtigt ist dabei die Zeit seit Bezanika geblieben, während der Jakob mit Wohlwollen, Herzlichkeit und Achtung überschüttet wurde, mit Zeichen von Unentbehrlichkeit, an die man sich lächerlich schnell gewöhnt. Und jetzt das genaue Gegenteil, nach höchstens zehn Tagen droht ihm die besagte Welle von Feindschaft über dem Kopf zusammenzuschlagen, die kalten Schultern werden unerträglich.

Lina bemerkt Veränderungen an Jakob, die sie nicht einzuordnen weiß, sie hält sich folgsam an seine Anweisungen, bleibt also auf dem Boden und hört daher von nichts. Sie sieht nur, daß Jakob, sooft er bei ihr ist, in freudlose Gedanken versinkt, kaum mehr ein Wort redet, nicht einmal nach Gebühr staunt, als sie ihm einen ganzen Satz aus dem Afrikabuch vorliest, ohne Hilfe. Wenn sie sich zu ihm auf den Schoß setzt, sitzt sie dort wie auf einem Stuhl, vor kurzem noch hat er ihr den Platz auf den Knien gerne angeboten, jetzt scheint er sie gar nicht zu bemerken. Wenn sie ihn um eine Geschichte bittet, sagt er, er weiß keine mehr, und vertröstet sie auf ungewisse Zeit, bis ihm wieder eine einfällt. Lina fragt: »Hast du dich über etwas geärgert?«

»Geärgert? Wieso geärgert?«

»Weil du so komisch bist.«

»Ich bin komisch?« sagt Jakob und bringt nicht die Kraft

auf, die ungerechte Strenge in der Stimme zu vermeiden. »Kümmere du dich um deine Sachen und laß mich in Ruhe.«

Lina bleibt alleine und hat sehr wenig, worum sie sich kümmern könnte, nur Jakob, mit dem für sie Unbegreifliches geschehen sein muß.

An einem wichtigen Abend in meinem Ende, kurz nach einem Monatsersten, weil an dem stets die Lebensmittelkarten ausgegeben werden, klopft Jakob an Mischas Tür.

Es dauert eine gute Weile, bis vorsichtig geöffnet wird, Mischa sagt verwundert: »Jakob?«

Jakob tritt in das Zimmer, das erste, was er sagt: »Wenn du sie schon verstecken willst, darfst du nicht zwei Tassen auf dem Tisch stehenlassen, du Trottel.«

»Das ist wahr«, sagt Mischa.

Er geht zu dem Kleiderschrank und läßt Rosa heraus. Rosa und Jakob stehen sich stumm gegenüber, so lange, daß Mischa die Situation schon peinlich wird.

»Kennt ihr euch?« fragt er.

»Wir haben uns einmal flüchtig gesehen«, sagt Jakob.

»Nehmen Sie doch Platz«, sagt Rosa freundlich und schnell, bevor Mischa nach diesem einen Mal fragt. Jakob setzt sich und sucht einen Anfang, denn er kommt nicht einfach so, sein Anliegen ist von erheblichem Umfang.

»Weswegen ich hier bin«, sagt er. »Ich will dich um einen Gefallen bitten, und wenn du ablehnst, kann ich das sehr gut verstehen. Mir ist bloß kein anderer eingefallen, zu dem ich damit hätte gehen können.«

»Rede schon«, sagt Mischa.

»Die Sache ist die, daß ich mich in den letzten Tagen ekelhaft schlecht fühle. Rein gesundheitlich, meine ich. Der Jüngste bin ich nicht mehr, mit dem Herzen geht es los und im Rücken und dauernd Kopfschmerzen, ziemlich plötzlich und ein bißchen viel auf einmal.«

Mischa kann noch nicht verstehen, um was für eine Art von Gefallen es sich handelt, er sagt: »Das ist schlimm.«

»So schlimm auch wieder nicht, es wird schon vorbeigehen. Aber bis es soweit ist, Mischa, wollte ich dich fragen,
ob du nicht solange die Lina zu dir nehmen könntest.«
In der allgemeinen Hilflosigkeit ergibt sich eine Pause,
während der Jakob keinen anblickt, wahrscheinlich mutet
er dem jungen Mann ein bißchen viel zu. Zwei verbotene
Frauenspersonen in der Wohnung, aber er hat ja gleich
gesagt, daß er über eine Ablehnung seiner Bitte nicht böse
wäre.
»Ja, weißt du«, sagt Mischa langsam, in eindeutiger Ab-
sicht.
»Natürlich können Sie Lina zu uns bringen«, sagt Rosa
und sieht Mischa dabei vorwurfsvoll an.
»Ich wäre nie damit zu dir gekommen, wenn du alleine
gewesen wärst«, sagt Jakob dem unglücklichen Mischa.
»Aber weil doch Fräulein Frankfurter sowieso den ganzen
Tag hier ist, und Lina ist auch immer alleine . . .«
»Ich freue mich schon auf sie«, sagt Rosa.
»Und was sagst du?«
»Er freut sich auch«, sagt Rosa.
Mischa wartet noch, bis er Ordnung in sein Gesicht ge-
bracht hat, daß er nicht gerade glücklich ist, wissen alle, er
sagt: »Bring sie schon her.«
Jakob legt erleichtert die Lebensmittelkarte auf den Tisch,
unbeschädigt bis auf einen Abschnitt, Mischa soll nicht
länger fürchten, daß er auch noch freie Verpflegung ver-
langt, Vollpension.
»Wann kann ich sie euch bringen?«
»Wann dachtest du denn?«
»Morgen abend?« fragt Jakob.
Mischa begleitet ihn, obwohl Jakob versichert, es wäre absolut nicht nötig, ein paar Schritte auf die Straße hinaus.
Als Jakob ihm zum Abschied die Hand gibt, hält Mischa sie
einen Moment länger als nötig fest, und Jakob entdeckt in
seinen blauen Augen eine wichtige Frage. Mischa hat voll-

kommen recht, findet Jakob, ein Freundschaftsdienst ist den anderen wert, dazu noch, wenn so bescheiden darum ersucht wird.

»Du willst hören, wie es steht?« fragt er.

»Wenn es dir nichts ausmacht«, sagt Mischa.

Jakob weiht ihn ein, daß Pry inzwischen erobert ist, daß allerdings die Deutschen auf halbem Weg nach Mieloworno eine Sperrlinie errichtet haben, um die lange gekämpft werden wird, wie es aussieht, in die aber, was wiederum hoffen läßt, die ersten Löcher schon geschlagen sind. Und er bittet Mischa, die Nachricht für sich zu behalten, sonst würde es nur endlose Fragereien auf dem Bahnhof geben, warum der eine beliefert wird und alle anderen nicht. Mischa verspricht es, bestimmt in der Hoffnung auf weitere gelegentliche Neuigkeiten, wie ich mir seine Taktik erkläre.

Einen Abend später zieht Lina um. Jakob hat ihr dieselbe Begründung genannt wie Mischa, eine Trennung für nur wenige Tage, und Lina nimmt es gelassen hin. Sie hat Mischa ja gerne, fast schon eine heimliche Liebe, und er sie vermutlich auch, nur diese Rosa liegt ihr noch im Magen, wegen des Besuchs und der Vorwürfe damals, mit der könnte es Unstimmigkeiten geben. Aber Jakob versichert ihr, auch unterwegs noch, daß Rosa ein sehr verträglicher Mensch wäre, hilfsbereit und freundlich, daß sie ihm gestern abend erst gesagt hätte, sie freue sich auf Lina. Am besten, man erwähnt diesen dummen Besuch von neulich mit keinem Wort.

»Du bist doch schon ein großes Mädchen, mach mir also keine Schande.«

Als Jakob Lina abgeliefert hat, geht er sofort nach Hause, angeblich um sich hinzulegen. Lange sitzt er im dunklen Zimmer und überdenkt, ob sein Entschluß, um dessentwillen Lina fortmußte, vertretbar ist. Er will sich später, falls noch Gelegenheit dazu sein sollte, keine Vorwürfe machen müssen, oft genug hat er die falschen Entscheidungen getroffen in letzter Zeit. Die Russen fast in Sichtweite kommen zu lassen war ein Fehler, das Einstellen des Sendebetriebs war ein Fehler, das Radio selbst war der erste und größte, scheint ihm, zu viele Fehler für einen einzigen Mann. Immer noch bleibt die Möglichkeit, einiges ungeschehen zu machen, von neuem in den alten Trott zu verfallen. In drei, vier Tagen könnte er sich wieder besser fühlen, Krankheiten dieser Art lassen sich nach Belieben kurieren, dann Lina zurückholen, auf dem Bahnhof den Bekehrten spielen und die Wißbegierigen weiter mit Nachrichten versorgen, mit guten und schlechten, aber wohin sollte das führen, fragt sich Jakob.

Nach ungefähr zwei Stunden, denke ich, ist Jakob entschlossen. Er hängt die Decke vor das Fenster, schaltet das Licht ein, dann nimmt er ein Messer, zieht die Jacke aus und trennt die gelben Sterne von Brust und Rücken. Er tut das sehr sorgfältig, zupft auch die weißen Fädchen aus, damit sie später die berüchtigten Stellen nicht verraten. Als das erledigt ist, zieht Jakob die nun ungewohnt nackt erscheinende Jacke an. Seine Augen suchen das Zimmer nach Gegenständen ab, die für das Unternehmen eventuell gebraucht werden könnten, da ist natürlich die Zange, die steckt er in die Tasche. Weiter fällt ihm nichts auf, er löscht wieder das Licht und blickt ein letztes Mal aus dem Fenster. Auf die schwarze und verlassene Straße, längst ist acht vorbei und Ausgehverbot, wahrscheinlich schon Mitternacht, in der Ferne könnte er meinetwegen seinen Scheinwerfer erkennen, der pflichtversessen und ziellos über die Dächer streift.

Weil meiner Willkür keine Grenzen gesetzt sind, lasse ich es eine kühle und sternenklare Nacht sein, das klingt nicht nur gefällig, das kommt auch meinem Ende zustatten, man wird sehen. Jakob geht demnach ohne Sterne und lange nach acht die Straße entlang, das heißt, er schleicht dicht an den Häuserwänden, versucht, einem Schatten zu gleichen, er hat ja nicht vor, sich das Leben nehmen zu lassen. Eine Straße und noch eine und noch eine, alle haben sie gemeinsam, daß sie auf kürzestem Weg zur Grenze führen.

5 Dann die Grenze, ich habe für Jakob den denkbar günstigsten Ort ausgewählt, den alten Gemüsemarkt, einen gepflasterten kleinen Platz, über den quer ein Stacheldraht gezogen ist, die wirklichen Ausbruchsversuche gelangen oder scheiterten fast immer an dieser Stelle. Am rechten

10 Rand des Platzes steht der Postenturm, dieser ohne Scheinwerfer, der Posten oben regt sich nicht, während Jakob ihn aus einem Hauseingang heraus beobachtet, auf der äußersten linken Seite. Die Entfernung mag hundertfünfzig Meter betragen, am ganzen Stacheldraht, der ohne Lücke um

15 das Ghetto verläuft, findet sich keine zweite Stelle, die derartig weit von einem Türmchen entfernt ist. Nur hier haben sie soviel Platz gelassen, aus Sparsamkeit oder aus Gründen der Überschaubarkeit.

Auf dem Turm geht es still wie auf einem Denkmal zu, daß

20 Jakob schon anfängt zu hoffen, der Posten wäre eingeschlafen. Jakob blickt zum Himmel, wartet besonnen, bis eine der wenigen Wolken sich vor den hinderlichen Mond schiebt. Sie tut ihm endlich den Gefallen, Jakob nimmt seine Zange aus der Tasche und läuft los.

25 Legen wir in diesem hochdramatischen Augenblick meines Endes eine kurze Pause ein, in der ich Gelegenheit habe zu gestehen, daß ich den Grund für Jakobs plötzliche Flucht nicht angeben kann. Oder anders, ich mache es mir nicht gar so leicht und behaupte: »Bei mir will er eben fliehen

30 und basta«, ich bin wohl in der Lage, mehrere Gründe zu nennen, Gründe, die ich alle für denkbar halte. Ich weiß nur nicht, für welchen einzelnen ich mich entscheiden soll. Zum Beispiel, Jakob hat alle Hoffnung aufgegeben, daß das Ghetto befreit wird, solange Juden noch darin sind,

35 und will folglich sein nacktes Leben retten. Oder, er flieht

vor den eigenen Leuten, vor ihren Nachstellungen und Anfeindungen, vor ihrer Wißbegier auch, ein Versuch, sich vor dem Radio und seinen Folgen in Sicherheit zu bringen. Oder ein dritter Grund, für Jakob der ehrenwerteste, er hat die verwegene Absicht, im Laufe der nächsten Nacht in das Ghetto zurückzukehren, er will nur hinaus, um brauchbare Informationen zu beschaffen, die er dann seinem Radio in den Mund legen könnte.

Das wären die wichtigsten Gründe, alle nicht von der Hand zu weisen, wie man zugeben muß, aber ich kann mir kein Herz fassen und Jakob auf einen von ihnen festlegen. Also biete ich sie zur Auswahl an, möge jeder sich den aussuchen, den er nach den eigenen Erfahrungen für den stichhaltigsten hält, vielleicht fallen dem einen oder anderen sogar noch einleuchtendere ein. Ich gebe nur zu bedenken, daß die meisten Dinge von Wichtigkeit, die jemals geschehen sind, mehr als nur einen Grund hatten.

Jakob gelangt im Schutz der Wolke unbemerkt an den Stacheldraht. Er legt sich flach auf die Erde, der einfache Plan ist, unter der Sperre hindurchzukriechen. Was natürlich leichter geplant als getan ist, der unterste der vielen Drähte befindet sich nur zehn Zentimeter über dem Boden, aber das hatte man nicht anders erwartet, darum die vorsorgliche Zange. Die wird jetzt in Gang gesetzt, bearbeitet flink den dünnen Draht, der ihr auf die Dauer nicht widerstehen kann, der schneller reißt als erwartet. Aber das Geräusch dabei, denn er ist straff gespannt, dieses schauderhafte Singen, dem Jakob zutraut, es könnte eine ganze Stadt aus dem Schlaf reißen. Er hält den Atem an und horcht voller Angst, aber alles bleibt ruhig wie gehabt, nur allmählich heller wird es, denn keine Wolke dauert ewig. Der nächste Draht ist zehn Zentimeter höher, also zwanzig über der Erde. Jakob überlegt, daß darunter hinwegzukriechen mit einiger Gefahr für Leib und Kleidung verbunden wäre, er ist zwar gewaltig abgemagert gegen früher, aber doch ein ausgewachsener Mann. Andererseits möchte er die Stille nicht noch einmal aufs Spiel setzen, indem er den zweiten Draht zum Klingen bringt, der wird um keinen Deut leiser als der erste, und ein dritter Weg findet sich weit und breit nicht.

Jakob liegt noch unschlüssig, zupft vorsichtig an dem einen Draht herum, ob er zu lockern wäre und somit in der Lautstärke zu besänftigen, wenn die Zange ihn kappt, da wird ihm die Entscheidung von höherer Stelle abgenommen. Ich sagte gleich, dieses mein Ende geht ein wenig auf Kosten Jakobs, eine lärmende Salve aus einer Maschinenpistole stört die Nachtruhe, unser Posten hat nicht gar so fest geschlafen. Und es gibt nichts mehr zu überlegen, und Jakob ist tot und am Ende sämtlicher Mühe.

Doch damit nicht genug, was wäre das auch für ein Ende, ich stelle mir weiter vor, daß das Ghetto längst noch nicht zur Ruhe kommt. Ich male mir die Rache für Jakob aus, denn dies ist nach meinem Willen die kühle und sternenklare Nacht, in der die Russen kommen. Soll es der ⌜Roten Armee⌝ gelungen sein, die Stadt in kürzester Frist zu umzingeln, der Himmel wird hell vom Feuer der schweren Geschütze, sofort nach der Salve, die Jakob gegolten hat, hebt ein ohrenbetäubendes Donnern an, als wäre es von dem unglücklichen Schützen auf dem Postenturm versehentlich ausgelöst worden. Die ersten gespenstischen Panzer, Einschläge im Revier, die Postentürme brennen, verbissene Deutsche, die sich bis zum letzten Schuß verteidigen, oder flüchtende Deutsche, die kein Loch finden, um sich darin zu verkriechen, lieber Gott, wäre das eine Nacht gewesen. Und hinter den Fenstern weinende Juden, für die alles so plötzlich kommt, daß sie nur ungläubig dastehen können und sich an den Händen halten, die für ihr Leben gerne jubeln möchten und es nicht fertigbringen, dazu wird später noch Gelegenheit sein. Ich stelle mir vor, im Morgengrauen sind die letzten Kämpfe beendet, das Ghetto ist kein

Ghetto mehr, sondern nur noch der schäbigste Teil der Stadt, jeder kann gehen, wohin es ihm gerade einfällt.

Wie Mischa denkt, daß es Jakob nun bestimmt besser gehen wird, wie er Lina zu ihm bringen will und ihn nicht antrifft, wie das Brot schmeckt, das uns reichlich gegeben wird, was mit den armen Deutschen geschieht, die uns in die Hände fallen, das alles und mehr ist mir nicht wichtig genug, um dafür Platz in meinem Ende zur Verfügung zu stellen. Wichtig ist mir nur eins.

Einige der Juden verlassen das Ghetto über den alten Gemüsemarkt. Dort sieht man einen Mann ohne Sterne liegen, die Zange noch in der verkrampften Rechten, unter dem Stacheldraht mit dem einen durchkniffenen Band, eindeutig beim Fluchtversuch überrascht. Man dreht ihn auf den Rücken, wer ist dieser unglückliche Mensch, wird gefragt, und irgendeiner steht in der Nähe, der Jakob kennt. Am besten wohl Kowalski, aber auch ein Nachbar oder ich oder sonst einer vom Bahnhof könnte es sein, jedenfalls irgendeiner, der ihn kennt, Lina ausgenommen. Dieser eine starrt entsetzt auf Jakobs Gesicht, vielleicht hat ihn an dem Tag, an dem er beschließen wollte, sich den Rest seines Lebens zu ersparen, die erste gute Nachricht von Jakob erreicht, er murmelt nun leise Worte des Unverstehens vor sich hin. Man fragt ihn: »Was redest du da von unbegreiflich? Der arme Kerl wollte fliehen, weil er nicht gewußt hat, daß es so bald vorbei ist. Was daran ist unbegreiflich?«

Und der eine, dem sich die Kehle zuschnürt, unternimmt den hoffnungslosen Versuch zu erklären, was ihm auf ewig unerklärlich bleiben wird.

»Das ist doch Jakob Heym«, sagt er. »Versteht ihr? Jakob Heym ist das. Warum wollte er fliehen? Er muß verrückt geworden sein. Er wußte doch genau, daß sie kommen. Er hatte doch ein Radio . . .«

Das ungefähr sagt er und geht kopfschüttelnd mit den an-

deren hinaus in die Freiheit, und das ungefähr wäre mein
Ende.

Aber nach dem erfundenen endlich das blaßwangige und
verdrießliche, das wirkliche und einfallslose Ende, bei dem
man leicht Lust bekommt zu der unsinnigen Frage: Wofür
nur das alles?
Kowalski ist unwiderruflich tot, und Jakob lebt vorerst
weiter, verschwendet keinen Gedanken daran, Lina fremden Leuten aufzuhalsen, entblößt seine Jacke nicht von
vorgeschriebenen Sternen, läßt die Zange in der Schublade,
falls er überhaupt eine besitzt, verleitet also auch keinen
Posten auf dem alten Gemüsemarkt in kühler und sternen-
klarer Nacht zu Schüssen, die ein so gewaltiges Echo aus-
zulösen imstande sind. Er hat, man weiß warum, an diesem
Tag die Arbeit versäumt, sein erhängter Freund wandert
ihm im Kopf herum, doch der muß vor dem nächsten Morgen weichen. Und zwar für dringliche Überlegungen, Jakob konnte sich mit eigenen Augen überzeugen, wohin die
Aufgabe des Radios führt, vielleicht nimmt es nicht bei
jedem gleich solche Formen an, aber bei diesem und jenem
eben schon, und darum bleibt mit dem Radio alles beim
alten. Die Trauer um Kowalski, den man plötzlich mehr
vermißt, als man ihn zu Lebzeiten je begehrt hat, muß sich
auf der langen Wartebank gedulden, statt dessen fängt die
kleine Nachrichtenfabrik, die ihren Mann so mühsam er-
nährt, zu arbeiten an, denn morgen wird wieder gefragt
werden wie alle Tage, das Leben schleppt sich immerhin
weiter.
Dann dieser nächste Morgen, Jakob geht mit schmalem
Mund an Kowalskis Haus vorbei, den Blick starr auf einen
rettenden Punkt am Ende der Straße gerichtet. Dabei ist
bekannt, wie hoffnungslos jeder Versuch ausfallen muß,
mit Gewalt an etwas Bestimmtes nicht zu denken, Jakob
sieht ihn so genau liegen, als stände er vor ihm im Zimmer,

er knotet noch einmal den Rest der Schnur vom Fenster-
rahmen, zieht den Stuhl heran, weil er sich nicht auf das
Bett setzen möchte, zu allem Überfluß hört er noch den
Schluß oder den Anfang eines Gesprächs.

»In dem Haus da.«

»Nummer vierzehn?«

»Nein, Nummer sechzehn. Das Eckhaus.«

»Und weiß man schon, wer?«

»Unbekannt. Ein gewisser Kaminski oder so ähnlich.«

Weit vor dem Bahnhof schon erkennt Jakob, daß Ungewöhnliches geschehen sein muß, die arbeitsbereiten Juden
stauen sich am Eingang, weil das Tor verschlossen ist. Warum man sie nicht hineinläßt, ist ihm zunächst rätselhaft,
rätselhaft auch, warum der erste, der ihn entdeckt, mit dem
Finger auf ihn zeigt, etwas sagt, und die anderen wenden
ihm die Gesichter zu. Fünfzig, sechzig Mann haben auf
Jakob gewartet, ich unter ihnen, wir sehen den einzigen
Menschen, der sich noch, wie wir hoffen, zwischen uns und
das Unglück zu stellen vermag, zögernd und verwundert
auf uns zukommen. Wir machen ihm Platz, wir bilden eine
schmale Gasse, damit er ungehindert zum Tor gehen kann,
lesen kann, was dort geschrieben steht, und uns dann sagen, daß alles nur halb so schlimm ist. Neben mir tritt
Rechtsanwalt Schmidt von einem Fuß auf den anderen, ich
höre, wie er vor sich hin flüstert: »Na, geh doch schon
endlich!« Weil Jakob so aufreizend langsam geht und den
Leuten in die Augen blickt anstatt nach vorne.

Pünktlich zum Arbeitsbeginn trifft Jakob vor dem ver-
schlossenen Bahnhofstor ein und liest die dort befestigte
Bekanntmachung. Daß wir alle uns heute mittag, Punkt
dreizehn Uhr, auf dem Platz vor dem Revier einzufinden
haben, fünf Kilogramm Gepäck pro Person, die Wohnungen sind unverschlossen und in sauberem Zustand zurückzulassen, wer nach der festgesetzten Zeit in seinem Haus
angetroffen wird, das gleiche gilt auch für Bettlägerige und

Gebrechliche, Näheres um dreizehn Uhr am angegebenen Ort.

Und jetzt geh und gib ihnen weiter Trost, woher du ihn nimmst, ist deine Sache, mach ihnen weis, daß alles nur ein schlechter Scherz ist, daß es in Wirklichkeit eine Fahrt ins Blaue wird mit vielen netten Überraschungen, auf so etwas Ähnliches lauern sie doch hinter deinem Rücken. Kein Grund zur Beunruhigung, Brüder, wollen sie hören, laßt den Wisch da getrost hängen und kümmert euch nicht weiter um ihn, wer neugierig ist, kann meinetwegen auch um eins zum Revier kommen, wenn er nichts Besseres vorhat. Passieren kann so und so nichts, denn, das wißt ihr ja noch gar nicht, das habe ich dummerweise ganz vergessen zu erzählen, die Russen warten schon hinter der nächsten Ecke und geben Obacht, daß keinem von euch auch nur ein Haar gekrümmt wird.

Uns kommt es vor, als lernte Jakob die wenigen Zeilen auswendig, so lange steht er unbeweglich vor dem Plakat. Warum steht er so lange, fragen wir uns stumm und Böses ahnend, wie wird sein Gesicht aussehen, wenn er es uns wieder zeigt, und was wird er sagen, irgendwas muß er doch sagen, ich sehe auch, daß die ersten leise die Reihe verlassen. Ich weiß beklemmend genau, daß sie recht haben, es gibt hier nichts mehr zu erwarten, trotzdem hoffe ich weiter und rühre mich nicht vom Fleck, wie die meisten.

Es lohnt nicht. Nach einer Ewigkeit dreht Jakob sich um, präsentiert uns zwei leere Augen, und im gleichen Augenblick erkennt auch der Dümmste, daß alle Seligkeit verspielt ist. Jakob hat, so erzählt er, nicht die Zeit für privates Entsetztsein über den Lauf der Dinge, davor drängt sich das Entsetzen der anderen, die ihn ansehen wie geprellte Gläubiger, wie einen, für den der Tag gekommen ist, die so leichtfertig verteilten Pfänder endlich einzulösen. Wieder steht er lange und wagt den Blick nicht aufzurichten, und sie machen es ihm auch nicht leichter, indem sie zum Beispiel verschwinden, für die fünf Kilogramm Gepäck, die auszuwählen sind, bleibt noch Zeit in Hülle und Fülle, sozusagen der ganze Rest des Lebens. Das Gäßchen, das sich Jakob auf seinem Weg zum Tor geöffnet hat, ist hinter ihm zugeschlagen, jetzt steht er in einem engen Halbkreis, nach Jakobs eigenen Worten wie ein Spaßmacher, der im entscheidenden Moment seinen Text vergessen hat.

glotzen »Habt ihr nichts Besseres zu tun als Maulaffen feilhalten*?« fragt ein Posten hinter dem Zaun.
Wir bemerken ihn erst jetzt, er steht einige Meter neben dem Tor, und nur er weiß wie lange schon. Gehört hat er jedenfalls nicht viel, obwohl alles Wichtige bereits gesagt ist. Man rührt sich endlich von der Stelle, wozu ihn unnötig reizen, man geht stumm auseinander. Der Posten schüttelt belustigt den Kopf über diese seltsamen Wesen, Jakob ist ihm fast dankbar wegen der ungewollten Hilfe.

Zu Hause angekommen, geht Jakob sofort auf den Boden. Er erwartet, Lina noch im Bett anzutreffen, aber sie ist nicht einmal mehr in dem Raum. Dabei hat das Wetter keineswegs seinen besten Tag, nur wenige blaue Flecken zeigen sich am Himmel, Jakob kann sich denken, daß seine Anweisungen nicht allzu ernst genommen werden. Ihr Bett ist ordentlich gemacht, das Stück Brot vom Teller auf der Kommode verschwunden, gleich nachdem er sich am Morgen von ihr verabschiedet hat, wird sie aufgestanden und zu irgendwelchen Unternehmungen geeilt sein, von denen man nie etwas erfährt. Jakob beschließt, sie später erst zu suchen, zunächst ihre Sachen einzupacken, dann seine, wenn das geschehen ist, wird Lina sich immer noch finden. Dabei macht er sich keine Gedanken, ob der Anschlag am Tor nur für die auf dem Bahnhof Beschäftigten gilt oder für alle Ghettobewohner. Denn es bleibt ihm keine andere Wahl, als sie mitzunehmen, Lina zurückzulassen hieße nicht, auf ein ungewisses Schicksal für sie zu hoffen, das ist leicht ausgerechnet.

Die vorgeschriebene Höchstmenge Gepäck erweist sich als reichlich großzügig, ihr sämtliches brauchbares Zeug ergibt zusammen kaum mehr als eine Handvoll. Jakob stopft Wäsche, Strümpfe und Schal in die Taschen, als er das Winterkleid zusammenlegt, erscheint Lina. Sie hält einen kleinen Rest Brot in den Fingern, Jakobs Anwesenheit verwundert sie sehr. Doch gleich fallen ihr seine mißbilligenden Augen auf, die sie auch sofort richtig deutet, er wird ungehalten sein, weil sie entgegen seinen Wünschen den Boden verlassen hat.

»Ich war nur bei der Pumpe. Ich hatte Durst«, erklärt sie.

»Schon gut«, sagt Jakob.

Er macht das Kleid fertig und gibt es ihr zu halten, dann sieht er sich um, öffnet noch einmal die Türen der Kommode, ob etwas vergessen worden wäre.

»Werde ich jetzt wieder bei dir unten wohnen?« fragt Lina.

»Komm«, sagt er.

Sie gehen in sein Zimmer. Auf der Treppe begegnen sie dem Nachbarn Horowitz, der vermutlich aus dem Keller kommt und sich mit einem großen Lederkoffer abmüht, dessen Schlösser den Deckel nicht halten.

»Was ist Ihre Ansicht dazu?« fragt Horowitz.

»Raten Sie mal«, sagt Jakob.

Jetzt erst weiß er mit Sicherheit, daß die Verordnung am Bahnhofstor allgemeingültig ist, die unsinnige Frage von Horowitz und der Koffer in seiner Hand, an jedem Fabrikeingang wird über Nacht solch ein Anschlag erschienen sein.

»Haben Sie zufällig gehört, wohin sie uns bringen?«

»Nein«, sagt Jakob.

Er beeilt sich mit Lina in sein Zimmer, bevor er in längere Dispute verwickelt werden kann, höchstens hätte er noch Lust zu erfahren, was der alleinstehende Horowitz sich von dem riesigen Koffer verspricht, auf seinem Plakat werden doch nicht vier Zentner pro Person gestanden haben.

Als die Tür hinter ihnen geschlossen ist, verrät Lina, daß sie Horowitz nicht ausstehen kann. Sie macht jedesmal einen großen Bogen um ihn, weil er ständig Ermahnungen für sie bereithält, etwa nicht herumzulungern, zu grüßen, nicht so frech zu blicken, den Lärm gefälligst zu unterlassen, irgend etwas fällt ihm immer ein. Einmal hat er sie sogar am Arm geschüttelt, weil sie das Treppengeländer heruntergerutscht und vor seinen Füßen gelandet ist. Jakob sagt: »Na so was.«

Nachdem er Linas Sachen aus den Taschen geräumt und auf den Tisch gelegt hat, beginnt er zu packen. Das heißt, vorher ist die Wahl Koffer oder Rucksack zu treffen, Platz wäre in beiden reichlich. Die Handlichkeit gibt den Ausschlag für den Rucksack, denn auf einer ungewiß langen Reise, auf der die eine Hand fortwährend für Lina zur Verfügung stehen muß, kann sich ein Koffer zur Plage auswachsen.

Lina hofft eine gute Weile geduldig, daß Jakob ihr sein seltsames Tun von selbst erklärt, aber er sagt nur von Zeit zu Zeit, gib mal das, halt mal jenes, und kein Wort gegen ihre Neugier. Deshalb muß sie fragen: »Warum packst du denn die ganzen Sachen ein?«

»Na, warum packt man wohl Sachen ein?«

»Ich weiß nicht«, sagt sie und unterstreicht mit heftigem Achselzucken, wie man es von ihr schon kennt, die Schultern bis an die Ohren.

»Dann überlege mal.«

»Weil man wegfährt?«

»Genau darum, du Schlaukopf.«

»Wir fahren weg?« ruft Lina, und es klingt ein bißchen wie: »Und das sagst du mir jetzt erst?«

»Ja, wir fahren weg«, sagt Jakob.

»Wohin?«

»Das weiß ich nicht so genau.«

»Weit oder nah?«

»Ich glaube, ziemlich weit.«

»So weit wie nach Amerika?«

5 »Nein.«

»Und wie nach China?«

»Auch nicht.«

»Und so weit wie nach Afrika?«

Jakob weiß aus Erfahrung, daß sie fähig ist, solch Spiel
10 über Stunden fortzusetzen, darum sagt er: »Ja, ungefähr so
weit wie nach Afrika.«

Sie springt im Zimmer herum, kann ihr Glück kaum fassen, und Jakob macht eine gute Miene dazu, das Mädchen
ist ja noch nie richtig verreist. Besonders schwer zu ertra-
15 gen wird es, als sie ihm unvermittelt einen Kuß schenkt und
ihn fragt, warum er sich nicht auch freut.

»Weil ich nicht gerne verreise«, sagt er.

»Du wirst schon sehen, wie schön es wird.«

Er kommt zum Ende mit dem Rucksack, zwei Löffel oben-
20 auf, will ihn verschnüren, da legt ihm Lina die Hand auf
den Arm und sagt: »Du hast das Buch vergessen.«

»Was für ein Buch?«

»Das von Afrika.«

»Ach ja. Wo liegt es denn?«

25 »Unter dem Kopfkissen. Ich hole es rasch!«

Lina rennt hinaus, Jakob hört ihre lustige Stimme auf dem
Flur und die Treppe hinauf: »Wir verreisen! Wir verrei-
sen . . .« Nur aus Freude oder auch um den griesgrämigen
Horowitz im Schutze Jakobs ein wenig zu ärgern.

30 Dann fahren wir.

In dem Waggon ist es sehr eng und stickig, die Juden hok-
ken oder sitzen neben ihren fünf Kilogramm auf dem Boden, mindestens dreißig, meine ich. Das Schlafen in der
Nacht, falls die Reise so lange dauert, wird ein Problem,

denn hinlegen können sich alle auf einmal nicht, man wird es schichtweise tun müssen. Dunkel ist es auch, die wenigen schmalen Luken dicht unter dem Dach geben nur spärliches Licht, außerdem sind sie fast ständig besetzt. Gespräche sind kaum zu hören, die meisten sehen aus, als hätten sie über schrecklich wichtige und ernste Dinge nachzudenken, dabei könnte man sich unter dem Geräusch der rollenden Räder unbelauscht unterhalten, trotz der Enge, wenn man nur wollte.

Ich sitze auf einem karierten Kopfkissenbezug, in dem mein ganzer Plunder steckt, und langweile mich, neben mir weint eine steinalte Frau, rücksichtsvoll leise. Die Tränen sind ihr schon längst ausgegangen, dennoch zieht sie von Zeit zu Zeit so gewaltig durch die Nase hoch, als wären ganze Ströme zurückzuhalten. Und ihr Mann, mit dem sie sich den Koffer teilt, blickt dabei jedesmal entschuldigend in die Runde, weil es ihm wohl peinlich ist, weil er zu verstehen geben will, daß sich die Sache seinem Einfluß entzieht.

Links neben mir, wohin ich notgedrungen meine Aufmerksamkeit richte, hat Jakob einen Lukenplatz erobert, aber ich kann versichern, daß diese Nachbarschaft rein zufällig ist. Ich habe mich nicht neben ihn gedrängt, ich gehe nicht so weit wie einige Dummköpfe, die ihm eine Art Mitschuld an dieser Reise geben, doch ich kann nicht leugnen, daß ich einen ungerechten Groll gegen ihn spüre, weil alle Häuser, die ich auf die von ihm gelieferten Fundamente gebaut habe, zusammengestürzt sind. Ich habe mich nicht neben ihn gedrängt, mir ist es gleichgültig, neben wem ich fahre, es hat sich einfach so ergeben. Durch Jakobs Beine hindurch sehe ich Lina, die ich bisher nur vom Hörensagen kannte, sie sitzt auf dem Rucksack. Lina macht ihn mir wieder sympathischer, ich denke, welcher andere hätte schon ein Kind auf sich geladen, und ich denke, das wiegt mindestens so schwer wie meine Enttäuschung.

Ich würde gerne mit ihr Bekanntschaft schließen, durch Augenzwinkern oder Grimassenschneiden, wie man das so tut, aber sie nimmt mich gar nicht zur Kenntnis. Sie blickt versonnen auf die Erde, bestimmt beschäftigen sie solche Gedanken, die allen anderen jetzt fremd sind, denn sie lächelt manchmal vor sich hin. Oder ihre Lippen formen lautlose Worte, oder sie zieht ein Gesicht, als wäre sie ihrer Sache nicht sicher, es macht Spaß, ihr zuzusehen. Ich finde auf dem Boden ein rundes Steinchen, das schnipse ich ihr gegen den Arm. Sie taucht aus ihren Überlegungen auf, schaut, wer das gewesen sein könnte, überallhin, nur nicht zu mir. Dann sieht sie auf zu Jakob, der, über jeden Verdacht erhaben, unbeweglich vor der Luke steht, seine ganze Aufmerksamkeit gehört dem draußen vorüberziehenden Land. Sie pocht gegen seine Wade.

Er blickt nach unten und fragt: »Was ist?«

»Erinnerst du dich an das Märchen?« fragt Lina.

»An welches?«

»Von der kranken Prinzessin?«

»Ja.«

»Ist das wahr?«

Man kann deutlich in seinem Gesicht lesen, daß er es seltsam findet, woran sie gerade jetzt denkt.

»Natürlich ist das wahr«, sagt er.

»Aber Siegfried und Rafi haben es mir nicht geglaubt.«

»Vielleicht hast du schlecht erzählt?«

»Ich habe genauso erzählt wie du. Aber sie sagen, so etwas gibt es auf der ganzen Welt nicht.«

»Was gibt es nicht?«

»Daß man wieder gesund werden kann, wenn man ein Stück Watte bekommt.«

Jakob beugt sich zu ihr und hebt sie an das Fensterchen. Ich stehe auch auf, denn die Räder machen doch einen ordentlichen Lärm, und ich möchte hören, wie es weitergeht.

»Aber das stimmt?« sagt Lina. »Die Prinzessin wollte ein

Stück Watte, so groß wie ein Kissen? Und als sie es bekam, wurde sie wieder gesund?«

Ich sehe, wie Jakobs Mund breiter wird, er sagt: »Nicht ganz. Sie wünschte sich eine Wolke. Der Witz ist, daß sie dachte, Wolken sind aus Watte, und nur deswegen war sie mit der Watte zufrieden.«

Lina sieht eine Weile hinaus, mir will scheinen verwundert, bevor sie ihn fragt: »Aber sind denn Wolken nicht aus Watte?«

Zwischen ihren Köpfen erkenne ich ein Stück Himmel mit wenigen Wolken darin, und ich muß zugeben, daß die Ähnlichkeit tatsächlich verblüffend ist, sie sehen aus wie Wattebäusche.

»Woraus sind Wolken sonst?« fragt Lina.

Doch Jakob vertröstet sie mit der Antwort auf später, wohl auch, weil sie ihm allmählich zu schwer wird, er setzt sie zurück auf den Rucksack und läßt dann weiter die Bilder an sich vorbeiziehen.

Jetzt halte ich meine Stunde für gekommen. Ich setze mich auch, rücke näher an sie heran und frage, ob sie von mir erklärt haben möchte, woraus Wolken sind. Natürlich will sie das, und ich erzähle ihr von Flüssen und Seen und vom Meer, vom ewigen Kreislauf des Wassers, von der kaum glaublichen Sache mit der Verdunstung, wie das Wasser unsichtbar in den Himmel fließt, in winzigen Tröpfchen, sich dort zu Wolken sammelt, die irgendwann so schwer und naß wie vollgesogene Schwämme werden, bis sie die Tropfen als Regen wieder verlieren. Ich lasse auch den Dampf nicht aus, von Lokomotiven beispielsweise und Schornsteinen und allen möglichen Feuern, sie hört mir aufmerksam zu, aber skeptisch, ich weiß, daß die ganze lange Geschichte nicht mit einer Lektion zu erledigen sein wird. Ich sehe auch, wie Jakob mich freundlich ins Auge faßt, vielleicht ist meine Schulstunde schuld daran, daß er mir wenige Tage später eine viel verrücktere Geschichte erzählt, ausgerechnet mir. Denn daß ich als einer von wenigen überlebe, steht nicht in meinem Gesicht geschrieben.

Als mein Wissen um die Entstehung und Zusammensetzung der Wolken erschöpft ist, sage ich Lina, sie soll getrost fragen, wenn sie etwas nicht verstanden hat. Aber sie macht keinen Gebrauch von dieser Offerte*, sie stützt den Kopf in beide Hände und überlegt sich die Angelegenheit noch einmal in aller Ruhe. Immerhin muß sie über einen schwerwiegenden Irrtum hinwegkommen, Wolken sind nicht aus Watte.

(franz.):
Angebot

»Du weißt nicht, worauf du dich da einläßt«, flüstert mir Jakob ins Ohr.

»Warum?«

»Weil du keine Ahnung hast, was für Fragen dieses Kind stellen kann.«

Ich schaue sie an und sage: »So schlimm wird es schon nicht werden.«

Seine Augen antworten »warte ab«, dann fragt er mich, ob ich ein wenig an die Luke möchte.

»Gerne«, sage ich.

Ich stehe erwartungsvoll auf und sehe hinaus, bis es Nacht wird. Ich sehe Dörfer und Äcker, einmal sogar eine kleine Stadt von weitem, an einem halb zugewachsenen Teich sehe ich eine Gruppe von Soldaten, die zwischen Lastwagen, Geschützen und Kühen ausruht. Und ich sehe ein paar verschlafene Stationen mit Bahnsteigen und Schranken und Eisenbahnerhäuschen, an denen grüne Kästen von Blumen überlaufen, ich frage mich, ob diese Kästen Dienstvorschrift sind, weil sie an jedem der Häuschen hängen und alle grün. Und Leute sehe ich, die unserem Zug nachschauen und deren Gesichter ich nicht erkennen kann, vor allem aber sehe ich Bäume, die ich fast schon vergessen hatte, obwohl ich noch ein junger Kerl bin, Unmengen von Bäumen. Buchen und Erlen und Birken und Weiden und Kiefern, du lieber Gott, was sehe ich für Bäume, die Bäume hören nicht auf. Ein Baum war schuld daran, daß ich nicht Geiger werden durfte, und unter einem Baum bin ich ein richtiger Mann geworden, die Wildschweine kamen zu spät, um es zu verhindern. Und an einem unbekannten Baum ist mir meine Frau Chana verlorengegangen, und eine Verordnung wollte mir Bäume für alle Zeiten verbieten. Manche sagen, die Bäume verwirren meinen Sinn, ich stehe und stehe, mitunter setze ich mich heute noch in einen Zug, auf besonders waldreicher Strecke, am liebsten habe ich Mischwald. Bis ich Jakobs Stimme höre: »Willst du nicht endlich schlafen?«

»Laß mich noch ein bißchen stehen«, sage ich.

»Aber du siehst doch gar nichts mehr«, höre ich ihn sagen.

»Doch.«

Denn ich sehe noch die Schatten von Bäumen, und schlafen kann ich nicht, wir fahren, wohin wir fahren.

Anhang

Mein Judentum

Sooft ich in der Vergangenheit nach Herkunft und Abstammung gefragt worden bin, habe ich geantwortet: »Meine Eltern waren Juden.« Ich benutzte diesen Satz wie eine feststehende Formel, die in nicht zu überbietender Klarheit Auskunft gibt. Wenn der Frager mitunter dann konstatierte: »Sie sind also Jude«, berichtigte ich ihn jedesmal, indem ich noch einmal meine Formel sagte: »Meine Eltern waren Juden.« Der Unterschied schien mir irgendwie wichtig zu sein, ohne daß ich ihn jemals zum Gegenstand von Gesprächen gemacht hätte; ja nicht einmal zum Gegenstand von Überlegungen, die gründlich genannt zu werden verdienten.

Dabei hat der Umstand, daß ich in eine jüdische Familie hineingeboren wurde, für meinen bisherigen Lebenslauf nicht eben kleine Folgen gehabt. Als ich zwei Jahre alt war, wurden die Eltern und ich Bewohner des Ghettos von Lodz, meiner Geburtsstadt, die kurz zuvor auf den Namen Litzmannstadt getauft worden war. Es folgten Aufenthalte in den Konzentrationslagern Ravensbrück und Sachsenhausen. Als der Krieg zu Ende war, hatte sich meine Familie, eine ehedem fast unübersehbare Personenschar, wie ich höre, auf drei Überlebende reduziert: auf meinen Vater, auf eine Tante, an die ich mich nicht erinnern kann, denn ihr gelang unmittelbar nach dem deutschen Einmarsch in Polen die Flucht, vielleicht nach Amerika, und auf mich.

Mein Vater, der sich bei Kriegsende in einem anderen KZ als ich aufhielt, suchte und fand mich mit Hilfe einer amerikanischen Hilfsorganisation. Im Grunde existieren für mich erst seit dieser Zeit deutliche und abrufbare Erinnerungen. Immerhin war ich da schon sieben Jahre alt, fast acht.

Von anderen Leuten weiß ich, daß deren Kindheitserinnerungen sehr viel weiter zurückreichen als meine. Und weil ich mich nicht damit abfinden wollte, daß es bei den anderen eben so und bei mir anders ist, und schon gar nicht, daß in meinem Kopf irgend etwas nicht richtig funktioniert, habe ich viel Zeit dafür verbraucht, den Grund für diesen Unterschied zu finden. Mein Erfolg war bescheiden, doch muß ich das Resultat für zutreffend halten, solange mir niemand eine plausiblere Erklärung sagt. Ich habe mir errechnet:

Zum ersten muß der eigenartig späte Beginn meiner Erinnerungen natürlich etwas mit Verdrängung zu tun haben. Ein Schutzmechanismus, dessen Vorhandensein wohl ein Glück ist, könnte mich von einer schlimmen Zeit trennen und so in gewisser Weise vor ihr bewahren. Zum zweiten, denke ich mir, wird es auch kaum etwas zum Erinnern gegeben haben. Die Tage im Lager werden in grauer Ereignislosigkeit vergangen sein, begleitet von Begebenheiten, die nur für Erwachsene aufregend gewesen sein mögen – weil nur sie die Lebensbedrohung hinter allem erkannt haben –, für Kinder aber öde und ununterscheidbar. Zum dritten schließlich, so vermute ich, wird das, was ich damals geführt habe, kaum Leben genannt werden dürfen; gerade so verdiente es den Namen Existieren. Ein Zustand der Dumpfheit und Stumpfheit, in dem Lebensfunktionen auf ein Minimum reduziert waren, in dem jede Tätigkeit nur von ihrem Nutzen fürs Überleben bestimmt wurde, in dem kein Raum war für Beobachtungen und für Neugier und für intellektuelles Hin und Her. Vermutlich wird alles, was geschah, von einer Art gewesen sein, daß derjenige, der ich damals war, es nicht für wert hielt, daß es in der Erinnerung bewahrt werde. Und diese drei Umstände, so lautet endlich meine Schlußfolgerung, haben die Zeit bis zur Befreiung aus meinem Gedächtnis gelöscht. Sicher nicht ganz und gar, sicher nicht so vollständig, daß man sagen könnte, da sei absolut nichts mehr. Aber doch so gründlich, daß das bißchen, was übriggeblieben ist, kaum Erinnerung genannt werden darf.

Nach dem Krieg blieb mein Vater mit mir in Berlin, aus Gründen, hinter die ich wieder nur mit Vermutungen kommen kann. Denn er wollte nie mit mir darüber sprechen. Aber nicht etwa wie jemand, der ein Geheimnis nicht ausplaudern möchte, sondern eher wie jemand, der nur deswegen einer Frage ausweicht, weil er die Antwort selbst nicht weiß. Ich denke mir, daß er im Krieg insofern die Heimat verloren hatte, als Heimat in erster Linie ja aus Menschen besteht und nicht aus Landschaft; aus Verwandten, Freunden, Vertrauten. Die waren nicht mehr da, die waren tot, im glücklichsten Fall spurlos verschwunden. So hat mein Vater nach dem Grundsatz gehandelt, daß einer, der sich nirgendwo hingezogen fühlt, am bequemsten gleich da bleiben kann, wo er gerade ist.

Nur über ein einziges seiner Motive zum Hierbleiben hat er gelegentlich Andeutungen gemacht, wenn auch nicht klipp und klar; aber doch so, daß ich mir nach und nach einen Reim darauf machen konnte. Er hat gemeint, in seiner alten Umgebung, in Polen, sei der Antisemitismus ja nicht erst mit dem Auftauchen der Deutschen entstanden. Und je weniger Juden es dort gäbe, desto größer sei die Wahrscheinlichkeit, daß man ihnen das Leben sauer machte. Einmal hat er gesagt: »Schließlich sind es ja nicht die polnischen Antisemiten, die den Krieg verloren haben.« Er hat gehofft, daß die Diskriminierung von Juden gerade an dem Ort, an dem sie ihre schrecklichsten Formen angenommen hatte, am gründlichsten beseitigt werden würde. Und als er starb, im Jahr 1972, war er der guten Überzeugung, sich wenigstens in diesem Punkt nicht geirrt zu haben.

Einmal hat er gesagt: »Wenn es keinen Antisemitismus geben würde – denkst du, ich hätte mich auch nur eine Sekunde als Jude gefühlt?«

Jedenfalls hatte ich in Berlin zu bleiben, so gut wie ohne ein deutsches Wort. Der Umstand, daß ich erst mit acht Jahren Deutsch zu lernen anfing, könnte verantwortlich dafür sein, daß mein Verhältnis zu dieser Sprache ein ziemlich exaltiertes wurde. So wie andere Kinder meines Alters sich für Maikäfer oder Rennautos interessierten und sie von allen Seiten betrachteten, so drehte und wendete ich Wörter und Sätze. In einer extrem intensiven Beschäftigung mit der Sprache sah ich das einzige Mittel, dem Spott und den Nachteilen zu entkommen, die sich daraus ergaben, daß ich als einziger Achtjähriger weit und breit nicht *richtig* sprechen konnte. Und noch heute glaube ich, daß es tatsächlich kein anderes Mittel für mich gegeben hätte.

Mein Vater vermied es von Anfang an und sehr konsequent, das Gespräch mit mir auf die Vergangenheit zu bringen. Niemals habe ich erfahren, welche Absicht er mit dieser Verschwiegenheit verfolgte: ob er selbst Ruhe vor den vergangenen Jahren finden wollte, ob seine Gründe also persönliche waren, oder ob er diese Zeit von mir fernhalten wollte. Doch welches der beiden Ziele er sich auch gestellt haben mag – er hat es nicht erreicht.

In die Synagoge ist mein Vater nur selten gegangen, und immer nur, um dort ein paar Bekannte zu treffen. Bekannte, das waren zwar keine Bekannten von früher, aber solche Personen, die einen vergleichbaren Lageraufenthalt hinter sich hatten und mit denen daher ein gewissermaßen natürlicher Konsensus vorhanden war. Mich hat er nie mitgenommen, auch dann nicht, wenn ich ihn sehr darum bat. Als sei in die Synagoge zu gehen ausschließlich eine Sache der Erwachsenen. Dennoch weiß ich, daß er dort ungeduldig auf das Ende der Gebete gewartet hat, um sich ungestört mit den von ihm gesuchten Leuten unterhalten zu können.

Auf diese Weise hat es sich ergeben, daß ich nie in einer Synagoge gewesen bin. Das heißt, einmal nur war ich dort, viele Jahre später, zusammen mit einem Regisseur, mit dem ich einen Film vorbereitet habe, mit dem gemeinsam ich sehen wollte, wie es in einer Synagoge zugeht, um zumindest die groben Fehler bei der Darstellung ritueller jüdischer Handlungen zu vermeiden. Aber niemals davor und danach.

Ich bin mir darüber im klaren, daß dieser Sachverhalt nicht eben von einer unverkrampften Beziehung zeugt, nicht von einem gelösten Verhältnis. Und da es sich bei den Vorgängen in einer Synagoge um ein Etwas handelt, bei mir aber um einen Jemand, sind die Gründe wohl bei mir zu suchen.

Die Gesellschaft oder Bekanntschaft von Juden habe ich nie gesucht und nie gemieden. Ob einer, mit dem ich es zu tun bekam, Jude war oder nicht, erfuhr ich, wenn überhaupt, nur zufällig. Wenn jemand mich ausdrücklich darauf aufmerksam machte, ging mir immer die Frage durch den Kopf: Wozu sagt der mir das? Vielleicht war ich sogar ein wenig befremdet. Weil mir schien, als erwarte der betreffende Mensch von mir, daß ich mich nach der Preisgabe seines Judentums anders zu ihm verhalte, als ich es normalerweise getan hätte.

Ich verstehe gut, daß so nur einer empfinden kann, für den die Zugehörigkeit zu einer Gruppe von Menschen, die »die Juden« heißt, eine freiwillige Angelegenheit bedeutet; eine Entscheidung, die man so oder so treffen kann, letztlich also einen intellektuellen Entschluß. Oft schon bin ich mit dieser Ansicht auf Widerspruch gestoßen, und manchmal habe ich Lust gespürt, sie so heftig wie möglich zu vertreten. Ohne daß ich damit mehr als den nächsten Satz sagen will, sage ich: Die Gegner solcher Ansicht kommen aus extrem unterschiedlichen Richtungen: aus der Gegend der Gläubigen wie der Zionisten, aber auch von den erbittertsten Antisemiten her, von den Autoren der Rassengesetzgebung zum Beispiel, die während des Dritten Reichs ja auch nicht der einzelnen Person die Wahl lassen wollte, ob sie jüdisch sei oder nicht.

Bis heute weiß ich nicht, welches die Merkmale sind, die einen Menschen jüdisch sein lassen. Ich weiß, daß andere meinen, solche Merkmale zu kennen. Ich höre, Jude ist, wer eine jüdische Mutter hat. Die so glauben, mögen dabei bleiben, doch ich kann mich daran nicht beteiligen. Ein Mensch ist, wer Menschen als Eltern hat, nicht mehr und nicht weniger.

Dieser mein Unglaube ist nicht dasselbe, als akzeptierte ich nicht die Gesetze, nach denen der Mond sich um die Erde bewegt oder das Elektron um den Atomkern. Denn die Merkmale, die einen Menschen der Gruppe der Juden zuordnen, scheinen mir ganz und gar willkürlich zu sein, bis auf eine Ausnahme: dieser Mensch *will* zu ihr gehören. Sie haben mit Überzeugungen zu tun, mit überlieferten oder neugewonnenen, auch mit Riten, auch mit Glaubensbekenntnissen; doch in keinem Fall sind sie so beschaffen, daß ein Außenstehender, der von der ganzen Problematik nichts weiß, sie auch erkennen könnte. Wie zum Beispiel ein Geologe, der einen bestimmten Stein noch nie gesehen hat, über ihn sagen könnte: Dieser Stein gehört zur Gruppe der Halbedelsteine.

Ich kann Christ sein, und ich kann wieder aufhören, es zu sein. Ich kann auch, wenn ich es hartnäckig und lange genug betreibe, aufhören, Italiener oder Russe oder Amerikaner zu sein. Beim Verlassen des Judentums aber sollten dem Flüchtenden Schranken gesetzt sein, die wie Naturgewalt sind? Das kann ich nicht nur nicht glauben, sondern ich empfände solche Schranken als bedrohlich und ungeheuerlich. Wie eine Macht, die so gewaltig über mir wäre, daß jedes Aufbegehren sinnlos ist.

Ich gebe diesem Problem deswegen so viel Raum und werde aufgeregt und polemisch und am Ende gar ausfallend, weil schon so lästig oft über meinen Kopf hinweg entschieden wurde, was und wie ich bin: unter anderem eben Jude. Es kommt mir wie eine Okkupation vor oder wie die Mahnung, eine Schuld zu begleichen, die ich nie auf mich genommen habe. Und selbst wenn ich bereit wäre zu zahlen, wüßte ich nicht womit. Wie verhält man sich, wenn man Jude ist? Wenn man mir sagt: »Mach dir darum nur keine Sorgen, tu nichts anderes als das, was du für richtig hältst«, dann bin ich zwar beruhigt, aber nur fürs erste. Denn dann will mir scheinen, der zu den Juden einfach Dazugezählte soll vor allem dazu dienen, eine Summe, die ihm nichts bedeutet, zu vergrößern. Oder er soll ein Gewichtlein mehr auf einer Wiegeschale sein. Und das wäre mir auch wieder nicht recht.

Doch das ist nur die eine Sache. Ich weiß wohl, daß man nicht nur der ist, der zu sein einem vorschwebt, sondern daß man wohl oder übel auch der zu sein hat, für den die anderen einen halten. Das ist ja das Unglück. Und so gesehen bin ich in drei Teufels Namen der, der ich nach dem Urteil vieler gefälligst zu sein habe: Jude. Ich spüre weder Lust, mich bis an den Rand meiner Kräfte dagegen aufzulehnen, noch sehe ich einen großen Sinn darin. Ich weiß nur jetzt schon, daß ich, wenn ich mich also zähneknirschend in mein Schicksal füge, die Hoffnungen der einen enttäuschen, die Befürchtungen der anderen bestätigen werde. Doch das wäre schließlich auch bei jeder anderen Zuordnung gegen meinen Willen geschehen.

Was demnach mein Judentum mir *nicht* bedeutet, könnte schon ein wenig deutlich geworden sein. Auf keinen Fall das Zugehörigkeitsgefühl zu einer Religionsgemeinschaft. Mir, der ich ein Atheist bin, kommt die jüdische Religion nicht einsichtiger vor als jede andere, und die Beschäftigung mit ihr – eine zugegeben nur oberflächliche – hat mich der Erleuchtung um keinen Schritt nähergebracht. Allerdings scheint sie mir von einem Standpunkt, den man einen literarischen nennen könnte, gelungener und überzeugender zu sein als zum Beispiel die christliche. (Für solches Lob werden sich die Betroffenen aber schön bedanken.)

Mein Judentum hat auch kein Glücksgefühl darüber zur Folge, daß ich, gewollt oder ungewollt, zu einer weitverzweigten Gruppe von Menschen gehöre, die, wie andere Gruppen vergleichbarer Größe auch, Leistungen vollbringt, bewundernswerte und miserable. Ich empfinde keinen Stolz darüber, daß Kafka Jude war, obgleich ich vermute, daß seine Literatur für mich von bestimmender Bedeutung gewesen ist. Ich ärgere mich nicht darüber, daß Max Frisch kein Jude ist, obgleich seine Bedeutung für mich eine ähnliche ist. Ich empfinde keine Scham darüber, daß es Juden sind, die sich im Nahen Osten als Herrenmenschen etablieren und Politik betreiben, für die mir kein originelleres Attribut einfällt als: räuberisch.* Ich empfinde nur Zorn darüber, daß Menschen so mit Menschen umgehen.

Ich kann keine Auskunft darüber geben, wie viele Einflüsse und wie viele Anstöße Personen auf mich ausgeübt und mir gegeben haben, für die ihr Judentum eine greifbare Größe oder gar Zentrum ihres Lebens gewesen ist. Daß solche Einflüsse und Anstöße stattgefunden haben und weiterhin stattfinden, steht für mich außer Zweifel. Doch ich halte es für fruchtlos, sie messen und in ein Verhältnis zu anderen Einflüssen und Anstößen setzen zu wollen. Vielleicht wäre es sogar schlimmer als fruchtlos, vielleicht wäre es auf bestimmte Weise kriegerisch.

Einmal, erinnere ich mich, bekamen wir Besuch aus dem Ausland. Ich muß etwa elf Jahre alt gewesen sein. Mein Vater stellte mich einem bärtigen, glatzköpfigen alten Mann vor, der ein Käppchen auf dem Kopf trug, wie ich es bis dahin nicht gesehen hatte. Mein Vater nannte meinen Namen, und ich hielt dem Mann die Hand hin. Aber der rührte sich nicht, er sah mich lange an und schüttelte dabei kaum merklich den Kopf, als könne er etwas nicht verste-

* Dieses Urteil halte ich heute für überzogen und falsch. – J. B.

hen. Dann griff er mich – eine kleine Sekunde nur spürte ich
Angst und sträubte mich – und schloß mich in seine Arme.
Ich drehte den Kopf zu meinem Vater, weil ich ratlos war
und wissen wollte, wie ich mich zu verhalten hatte. Der
Vater beruhigte mich, indem er beschwichtigend die Hand
hob und mir zu verstehen gab, ich sollte nur mit mir geschehen lassen, es sei alles in Ordnung. Also hielt ich still
und wartete darauf, wieder losgelassen zu werden. Dann
merkte ich, daß der fremde Mann, während er mich immer
fester an sich drückte, weinte. Ich sah nach oben, weil sein
Körper so zitterte. Er hielt die Augen geschlossen, und Tränen verschwanden in seinem Bart. Ich mußte mir große
Mühe geben, um nicht selbst zu weinen. Ich erinnere mich,
daß ich den starken Wunsch hatte, den Mann zu trösten,
wenn ich nur gewußt hätte, wofür. Wir standen eine Zeit,
die mir endlos vorkam. Ich drehte mich nicht mehr um zu
meinem Vater, ich hätte jetzt auch zwei Stunden stillgehalten. Dann ließ der fremde Mann mich los, murmelte irgend
etwas und ging aus dem Zimmer. Mein Vater und ich
schwiegen, bis er aus dem Badezimmer zurückkam. Er ver-
abschiedete sich wie jemand, der es plötzlich sehr eilig hat,
mich sah er nicht mehr an.
Als er draußen war, fragte ich meinen Vater, warum der
Mann so geweint hatte. Mein Vater antwortete mir, ich
würde das noch nicht verstehen. Ich glaubte, daß das eine
Ausrede war, daß er es mir nur deshalb nicht erklärte, weil
er es selbst nicht verstand. Aber das glaube ich heute nicht
mehr.
Ich habe den Mann niemals wieder gesehen. Ich habe nie
ein Wort mit ihm gesprochen und kann ihn nicht vergessen.
Sooft das Wort »Jude« fällt, nicht um eine bestimmte Person zu kennzeichnen, sondern als ein Begriff der Unter-
scheidung schlechthin, denke ich an diesen Mann. Er ist für
mich eine Art Sinnbild geworden, wie albern oder unver-
ständlich das auch für alle die klingen mag, die nie von ihm

umarmt worden sind und die ihn nie haben weinen sehen. Irgendwie habe ich gespürt, daß seine Erschütterung nichts mit mir persönlich zu tun hatte, auch nichts mit ihm persönlich, daß sie von einer Beziehung herkam, die nichts Privates hat. Ich bekam eine Ahnung von der Verbundenheit dieses Mannes zu etwas, das weit außer ihm lag und das ihm wichtiger als alles andere gewesen sein muß. Und auch wenn ich nicht in der Lage bin, ihm auf dem Weg dorthin ein Stückchen zu folgen, habe ich durch ihn doch so etwas wie eine Nachricht erhalten, daß es diesen Weg gibt und wieviel er manchen bedeutet.

Sicher ist richtig, daß das Zusammengehörigkeitsgefühl in einer Gruppe von Menschen sich dort besonders ausprägt, wo diese Gruppe Angriffen ausgesetzt ist. Jemand, der unter solchen Umständen erklärt, dieser Gruppe nicht mehr angehören zu wollen, gerät leicht in den Ruf eines Deserteurs oder eines Feiglings oder eines Egoisten. Wenn dagegen ringsum Ruhe herrscht, wenn die Existenz der Gruppe von niemandem angegriffen wird und also nicht gefährdet scheint, kann es schon geschehen, daß sie sich unmerklich und lautlos verkleinert. Die Dialektik arbeitet.

In der Umgebung, in der ich aufgewachsen bin, hat es keine Angriffe auf die Gruppe der Juden gegeben. Zumindest nicht solche, die ich bemerkt hätte. Und zumindest nicht solche, die das Jüdisch-Sein von Personen zum Ziel hatten, die natürlich auch noch etwas anderes waren als Juden. Man kennt diesen Mann, der jede Nennung seines Fehlverhaltens als antisemitisch zurückweist. Wie man diese Regierung kennt, die jede Nennung ihres Fehlverhaltens als antisozialistisch zurückweist. Man muß sich da wirklich hüten.

Ich will nur sagen: Es kann durchaus sein, daß ich, wären die Juden meiner Kindheit zum Zusammenrücken und zum Sich-Wehren gezwungen worden, auf eine ganz selbst-

verständliche Weise in ihre Gemeinschaft hineingewachsen
wäre. Oder es kann sein, daß ich mich von ihnen losge-
macht hätte. Das ist die andere Variante der Hypothese.
Aber da war, wie gesagt, nichts, wovon ich mich hätte los-
machen müssen. Da waren keine Bindungen zu durchtren-
nen und keine Sitten abzustreifen, und es waren keine Traditionen da, die mich vor die Wahl gestellt hätten, sie zu
akzeptieren oder abzulehnen. Ich hätte mich also, um Jude
zu werden, schon selbst bemühen müssen. Es gab niemanden, der mich auf einen solchen Weg geschickt hätte, und
aus mir selbst heraus habe ich es nicht getan. Ob gut oder
schlecht, ich habe es einfach nicht getan.

Überhaupt, vermute ich, bedeuten mir Traditionen wenig.
Meistens, wenn ich bei der Pflege von Traditionen zugesehen habe, war da etwas, was mich störte. Auch dann, wenn
ich sehr wohl etwas erkannte, das meines Erachtens bewahrt zu werden verdiente. Zu oft, will mir scheinen, gewinnt das Störende in der Traditionspflege die Oberhand,
doch: überhandnehmen.

Als ganz junger Mann hatte ich eine Zeitlang Lust zu kegeln. Ich wurde in einen Kegelverein mitgenommen, und es
machte mir großen Spaß. Bis sich nach dem Kegeln die
Kegler ins Keglerheim setzten und Bier tranken und san-
gen, als gehöre diese Prozedur untrennbar mit zum Kegeln,
und ich konnte mich, wollte ich als Kegler akzeptiert werden, nicht ausschließen. Manchem sah ich deutlich an, daß
er nur um des Bieres und um des Singens willen Kegler
geworden war.

Sich einer Tradition verpflichtet zu fühlen, ist natürlich
nicht dasselbe, wie Einflüssen ausgesetzt zu sein, und nicht
dasselbe, wie eine bestimmte Schule hinter sich zu haben.
Über die Einflüsse, die mir bewußt sind, kann ich sprechen,
über die, die ich nicht weiß, nicht. Es mag sie geben.

Als mein Buch »Jakob der Lügner« erschienen war, schrie-
ben einige Rezensenten, ich befände mich damit in der Er-

zählertradition Scholem Alejchems und Isaac Bashevis Singers. Tatsache ist, daß ich zum ersten Mal Scholem Alejchem las, nachdem ich das Musical »Der Fiedler auf dem Dach« gesehen hatte, eine Weile nach dem Buch. Und von Singer kenne ich bis heute keine Zeile. Nun kann ich mir vorstellen, daß irgendwer nach dieser Mitteilung ausruft: »Siehst du, da haben wir's! Das eben ist das Jüdische in dir, was die Kritiker zu Recht erkannt haben. Und ob du dir der Verwandtschaft bewußt bist oder nicht, ob du sie zugibst oder leugnest – sie ist da. Du kommst nicht gegen sie an, wie du nicht dagegen ankommst, daß unten unten ist und blau blau.«

Ich stelle mir vor, ich irrte mich in einer so wichtigen Frage, es wäre nicht das erstemal. Ich stelle mir vor, ich verkennte Einflüsse, die ganz gravierend sind, ich sähe Beziehungen nicht, die unübersehbar sein müßten, ich fühlte mich nicht als Jude, bin aber in hunderterlei Beziehungen einer. Na und? Wozu, frage ich mich, muß ich einem solchen Rätsel unbedingt auf den Grund kommen wollen? Wäre ich hinterher klüger? Ich fürchte: nein. Ich fürchte: ich würde nur vergeblich versuchen, ein Geheimnis aufzuklären, ohne das mein Leben ärmer wäre.

1977

Die unsichtbare Stadt

Als ich zwei Jahre alt war, kam ich in dieses Ghetto, mit fünf verließ ich es wieder in Richtung Lager. Ich kann mich an nichts erinnern. So hat man es mir erzählt, so steht es in meinen Papieren, so war folglich meine Kindheit. Manchmal denke ich: Schade, daß dort nicht etwas anderes steht. Jedenfalls kenne ich das Ghetto nur vom dürftigen Hörensagen.

Ein paarmal hat mein Vater mit mir darüber gesprochen, widerwillig und selten. Solange er lebte, war ich nicht neugierig genug, ihn mit geschickten Fragen zu überlisten, und dann war es zu spät. Dennoch habe ich Geschichten über Ghettos geschrieben, als wäre ich ein Fachmann. Vielleicht habe ich gedacht, wenn ich nur lange genug schreibe, werden die Erinnerungen schon kommen. Vielleicht habe ich irgendwann auch angefangen, manche meiner Erfindungen für Erinnerung zu halten. Ohne Erinnerungen an die Kindheit zu sein, das ist, als wärst du verurteilt, ständig eine Kiste mit dir herumzuschleppen, deren Inhalt du nicht kennst. Und je älter du wirst, um so schwerer kommt sie dir vor, und um so ungeduldiger wirst du, das Ding endlich zu öffnen.

Jetzt ist der Fußboden meines Zimmers übersät mit den Fotos dieser Ausstellung. Wenn ich Erinnerungen hätte, müßten sie dort zu Hause sein, in jenen Straßen, hinter jenen Mauern, unter diesen Leuten. Am meisten interessieren mich die Frauen auf den Bildern: Ich weiß nicht, wie meine Mutter ausgesehen hat. Es existiert kein Foto von ihr, sie ist im Lager gestorben. Ich könnte mir eine der Frauen aussuchen, mein Vater hat gesagt, sie sei auffallend hübsch gewesen, natürlich.

Die meisten der Bilder sind von einer Stille, nach der man sich sehnt, sie strahlen Friedlichkeit aus. In meinen Augen haben sie etwas von der *guten alten Zeit*. Der Fotograf scheint um den Nachweis bemüht gewesen zu sein, daß das Ghetto kein grauenhafter Ort war, wie Feindpropaganda es manchem eingeflüstert haben mag, sondern daß es dort wie unter Menschen zuging. Wenn auch diese Menschen ein wenig seltsam waren, ein wenig anders, aber das wußte man vorher. Wer genau hinschaut, könnte das Ghetto sogar für einen Ort der Besinnung halten.

Der junge jüdische Polizist, der die Papiere eines verdächtig aussehenden Passanten kontrolliert, wie es nun mal Polizistenpflicht auf der ganzen Welt ist. Der Friseur, der seine Mütze vor dem Fotografen abgenommen hat, auf Kundschaft wartend vor seinem Holzhaus, in dem es bestimmt gemütlich zugeht. Der bärtige Mann, der einen gummibereiften Holzwagen übers Kopfsteinpflaster zieht, ein Arbeitsmensch, der sich nicht eben zerreißt. Selbst die vier Juden, die einen Toten an einer Mauer entlangtragen, muß man kaum mehr als flüchtig bedauern: zu viert wird man schließlich eine Leiche tragen können, und gestorben wird überall. Mit dem deutschen Posten neben dem Schilderhäuschen kann man schon eher Mitleid haben, wie er so dasteht, fern der Heimat und verloren; es ist verdammt einsam am Ghettoeingang, denn keiner will hinein und keiner hinaus. Die Bilder suggerieren, daß alles hier behutsam geregelt ist, auf eine den Dingen und den Menschen tief innewohnende Weise.

Mit einem Wort, ich denke mir Theorien über die Absichten des Fotografen zusammen, ich durchschaue seine Intentionen, der Kerl kann mir nichts vormachen. Doch auf einmal geschieht etwas, das mir ganz und gar nicht recht ist: Einzelne Bilder saugen meine Blicke auf, ich falle in sie hinein, fern der Absicht, einen Text zu schreiben. Ich sehe zwei Bilder mit Kindern, das einemal auf Essenzuteilung wartend, Töpfe und Eimerchen und Löffel in Händen, das anderemal mit roten Mützen und auf den Fotografen starrend. Beim Spielen unterbrochen und trotzdem regungslos. Nein, ein so Kleiner, wie ich damals gewesen sein muß, ist nicht dabei. Doch wahrscheinlich sind solche auf den Bildern, die mich kannten, die mir etwas weggenommen oder mich verprügelt oder mir ihre Befehle gegeben haben. Vielleicht steht einer dort, der heute mein bester Freund wäre, wenn die ganze Sache einen etwas günstigeren Verlauf genommen hätte.

Ich hasse Sentimentalitäten. Diese Verstandestrübungen, ich würde gern alle Löcher zustopfen, aus denen sie kriechen könnten, jedesmal wenn meinen Vater die Rührung überkam, bin ich aus dem Zimmer gegangen, bis er sich wieder im Griff hatte. Plötzlich spielt das keine Rolle mehr, die Bilder erfüllen mich selbst mit Rührung, ausgerechnet mich, und ich muß mir die dümmsten Tränen aus den Augen wischen. Keine Mädchen auf den Fotos, nur Jungen, Jungs über Jungs, wie kommt das? Ist das etwa der Grund, warum Mädchen für mich, seit ich zurückdenken kann, immer besondere Wesen gewesen sind?

Auf einem der Bilder fährt die jüdische Feuerwehr durchs Ghetto. Was war nur mit dieser Feuerwehr, irgendwas hat mir mein Vater erzählt, daß es sie gab, oder daß er einen dort kannte, oder daß sie immer zu spät gekommen ist, oder daß es andauernd gebrannt hat, selbst das habe ich vergessen. Unentwegt das Gefühl, mich beim Erinnern nur etwas mehr anstrengen zu müssen, anstatt so träge zu sein und faul aufs Erinnern zu warten. Dabei strenge ich mich an zum Verrücktwerden, es kommt nichts; nur die Bilder liegen im Zimmer, so unbegreiflich nah.

Als ich sie bekam, als ich das Päckchen öffnete und sie auszubreiten anfing, hatte ich bald das Empfinden, sie in eine andere Reihenfolge bringen zu müssen. Doch in was für eine Reihenfolge? Was paßte wozu, und was sollte getrennt sein? Gehören Kinder zu Kindern und Bärtige zu Bärtigen und Händler zu Händlern? Und Polizisten zu Polizisten und die blonden zu den Blonden? Jedenfalls stimmt die Reihenfolge nicht, sie ist wie ein Sprung auf einer Platte, der die schönste Aufnahme verdirbt. Ich ordne die Bilder immer wieder neu, ich will unbedingt das Rätsel lösen. Ich lege den Bahnhof nach außen, den Friedhof nach außen, die Straßen in die Mitte, Holzhäuser zusammen, Steinhäuser zusammen, die Werkhallen dazwischen, die Grenze an die Grenze. Immer wieder ist alles falsch, das Lämpchen der Erinnerung leuchtet nicht auf.

Ich starre auf die Bilder und suche mir die Augen wund nach dem alles entscheidenden Stück meines Lebens. Aber nur die verlöschenden Leben der anderen sind zu erkennen, wozu soll ich von Empörung oder Mitleid reden, ich möchte zu ihnen hinabsteigen und finde den Weg nicht.

1989

Kommentar

Zeittafel

1937 Am 30. September in Lodz (Polen) geboren; dieses Datum sei indes willkürlich gewählt: Im Ghetto hat Max Becker (1900–1972) seinen Sohn älter gemacht, um ihn vor der Deportation zu bewahren. Später erinnert er sich nicht mehr an das richtige Geburtsdatum.

1939 Mit den Eltern in das Ghetto von Lodz zwangsumgesiedelt.

1943–1945 Internierung in den Konzentrationslagern Ravensbrück und Sachsenhausen. Nach der Befreiung der Lager finden sich er und sein Vater, der in Auschwitz überlebt hatte, mithilfe einer amerikanischen Suchorganisation wieder. Seine Mutter ist im Lager gestorben; etwa 20 weitere Familienangehörige sind »vergast oder erschlagen worden oder verhungert« (Becker).

Ab 1945 Mit dem Vater wohnhaft in Berlin/DDR, wo er, der bislang nur polnisch sprach, die deutsche Sprache erlernt und zur Schule geht.

1955/56 Nach dem Abitur zwei Jahre Militärdienst in der Nationalen Volksarmee der DDR.

1957 Mitglied der SED. Studium der Philosophie an der Humboldt-Universität in Berlin/DDR.

1960 Aus politischen Gründen vom Studium relegiert. Kurzes Film-Szenarium-Studium im DDR-Filmzentrum Babelsberg; Texte für das Kabarett der Humboldt Universität Berlin, für das Kabarett »Die Distel« sowie Humoresken für die DEFA-Serie *Stacheltier*. Zwischen 1960 und 1968 Drehbücher, zum Teil gemeinsam mit Klaus Poche unter dem Pseudonym Georg Nikolaus, zu sieben heiteren Fernsehspielen. Seine frühen Erfahrungen mit der DEFA und dem Fernsehen gehen in den Roman *Irreführung der Behörden* (1973) ein.

1963 Am 10. Januar Einreichung eines Exposés für ein Drehbuch mit dem Titel *Jakob der Lügner*; seit 1965 liegt der Stoff in der zweiten Exposéfassung dem Regisseur Frank Beyer (* 1932) vor. Abnahme des Drehbuchs wird indes von der DEFA verweigert.

1969 Festanstellung als Drehbuchautor bei der DEFA. *Jakob der Lügner* erscheint als Roman im Aufbau-Verlag, Ost-Berlin.

1971 Heinrich-Mann-Preis, Charles-Veillon-Preis (Schweiz).

1972 Tod des Vaters. Mitglied des PEN der DDR.

1973 *Irreführung der Behörden*, Roman. Wahl in den Vorstand des Schriftstellerverbands der DDR.

1974 Literaturpreis der Freien Hansestadt Bremen. *Jakob der Lügner* wird von Frank Beyer verfilmt und am 22. Dezember im DDR-Fernsehen im Rahmen einer »Woche des antiimperialistischen Films« erstmals ausgestrahlt.

1975 Nationalpreis der DDR. Am 17. April feiert *Jakob der Lügner* seine Kinopremiere.

1976 Ausschluss aus der SED, weil Becker eine Protestnote gegen die Ausbürgerung Wolf Biermanns (* 1936) unterschreibt. *Der Boxer*, Roman.

1977 Im Wettbewerb um den »Oscar« der amerikanischen Filmakademie kommt *Jakob der Lügner* in der Kategorie »Ausländischer Film« in die engere Auswahl der besten fünf Filme und erhält einen Ehrenpreis. Es bleibt die einzige Nominierung eines Films aus 40 Jahren DEFA-Produktion für einen »Oscar«.
Austritt aus dem Schriftstellerverband der DDR aus Protest gegen den Ausschluss Reiner Kunzes (* 1933). Seit 1977 lebt er mit Genehmigung der DDR-Behörden vorwiegend in West-Berlin. Drehbuch zusammen mit Peter Lilienthal (* 1929) zum Film *David*.

1978 »Writer in Residence« am Oberlin College/Ohio. *Schlaflose Tage*, Roman.

1978/79 Gastprofessur an der Gesamthochschule Essen. *Der Boxer* wird von Karl Fruchtmann verfilmt.

1980 *Nach der ersten Zukunft*, Erzählungen.

1981 Teilnahme am 1. Friedenstreffen von Schriftstellern aus Ost und West in Ost-Berlin. Gastprofessur an der Universität Augsburg.

1982 *Aller Welt Freund*, Roman. Stadtschreiber von Bergen-Enkheim. *Schlaflose Tage* wird von Diethard Klante verfilmt.

1983　Wahl in die Akademie für Sprache und Dichtung, Darmstadt. Ausstrahlung des Hörspiels *Rede und Gegenrede*, Regie: Friedhelm Ortmann, im Westdeutschen Rundfunk.

1984　Vorträge an der Cornell-University, Ithaca/New York.

1986　*Bronsteins Kinder*, Roman. Drehbücher zur Fernsehserie *Liebling Kreuzberg* (Regie: Heinz Schirk bzw. Werner Masten). Wohnsitz in Berlin-Kreuzberg. Drehbuch gemeinsam mit Thomas Brasch (* 1945) zum Film *Last call, Mr. Cornfeld*. Ein Band mit *Erzählungen* erscheint.

1987　Adolf-Grimme-Preis in Gold, zusammen mit *Liebling-Kreuzberg*-Hauptdarsteller Manfred Krug (* 1937) und Regisseur Heinz Schirk. Gastprofessur an der University of Texas in Austin.

1988　*Der Passagier – Welcome to Germany*. Mitarbeit am Buch von Thomas Brasch, Regie: Thomas Brasch. Deutscher Fernsehpreis »Telestar«.

1989　Gastdozentur der Stiftungsdozentur für Poetik an der Johann Wolfgang Goethe-Universität Frankfurt/M.

1990　*Warnung vor dem Schriftsteller*, Drei Vorlesungen in Frankfurt. Bayerischer Fernsehpreis, Hans-Fallada-Preis der Stadt Neumünster. Drehbuch zu *Neuner*, Regie: Werner Masten, und Mitarbeit am Drehbuch zu *Bronsteins Kinder*, Regie: Jerzy Kawalerowicz.

1991　Bundesfilmpreis-Filmband in Gold für *Neuner*.

1992　*Amanda herzlos*, Roman. *Die beliebteste Familiengeschichte und andere Erzählungen*.

1994　Drehbücher für die Fernsehserie *Wir sind auch nur ein Volk*.

1996　*Ende des Größenwahns*, Aufsätze, Vorträge. Drehbücher zur Fernsehserie *Liebling Kreuzberg*.

1997　Jurek Becker stirbt am 14. März.

Das Ghetto von Lodz. Historischer Bezugsrahmen und autobiografische Folie

Jurek Becker wurde im September 1937 im polnischen Lodz geboren. Sein Vater arbeitete als Kontorist, seine Mutter war Hausfrau. Zu diesem Zeitpunkt galt Lodz als das Zentrum der polnischen Textilindustrie (»das polnische Manchester«). Von den etwa 700 000 Einwohnern waren 233 000 jüdischer Abstammung und etwa 60 000 Deutsche. Am 1. September 1939 löste der Überfall der deutschen Wehrmacht auf Polen den Zweiten Weltkrieg aus. Bereits eine Woche später besetzten deutsche Truppen Warschau und Lodz. Zahlreiche Mitglieder des Jüdischen Gemeinderats von Lodz flohen; das Rabbinat wurde von den Besatzern aufgefordert, täglich 600 männliche Arbeitskräfte bereitzustellen. Erste brutale Übergriffe der SS auf jüdische Einwohner gipfelten in der »Reichskristallnacht« am 10. November 1939, in der auch die Synagogen von Lodz Brandstiftern zum Opfer fielen. Die jüdischen Bewohner von Lodz wurden kurz danach angewiesen, stets einen gelben Stern an ihrer Kleidung zu tragen.

Zwangsein-
weisung in das
Ghetto Am 8. Februar 1940 erließen die deutschen Behörden eine Verfügung, wonach sich alle in Lodz ansässigen Juden in wenigen Tagen in das ihnen zugewiesene Ghettogebiet zu begeben hatten. Das Ghetto umfasste einen Teil der nördlichen Altstadt, das Elendsviertel Balut und das Außenviertel Marysin sowie den jüdischen Friedhof, insgesamt 4,13 km². Von den ungefähr 31 000 Wohnungen verfügten nur 725 über fließendes Wasser. Der größte Teil der Häuser war aus Holz und hatte keine Kanalisation. Dazu Jurek Becker lapidar: »Nach der Besetzung Polens zogen wir ein paar Straßen weiter in das Ghetto von Lodz, das inzwischen auf den Namen Litzmannstadt getauft worden war« (Krauss, S. 140). Das Ghetto, in dem der Roman *Jakob der Lügner* spielt, entspricht nicht im historischen Detail dem Ghetto von Lodz. Viele Straßennamen und andere topografische Details sind eindeutig fiktiv. Und doch erscheint es legitim und notwendig, die soziale Wirklichkeit dieses Ghettos im Hinblick auf das Verständnis des Romans in Grundzügen und in gewisser

Weise exemplarisch zu beschreiben. Denn sowohl die persönlichen Erfahrungen Beckers wie auch seine konzeptionelle Herangehensweise legen diese Bezugnahme nahe: »Ich war irgendwie Kaspar Hauser, ich war in diese Welt gefallen mit acht Jahren. Und keiner hat mir erzählt, was ich für einer bin und was mit mir los ist und wo ich herkomme. Und sicher ist *Jakob* in dem Sinne der Versuch des Hauchs einer Autobiografie. Ich wollte etwas genauer wissen [...]. Und ich habe mich so lange damit beschäftigt, bis das etwas geworden ist, wo Leute drin gewohnt haben, von denen mit Bestimmtheit ich einer war. Ich weiß wirklich nicht, welcher« (Koelbl, S. 17). Und Becker weiter: »Ich wußte im vornhinein, daß ich nicht die Ghettowirklichkeit beschreiben will in dem Buch. Aber ich wollte die Ghettowirklichkeit möglichst genau kennen, um zu wissen, wo ich sie verlasse. [...] Ich habe mich [...] ausführlich mit Ghettomaterial, mit Ghettoarchiven befaßt, bin nach Polen gefahren, habe mich dort viel in Archiven rumgetrieben, habe übrigens in einem Archiv in Polen meine Ghettoanmeldung gefunden, die ich zu Hause fotokopiert habe, und die meiner Eltern. Ich habe also nicht meine eigene Ghettowirklichkeit, sondern eine Ghettowirklichkeit generell ziemlich genau recherchiert« (Graf, S. 58f.). *Jakob der Lügner* ist in diesem Sinne nicht als autobiografischen Erfahrungsbericht zu verstehen. Becker hat in vielen Gesprächen zudem immer wieder betont, dass seine aktive Erinnerungsfähigkeit an die Zeit im Ghetto Lodz erheblich getrübt wäre. Erst kurz vor seinem Tod reaktivierten überraschend aufgetauchte Farbdias aus dem Ghetto, die er im Rahmen einer Ausstellung des Jüdischen Museums in Frankfurt am Main in Augenschein nehmen konnte, verschüttete Erlebnisse in seinem Gedächtnis. In jedem Fall spielte die Kombination aus vagen und situativen Erinnerungen und penibler Recherche eine wesentliche Rolle für die Gestaltung des Romans. Die historische Wirklichkeit des Ghettos in Lodz liefert den allgemeinen Bezugsrahmen der Romanhandlung und mag auch dazu dienen, persönliche Erfahrungen aus der Kindheit des Autors, bewusst oder unbewusst, literarisch zu reflektieren.

Im Frühjahr 1940 wurde das Ghetto hermetisch abgeriegelt. Deutsche und Polen durften das Ghetto nicht mehr betreten; Abriegelung des Ghettos

Stacheldraht, Wachtürme und Polizeiposten sorgten dafür, dass dieser in Gefangenschaft gehaltene Stadtstaat völlig von der Außenwelt abgeschnitten wurde. Jeder Versuch, den Ghettozaun zu überwinden, war mit sofortiger Erschießung bedroht. Der Besitz von Uhren, Zeitungen, Büchern und Radios wurde ebenso verboten wie Tierhaltung und Baumbestand. Es gab eine Sperrstunde ab 21 Uhr und Passierscheine, eine eigene Ghettopost, zeitweise eine eigene Zeitung, die allerdings nur Anordnungen der deutschen Führung veröffentlichen durfte, und ein Ghettozentralgefängnis, Lebensmittelrationierungen und ein eigenes Ghettogeld. Eine eigens eingesetzte »Ernährungs- und Wirtschaftsstelle Ghetto« übernahm die alleinige Verwaltung dieses »Warteraums des Todes« (Jean Améry). Eine Volkserzählung im Juni 1940 ergab, dass im Ghetto 157 955 Menschen lebten, darunter 7 582 Kinder unter drei Jahren und 28 606 Kinder zwischen drei und 14 Jahren. Die Kosten für die tägliche Versorgung im Ghetto wurden auf 0,30 Reichsmark, später auf nur noch 0,19 RM pro Kopf festgelegt und lagen damit noch unter dem Satz von Gefängnisinsassen. Im Sommer 1940 und im Januar 1941 kam es auf Grund der verheerenden Versorgungslage zu Hungerdemonstrationen, die von der Gestapo mithilfe des jüdischen Ordnungsdienstes niedergeschlagen wurden. Ein voll arbeitender Ghettobewohner erhielt im Durchschnitt täglich 1 100 Kalorien bei bis zu zwölf Arbeitsstunden an sechs Arbeitstagen in der Woche.

Die Verordnungen der Ghettoverwaltung standen in direktem Zusammenhang mit den politischen Entscheidungen der zuständigen NS-Behörden. Zum einen wurden schon früh, nämlich 1939, unmissverständliche Äußerungen von höherer Stelle laut, wie z. B. von SS-Brigadeführer Friedrich Übelhör, Regierungspräsident in Kalisz, wonach Ghettos lediglich als »Übergangslösung« zu betrachten seien und »diese Pestbeule restlos ausbrennen« (zit. nach Heuberger, S. 7) müsse. Die gezielte Verelendung der jüdischen Ghettobewohner im Zusammenspiel mit Deportation und Vernichtung stand zum anderen wirtschaftlichen Interessen entgegen, die die Bedeutung der Produktivkraft des Ghettos für die deutsche Rüstungsindustrie unterstrichen. Im Ghetto arbeiteten eine Vielzahl von relativ hoch qualifizier-

Das Ghetto als Wirtschaftsfaktor

ten Betrieben wie Schneidereien, Tischlereien, Schuhmacherbetrieben, Metallwerkstätten, Sattlereien, Textilverarbeitungsbetrieben und Färbereien. Ende 1943 ergab eine Erhebung, dass im Ghetto 117 Werkstätten und Fabriken mit insgesamt 75 000 Arbeitern existierten. Produziert wurden Uniformen, Munition, Militärabzeichen, Lederwaren, Bekleidungsgegenstände und Holzwaren. In einem Schreiben des Bürgermeisters Dr. Marder vom 4. Juli 1941 heißt es: »Seit der Errichtung des Ghettos hat sich dessen Charakter grundlegend geändert. Das Ghetto sollte nach der festen Zusage, die seinerzeit gemacht wurde, lediglich als Übergangsmaßnahme bis zum 1. Oktober 1940 bestehen bleiben. [. . .] Als feststand, daß eine Auflösung des Ghettos zu dem vorgesehenen Zeitpunkt nicht zu erwarten war, ist ein umfassender Aufbau der Arbeitsorganisation im Ghetto erfolgt. Dieser Aufbau hat dazu geführt, daß das Ghetto nicht mehr als eine Art ›Anhalte- oder Konzentrationslager‹ angesehen werden kann, sondern ein wesentlicher Bestandteil der Gesamtwirtschaft geworden ist, sozusagen ein Großbetrieb sui generis. Gegenwärtig sind etwa 40 000 der rund 160 000 Ghettobewohner in Arbeit, ein Verhältnis, das dem allgemeinen Beschäftigungsstand im Reich entspricht und das in Kürze noch weiter gesteigert wird« (zit. nach Scheffler, S. 13f.).

Zum Zweck dieser wirtschaftlichen Expansion hatten die NS-Behörden mit dem Judenrat und dem »Judenältesten« (Vorsteher) Mordechai Chaim Rumkowski (1877–1944) eine Institution eingerichtet, die in allen Fragen des öffentlichen Lebens direkter Ansprechpartner der Ghettoverwaltung war. Der Judenrat setzte auf Kooperation mit der deutschen Verwaltung und provozierte durch harte Maßnahmen erhebliche Widerstände in den eigenen Reihen. Der Jüdische Ordnungsdienst übernahm Polizeifunktionen, organisierte im Auftrag der Ghettoverwaltung Beschlagnahmungen, Arbeitseinsätze, Essensausgaben in den Gemeinschaftsküchen, aber auch die Listen für angeordnete Deportationen. Im Rahmen dieser scheinbaren Selbstverwaltung verschwamm für manchen die ansonsten so scharfe Trennlinie zwischen Täter und Opfer. Die katastrophalen sanitären und hygienischen Bedingungen erschwerten neben Hunger und Kälte das Überleben: 60% der Ghettobewohner litten unter akuter Tuberkulose, viele unter Hungerödemen und chronischer Schwäche. 1941 wurden 20 000 Juden aus dem Altreich und 5 000 burgenländische Roma und Sinti ins Ghetto deportiert. Eine Typhusepidemie brach aus, innerhalb von zwei Monaten starben 600 Menschen an Hunger und Typhus. Die Schulen im Ghetto wurden geschlossen. Der scheinbare »Normalzustand« des Ghettolebens brach zusehends, spätestens ab 1942, zusammen. Bis dato existierende heimliche Gottesdienste, offene Bibliotheken, Literaturzirkel, Treffen von Jugendorganisationen und sogar Orchesterkonzerte im Kulturhaus, die noch geduldet waren, wurden untersagt. Gauleiter Arthur Greiser (1897–1946) ordnete an – die »Wannsee-Konferenz« unter dem Vorsitz von Reinhard Heydrich (1904–1942), Chef des Reichssicherheits-Hauptamtes, legte im Januar 1942 die Richtlinien zur Vernichtung der europäischen Juden fest –, dass bereits bei Euthanasie-Aktionen benutzte Gaswagen reaktiviert und im nahe gelegenen Chelmno (dt. Kulmhof) eingesetzt wurden. Von Januar bis Mai 1942 wurden dort etwa 60 000 Ghettoinsassen vergast. Die Deportationslisten musste der »Judenälteste« zusammenstellen. Es waren v. a. Kinder, Kranke, Alte und Schwache, sog. »unproduktive« Juden und Sinti, die selektiert wurden. Weitere Deportationswellen erschütterten das Ghetto. Da der Jüdische Ordnungsdienst offenbar nicht mehr effektiv genug arbeitete, übernahm die Gestapo selbst die Durchsuchung der Wohnungen mit ungekannter Brutalität. Es begann eine regelrechte Menschenjagd. Kinder und Kranke wurden aus den Fenstern der Heime und Krankenhäuser geworfen, Eltern, die ihre Kinder schützen wollten, auf offener Straße ermordet. Nächtliche Razzien und permanente Übergriffe der Gestapo schufen ein Klima aus Todesangst und Verzweiflung. »Es gibt wirklich hier ein Grauen, das sich der formenden Hand des Dichters widersetzt. Ich weiß nicht, ob unter den Lebenden hier ein Dichter ist, der diese Aufgabe meistern wird, und wenn, ob er ein Überlebender sein wird« schrieb der Lagerinsasse Oskar Singer in sein Tagebuch (S. 214). Im Ghetto wusste man, trotz vager Vermutungen, nichts von der Massenvernichtung. Die NS-Behörden sprachen von Arbeitseinsätzen und Umsiedlungen; erst große Transporte von Kleidung und Gebrauchsgegenständen, die im Ghetto ein-

Deportationen in das KZ

trafen und offenbar nicht von ihren Besitzern verpackt wurden, verstörten die bislang Überlebenden nachhaltig. Die Hungersnöte und die damit steigenden Schwarzmarktpreise, die Entkräftung und das allgemeine Elend schufen extreme Bedingungen: »Alle niedrigen Instinkte im Menschen wurden da geweckt. Diese unglücklichen Wesen quälten einander mit allen kleinen und großen Schikanen des Massenelends« (Singer). Und »konnten jemals menschliche Wesen zu solch tragischer Blöße reduziert werden, zu solch einer bloßen tierischen Begierde nach Nahrung?«, fragte sich ein namenlos gebliebener junger Mann, dessen Aufzeichnungen von 1944 auf den Seiten eines französischen Romans gefunden wurden.

Im Juni 1944 landeten die alliierten Streitkräfte in der Normandie. Reichsführer-SS Heinrich Himmler (1900–1945), als »Reichskommissar für die Festigung deutschen Volkstums« verantwortlich, ordnete die Räumung des Ghettos an. Kurz darauf wurde eine Gruppe im Ghetto verhaftet, die ausländische Rundfunkmeldungen abhörte; ihre Mitglieder wurden ermordet. In der überlieferten Ghettochronik heißt es dazu: »Dieses von der Welt abgeschlossene Ghetto, dem es nicht einmal erlaubt ist, eine im Reich erscheinende, unmittelbar hinter den Drähten greifbare Zeitung zu lesen, konnte natürlich auf die Dauer in Wirklichkeit nicht hermetisch von der Außenwelt abgeschlossen werden. Zwei Radiogeräte werden gefunden. Eine geschlossene Stadt von 150 000 Menschen! Möglicherweise waren es Empfangsgeräte, die von den Polen im Ghetto zurückgelassen wurden, vielleicht auch primitive Ghettokonstruktionen. Niemand wußte, ob es sich tatsächlich um Radiogeräte im Ghetto handelt oder um Nachrichten, die über die Drähte kamen. Sicher ist, daß das Ghetto immer voll war mit allerhand Gerüchten. Nun zeigt es sich, daß tatsächlich ein paar Leute verwegen genug waren, im Ghetto selbst Nachrichten abzuhören und zu verbreiten« (S. 255f.). Shmuel Krakowski, Mitglied einer der illegalen Organisationen im Ghetto, erinnert sich: »Von größter Bedeutung für die Moral der Ghettobevölkerung was das illegale Radio. Riwa Kwiatkowska, die als Schriftstellerin zu den Aktivisten des Untergrunds im Lodzer Ghetto zählte, schrieb darüber: ›Noch bevor die Juden von Lodz in das Ghetto getrieben wurden, wurde schon der Besitz von Radiogeräten unter die Drohung der Todesstrafe gestellt. Trotz dieses Verbots nahmen zahlreiche Juden ihre Radioempfänger mit ins Ghetto. Und obwohl im Jahre 1941 die Besitzer von Radiogeräten von der Gestapo verhaftet und hingerichtet wurden, fand sich eine Gruppe, die ein eigenes Radio konstruierte. [...] Jedes Mitglied informierte drei Mal täglich unter äußerster Lebensgefahr vor allem die Leiter der politischen Gruppen über die Lage an der Front, über die Fortschritte der Roten Armee und weitere Nachrichten aus London, Berlin und Moskau. Diese Gruppe arbeitete rund um die Uhr, trotz der vielen Aktionen und des sich verschärfenden deutschen Terrors‹« (Krakowski, S. 48). Die Gruppe fiel einem Verrat zum Opfer.

Räumung des
Ghettos Noch einmal über 7 000 Menschen wurden im Sommer 1944 nach Chelmno gebracht und ermordet, bis am 15. Juli die Deportationen ausgesetzt wurden und Chelmno seine grausame Arbeit einstellte. Angesichts der russischen Offensive bemühten sich die deutschen Behörden, alle Spuren der Massenvernichtung zu tilgen. Und doch gingen weitere Transporte aus Litzmannstadt fort, bis zum 30. August ausnahmslos nach Auschwitz, wo fast alle am Tag ihrer Ankunft ermordet wurden. Im Ghetto blieb ein Aufräumkommando von ca. 600 Mann zurück. Zu ihnen stießen im Verlauf der Zeit etwa 270 Personen, die sich vor den Verfolgungen der Gestapo versteckt hatten. Sie wurden in einem Haus kaserniert und von der Gestapo gezwungen, das zurückgelassene Eigentum der Deportierten zu sammeln. Um den 10. Januar 1945 herum ließ die Gestapo neun große Gräben auf dem jüdischen Friedhof ausheben. Fünf Tage später notierte Jakub Poznanski in sein Tagebuch: »In der Nacht hörten einige Mutige Radio. Sie lagen unter Decken im Keller eines der benachbarten Häuser. Sie teilten uns mit, daß die Russen wie ein Sturm auf unsere Stadt zukämen – vom Osten und vom Süden« (Poznanski, S. 273). Als am 17. Januar zu einem allgemeinen Appell befohlen wurde, versteckten sich die übrig gebliebenen Ghettobewohner in bis zu zwölf Meter tiefen, mit Wasser und kleinen Vorräten versehenen Erdlöchern. Einen Tag später wurden 2 000 polnische Häftlinge in einem Vorort von der Gestapo ermordet. Am 19. Januar 1945 wurde das Ghetto Litzmann-

stadt von sowjetischen Truppen befreit. 870 Menschen hatten im Ghetto überlebt.

Erzählstrategien des Romans im Spannungsfeld von Authentizität und Fiktion

Die Neuigkeit, dass Jakob Heym ein Radio besitzt und heimlich Fremdsender abhört, hat sich im Ghetto wie ein Lauffeuer herumgesprochen. Auch der achtjährigen Lina, deren Eltern bereits deportiert wurden und die nun von Jakob auf einem Dachboden versteckt und versorgt wird, ist diese Nachricht nicht verborgen geblieben. Mit freundlicher Hartnäckigkeit bearbeitet sie ihn so lange, auch Radio hören zu wollen, bis Jakob eines Tages ihrem Drängen nachgibt und eine Radiosendung für sie inszeniert. Mit einiger Anstrengung simuliert er hinter einer Trennwand ein Interview des Rundfunkmoderators mit dem britischen Premierminister Sir Winston Churchill (1874–1965) und lässt anschließend, von der eigenen Erfindungsgabe berauscht, ein ganzes Orchester einen furiosen Marsch intonieren. Doch damit nicht genug: Zum krönenden Abschluss der Darbietung erzählt Jakob der kleinen Lina »Das Märchen von der kranken Prinzessin« (175,24–178,7).

Als er einige Zeit später ein Gespräch des Mädchens mit zwei Nachbarjungen belauscht, erkennt er, »wie entstellt seine Informationen weitergegeben werden« (185,15–16). Um bei ihren Freunden Eindruck zu schinden und auch vielleicht, weil ihre Erinnerung nicht so gut funktioniert, hat Lina Jakob als Märchenerzähler identifiziert und der ursprünglichen Geschichte ein paar Kleinigkeiten hinzugefügt. Doch diese genügen bereits, um bei den Zuhörern starke Zweifel an der Geschichte aufkommen zu lassen. Diese kleine Episode charakterisiert nahezu exemplarisch die erzählerische Komplexität des Romans. »Romane werden nicht geschrieben, um das Leben zu erzählen, sondern um es zu verwandeln, indem man ihnen etwas hinzufügt«, schreibt der peruanische Schriftsteller Mario Vargas Llosa (* 1936) in seinem Essayband *Die Wahrheit der Lügen* (1989) und liefert mit diesem Satz gleichsam das Motto für Jurek Beckers Debütroman. Das Dilemma, in dem sich der Titelheld des Romans befindet, erweist sich bei genauem Hinsehen am Ende wirklich nur als ein scheinbares; das Spannungsverhältnis zwi-

schen Authentizität und Fiktion, zwischen Wahrheit und Lüge, Authentizität und Fiktion
das in *Jakob der Lügner* kunstvoll auf mehreren Ebenen aufge-
baut wird, bricht unter der Last moralischer und poetologischer
Fragen keineswegs zusammen, im Gegenteil: Jurek Becker entwickelt ein transparentes und polyfones Erzählgeflecht, in dem
nicht nur eine Handlung weitgehend linear vorangetrieben wird,
sondern in dem gleichzeitig die Möglichkeiten und Grenzen des
Erzählens zum Gegenstand des Romans gemacht werden. Die
Anlage der Erzählhandlung mit einem auktorialen Erzähler, der
die ihm anvertraute Geschichte des Jakob Heym weiterreicht
und dabei ebenso einen Balanceakt zwischen historischer Wirklichkeit und literarischer Notwendigkeit vollführt wie seine
»Kollegen« Jakob Heym und Jurek Becker, eröffnet vexierhafte
Spielvarianten mit narrativen Freiheiten und Zwängen, die den
Roman als literarischen Modellfall erscheinen lassen. Die Ex-
tremsituation des Holocaust, hier dargestellt im engen Raum
eines Ghettos, erzwingt eine zusätzliche Reflexion über die An-
wendbarkeit erzählerischer Verfahren.

Im Grunde sind es drei Erzähler, die mit ihren Geschichten inein- Drei Erzähler
ander greifen und diese am Ende zu einem großen Roman ver-
knüpfen: Jakob Heym, ein anonym bleibender, 46-jähriger
Schicksalsgenosse Heyms und der Autor Jurek Becker. Der ehemalige Imbissbesitzer Jakob Heym ist anfangs ein Erzähler wider Willen. Sein Weg ist bekannt: Von einem Wachposten im
Ghetto schikaniert, muss er sich auf dem Polizeirevier melden,
einem Ort, den noch keiner wieder lebend verlassen hat. Doch
das Schicksal meint es gut mit ihm. Er trifft auf einen desin-
teressierten Beamten, der ihn wieder laufen lässt. Doch bevor er
das Gebäude verlässt, hört er zufällig eine Radiomeldung, die
von erbitterten Kämpfen zwischen deutschen und russischen
Truppen an einer Frontlinie berichtet, die nicht allzu fern vom
Ghetto verläuft. Kurz darauf bemüht sich sein Freund Mischa
unter Lebensgefahr, an einen Wagon mit Kartoffeln heranzu-
kommen. Heym versucht ihn von diesem riskanten Unternehmen mit dem Hinweis auf die vorrückende Rote Armee und die
damit verbundene Befreiung des Ghettos abzubringen. Seine
Quelle kann er nicht preisgeben. Da noch niemand das Polizeirevier lebend verlassen hat, käme er in Verdacht, ein Spitzel der

NS-Behörden zu sein. Daher erfindet er in höchster Not die Existenz eines Radios, mit dem er vorgibt, Fremdsender abzuhören. Der Trick funktioniert, Mischa lässt von seinem Vorhaben ab: »Ganz plötzlich ist morgen auch noch ein Tag« (34,19–20). Die Geschichte bleibt kein Einzelfall, Mischa ist redselig, Jakob avanciert mit seinem Kontakt zur Außenwelt zum Hoffnungsträger. Die Lawine gerät ins Rollen, die Erfüllung von Erwartungen wird zur Qual. Jakob ist das personifizierte Versprechen auf eine Zukunft. Er übernimmt Verantwortung, nicht ganz freiwillig. Im Grunde fühlt er sich überfordert. Aber er realisiert, welche Ansprüche an seine neue Rolle geknüpft werden, welches Gewicht seine Mitteilungen und Prognosen erhalten: »Nicht jeder kennt die Herkunft der Nachricht, dazu ist das Ghetto zu groß, aber die Russen sind in jedem Kopf. Alte Schulden beginnen eine Rolle zu spielen, verlegen werden sie angemahnt, Töchter verwandeln sich wieder in Bräute, in der Woche vor dem Neujahrsfest soll Hochzeit gehalten werden, die Leute sind vollkommen verrückt, die Selbstmordziffern sinken auf Null« (86,8–15). Allen Gewissensbissen zum Trotz rechtfertigt Jakob seine erfundenen Meldungen mit den trostsuchenden Reaktionen seiner Mitmenschen, die sich unter dem Druck der Verhältnisse in diese Abhängigkeit begeben. Immer wieder plagen ihn Skrupel, versucht er, mit erfundenen Störungen seines Empfängers Zeit zu gewinnen. Er hat Angst, dass ihm die Geschichten ausgehen, dass ihn seine Erfindungsgabe und seine Lust am Fabulieren (z. B. in der Szene mit Lina) im Stich lassen könnten. Als ihm der Arzt Kirschbaum Vorhaltungen macht, er überschreite seine Grenzen, rafft sich dieser einfache Mann auf und widersetzt sich, indem er ganz auf die Kraft des Wortes vertraut. Ziemlich lange funktioniert dieses »Spiel«. Doch jede Geduld hat bekanntlich ihre Grenzen. Die Zustände im Ghetto verschlechtern sich zunehmend, und Heym kann dem Erwartungsdruck der Straße nicht standhalten. Als er erschöpft seinem Freund Kowalski die Wahrheit gesteht, begeht dieser desillusioniert Selbstmord. Jakob flüchtet noch einmal in die Offensive und verbreitet Erfolgsmeldungen: »Jakob kann tausendmal wiederfinden, berichten, Schlachten ersinnen und in Umlauf setzen, eins kann er nicht verhindern, zuverlässig nähert sich die Geschichte ihrem nichtswürdigen Ende« (262,19–22).

Jakobs »Lügen« speisen sich aus zugleich naiven und humanen
Motiven. Es geht ihm nicht um persönliches Heldentum, die
Rolle als Heilsbringer wächst ihm unverhofft zu, bereitet ihm
mehr Angst als Vergnügen. Seine Nachrichten formuliert er anfangs überaus kurz, aus einer defensiven Haltung heraus. Erst
als er erkennen muss, dass die Alltagswirklichkeit in all ihrer
Brutalität durch seine Nachrichten nicht im Mindesten berührt
wird, greift er zu fantasievolleren, breiteren Darstellungen. Solange etwas erzählt werden kann, ist Leben, so grausam es auch
sein mag. Der Akt des Erzählens hat vitale Qualitäten, verge-
wissert den Erzähler und seine Zuhörer ihrer Existenz. Beide
Parteien leben im Erzählten und durch das Erzählen. Vergangenheit, Gegenwart und Zukunft fallen im gesprochenen und
gehörten Wort in eins zusammen. Man handelt, man lebt. Der
»Seelentröster« (254,33) Jakob Heym unterscheidet sich kaum
von den anderen Menschen im Ghetto. Doch ohne ihn, seine
Gewissensbisse, seine Auffassungsgabe, seinen Mut und sein Er-
zähltalent gäbe es diese Geschichte nicht. »Die Lüge ist ein Las-
ter, wenn sie Böses tut«, heißt es bei Voltaire. »Und sie ist eine
sehr große Tugend, wenn sie Gutes tut.« Jakob Heym wollte
Geschichten erzählen, um Leben zu retten. An sein eigenes Leben, das dadurch gefährdet war, hat er kaum gedacht.

Die Geschichte von Jakob Heym, von seinem falschen Radio
und von den Schicksalen im Ghetto erfahren wir aus dem Mund
eines namenlosen Mannes, der im Gegensatz zu Heym die Deportation ins Konzentrationslager überlebt hat. Heym hat ihm
im Wagon auf dem Transport ins Lager seine Geschichte(n) an-
vertraut. »Ich möchte gerne, noch ist es nicht zu spät, ein paar
Worte über meine Informationen verlieren, bevor der eine oder
andere Verdacht sich meldet. Mein wichtigster Gewährsmann
ist Jakob, das meiste von dem, was ich von ihm gehört habe,
findet sich hier irgendwo wieder, dafür kann ich mich verbürgen. Aber ich sage das meiste, nicht alles, mit Bedacht sage ich
das meiste, und das liegt diesmal nicht an meinem schlechten
Gedächtnis. Immerhin erzähle ich die Geschichte, nicht er. Jakob ist tot, und außerdem erzähle ich nicht seine Geschichte,
sondern eine Geschichte. Er hat zu mir gesprochen, aber ich rede
zu euch, das ist ein großer Unterschied, denn ich bin dabeige-

wesen. [. . .] Einiges weiß ich noch von Mischa, aber dann gibt es ein großes Loch, für das einfach keine Zeugen aufzutreiben sind. Ich sage mir, so und so muß es ungefähr gewesen sein, oder ich sage mir, es wäre am besten, wenn es so und so gewesen wäre, und dann erzähle ich und tue so, als ob es dazugehört. [. . .] Die Wahrscheinlichkeit ist für mich nicht ausschlaggebend, es ist unwahrscheinlich, daß ausgerechnet ich noch am Leben bin. Viel wichtiger ist, daß ich finde, so könnte oder sollte es sich zugetragen haben, und das hat überhaupt nichts mit Wahrscheinlichkeit zu tun, dafür verbürge ich mich auch« (46,9–47,14). Es ist ein Zufall, dass Heym ihm seine Geschichte erzählt, nichts Auffallendes qualifiziert diesen Menschen für diesen Vertrauensbeweis. Nach eigenen Angaben verstehe er diese Geschichte nicht, er könne sie demzufolge auch nicht erklären. Das klingt kokett, denn dieser Erzähler scheint sich seiner Bedeutung bewusst. Er spricht »mit Bedacht«, beruft sich auf seine exklusive Zeitzeugenschaft und organisiert das zu Erzählende selbstsicher nach eigenem Gutdünken. Er erweitert aus gesicherter Distanz seine Erzählperspektive und billigt vielen Nebenfiguren ihre eigenen Geschichten zu: dem religiösen Herschel Schtamm und seinem Tod am Eisenbahnwagon, dem Friseur Kowalski und seinem mutigen Einsatz in der Klosett-Geschichte, dem assimilierten Leonard Schmidt und seinem Eisernen Kreuz, Rosa und ihrer Spanischen Wand, dem Kartoffelhändler Ehrlicher, der heiratswilligen Josefa Litwin, dem rigorosen Arzt Kirschbaum und selbst den SS-Leuten Preuß und Meyer. Mit der Wahrnehmung kleinerer Episoden und zahlreicher Charaktere vertieft er den Erfahrungsraum des Romans und markiert aus der Sicht der Ichperspektive eine weitgehend souveräne Überblicksposition. Während Heym als erlebendes Ich in die Handlung eingebunden ist, variiert der auktoriale Erzähler die Distanzen. Mal verbündet er sich mit dem Leser durch die Wir-Form, dann wendet er sich im vertraulichen Du an Jakob, gegen Ende des Romans wird er sogar aktiver Teil der Handlung. Diese Zeitblenden und Perspektivenwechsel befördern ein facettenreiches Gerüst einer unglaublichen, im Grunde unbeschreibbaren Geschichte. Mit (Selbst-)Ironie und einem Humor, der deshalb komisch wirken kann, weil er um das Leiden weiß und vor dem Entsetzen nicht

zurückscheut, nimmt der Erzähler Jakob und seiner Geschichte
jeden Anflug von Pathos, Heroismus und Betroffenheitsgestus.
Es ist die Normalität innerhalb des Ghettos mit all ihren Ab-
gründen, die nicht verborgen bleibt; es sind die menschlichen
und die unmenschlichen Handlungen, die dem Roman den Charakter einer Tragikomödie verleihen. Im Angesicht des Todes
werden Menschen auf ihre elementarsten Bedürfnisse reduziert;   Tragikomödie
auch Edgar Hilsenrath (* 1926) in *Nacht* (1964) und Roman
Frister (* 1928) in *Die Mütze oder Der Preis des Lebens* (1997)
haben dies auf drastische Weise beschrieben. Der Erzähler idea-
lisiert nichts, er berichtet von den kleinen Betrügereien, von
Neid und Eifersucht, Denunziation und Unmenschlichkeit, im
Ghetto und in der Zeit davor. Er hat das Unglück am eigenen
Leib erfahren; seine Frau Chana wurde von den Nazis erschossen und er ins Lager deportiert. Er ist Chronist und Erzähler
zugleich: »Wir wollen ein bißchen schwätzen, wie es sich für eine
ordentliche Geschichte gehört, laßt mir die kleine Freude, ohne
ein Schwätzchen ist alles so elend traurig« (26,11–13). Immer
wieder stellt er in Formulierungen wie »ich stelle mir vor«
(264,6), »ich denke mir« (266,12–13), »nehmen wir an«
(267,23) die Authentizität der Geschichte und damit letztlich
auch seine Rolle zur Disposition. Neben unbestreitbaren Fakten
bedient er sich offen seiner schöpferischen Fantasie, wo die
Wirklichkeit nicht Schritt hält oder andere, unliebsame Wege
geht. Aber er täuscht dabei keine Objektivität vor, beansprucht
keine irgendwie gültige Wahrheit. Seine Wirklichkeit ist eine
wahrscheinliche, der er sich kraft seiner Erinnerungsfähigkeit
und seiner Kreativität genähert hat. Nur so kann er der Ohnmacht und dem lähmenden Entsetzen entgehen, die das Grauen
der Ereignisse hervorruft. »Ich habe schon tausendmal versucht,
diese verfluchte Geschichte loszuwerden, immer vergebens«
(11,15–16). Die Ausgangsposition seines Erzählens liegt in der
Nachkriegszeit, offensichtlich in einigem zeitlichem Abstand
zum Ende des Kriegs. Der Erzähler war noch einmal im ehemaligen Ghetto und hat mit dem Bandmaß, also zentimetergenau,
nachgemessen und rekonstruiert, bevor er seine Sicht der Dinge
wiedergeben konnte. Auf dieser Grundlage kann er Jakobs Umgang mit der Wahrheit begreifen, kann im Bewusstsein, dass die

Fantasien des Erzählers vor der historischen Realität nicht standhielten, retuschieren und erfinden. Es gilt, so der deutsch-spanische Schriftsteller Max Aub (1903–1972), »die Wahrheit in Lüge zu verwandeln, damit sie nicht aufhört, Wahrheit zu sein«. Im Rahmen des Möglichen finden sich die erzählerischen Freiräume, die einer Form von Wahrheit nahe zu kommen versuchen.

Dieser Erzähler kennt seine Grenzen und überschreitet sie bewusst und unverhohlen. Sein Angebot zweier alternativer Schlussfassungen des Romans beruht auf dem Wissen der offenen Selbsttäuschung: »Bei aller Bescheidenheit, ich weiß ein Ende, bei dem man blaß werden könnte vor Neid, nicht eben glücklich, ein wenig auf Kosten Jakobs, dennoch unvergleichlich gelungener als das wirkliche Ende, ich habe es mir in Jahren zusammengezimmert. Ich habe mir gesagt, eigentlich jammerschade um eine so schöne Geschichte, daß sie so armselig im Sande verläuft, erfinde ihr ein Ende, mit dem man halbwegs zufrieden sein kann, eins mit Hand und Fuß, ein ordentliches Ende läßt manche Schwäche vergessen. [...] Ich habe mich gefragt, ob es gutgehen kann, wenn man irgendeinem traurigen Tier aus Liebe den prächtigen Schwanz eines Pfauen anhängt« (262,24–263,7). In seiner Version wird sich Jakob von den anderen absondern und bei einem Fluchtversuch am Stacheldrahtzaun, kurz bevor die russischen Befreier erscheinen, erschossen. In der anderen Variante, die der Erzähler als die historisch verbürgte anbietet, werden er, Lina und Jakob deportiert. Beide Schlusspassagen sind gleichermaßen schmerzlich, authentisch und ungewiss. Die skeptische Haltung des Erzählers, der sich bewusst einer verbindlichen Lösung entzieht, liegt im Verlauf der tragischen Handlung begründet. Die Fragwürdigkeit moralischer und historischer Kategorien spiegelt sich in einer hochreflektierten, (selbst)kritischen Erzählhaltung wider, die nur im virtuosen Umgang der Literatur mit den Realitäten und in der nur ihr immanenten Wahrheit einen Ausweg erkennen mag: »Die Rekonstruktion der Vergangenheit, welche die Literatur ins Werk setzt, ist fast immer trügerisch, wenn man sie mit Kategorien geschichtlicher Objektivität mißt. Die literarische Wahrheit ist eine Wahrheit, die historische eine andere. Aber

Zwei Schluss-fassungen des Romans

Literarische und historische Wahrheit

auch wenn sie voller Lügen steckt – oder vielmehr: genau deshalb –, erzählt die Literatur die Geschichte, die die von den Historikern geschriebene Geschichte nicht zu erzählen weiß und nicht erzählen kann« (Vargas Llosa).

Den Anstoß zum Roman erhielt Jurek Becker von seinem Vater, der ihm vom Schicksal eines Radiohörers aus einem polnischen Ghetto erzählte. Der Mann versorgte das Ghetto mit Nachrichten und wurde später auf Grund einer Denunziation entdeckt und hingerichtet. Becker interessierte sich zunächst nicht für den Stoff, er lehnte es ab, ein weiteres antifaschistisches Heldenepos zu verfassen. Später verfiel er auf die Idee, die Geschichte ohne ein real existierendes Radio anzugehen. Als autobiografischen Roman wollte Becker *Jakob der Lügner* nie verstanden wissen. »Unser Mann hat eine Kindheit, die zu erinnern er nicht ertragen kann; er hatte sich eine Kindheit erfinden müssen«, heißt es in *Lügen in Zeiten des Krieges* (1994) des amerikanischen Romanciers Louis Begley. Auch Jurek Becker hat immer wieder auf die Leerstellen in seiner Kindheit hingewiesen, nur einzelne Erinnerungsbruchstücke aus der Ghettozeit waren ihm präsent. »Ich vermute, daß man sich von Ereignissen, die aus dem Gedächtnis entfernt werden sollen, zunächst ein möglichst genaues Bild machen muß«, schreibt er in seinem Roman *Bronsteins Kinder* (1986, S. 7). Becker hat die historischen Umstände zur Grundlage seines Erzählens gemacht, um den Eindruck von Sorgfalt, Faktentreue und Ernsthaftigkeit seines Bemühens erkennbar werden zu lassen. Dies war notwendig, um innerhalb dieses realen Raums einen möglichen Raum des Erzählens finden zu können. Wo und wie darf das Spiel der Masken und Fantasien stattfinden, welche Sprache kann noch gehört werden in einer Welt, die verrückt geworden ist? Wo muss der Erzähler den Bereich der Mimesis verlassen, wie kann er die Ebene der Dokumente erweitern und literarisch gestalten? Auf welche Weise findet er die erzählerische Distanz zur eigenen verblassten Erinnerung, um zu grundsätzlicheren Fragen, wie denen nach Schuld und Vergebung, vorzudringen? »Ein wichtiges Motiv für mich, diese Geschichte überhaupt aufzuschreiben«, so Becker, »war doch nicht nur, heutigen Lesern Geschichtsunterricht geben zu wollen, sondern ich wollte auch Probleme meditieren in dem Buch, die für mich, und ich hoffe, für Leute, die heute leben, von Belang sind, zum Beispiel über die Frage, welche Rolle der Hoffnung im Leben zufällt, wie die Kategorie der Lüge zu werten sei, ob die Lüge nur eine erkenntnistheoretische [. . .] oder auch moralische Kategorie sei« (Jung, S. 100). Im Kontext der Unmenschlichkeit Spuren des Humanen zu sichern und Modi der Erkenntnis und Aufklärung zu finden, bezeichnet Becker als seine stärksten Motive beim Schreiben. Dem Abstrakten und Unfassbaren wollte er ein Schicksal entlocken, darin bestärkt von Jean-Paul Sartres (1905–1980) berühmten Satz: »Ein Toter ist ein Unglück, tausend Tote sind eine Zahl.«

Mit *Jakob der Lügner* debütierte Jurek Becker, der bislang Film-
drehbücher und Texte für mehrere Kabaretts geschrieben hatte,
1969 beim Ost-Berliner Aufbau-Verlag als Romanschriftsteller.
Den Schutzumschlag der Erstausgabe ziert eine in Blauschwarz
gehaltene Zeichnung (unterlegt von einem Sternenhimmel), die
in ihrer naiv-surrealen Anmutung an die Schtetl-Bilder im Stil
Marc Chagalls (1887–1985) erinnert. Im Klappentext findet
sich kein Wort über das Grauen des Holocaust, stattdessen wird
sanft-nostalgisch über »vergangene friedliche Zeiten« und »gewöhnliche, seltsame, besondere Menschen« räsoniert. Dass der
Roman in mehr als 20 Sprachen übersetzt und ein Welterfolg   Übersetzungen
werden würde, war dieser ersten Ausgabe nicht anzusehen.
Auch dass er mehr als erfolgreich verfilmt werden und dabei
einmal knapp einen »Oscar« verfehlen würde, konnte man nicht
erwarten. *Jakob der Lügner* war der größte Romanerfolg Jurek
Beckers – ein Buch, das »zum Kanon der deutschen Literatur, ja
der Weltliteratur« (Volker Hage) gezählt wird und dennoch nie
einen großen Literaturpreis zugesprochen bekam. Die Reaktionen in der Tages- und Wochenpresse auf den Roman waren
durchgehend positiv. Er wurde in allen großen Feuilletons re-
zensiert, wenn auch mit einiger zeitlicher Verzögerung. Schon
mit der ersten Besprechung kristallisierten sich die Bemühungen
heraus, per Adaption und Kategorisierung den Text in ideologische Erwartungsstrukturen zu stellen, ohne seine ästhetische
und inhaltliche Autonomie zu respektieren. Werner Neubert   W. Neubert
lobte im Mai 1969 im SED-Zentralorgan *Neues Deutschland*
den Roman zwar als »poetisches Gleichnis besonderer Art« und
sprach von »filmisch beeinflußten Meisterszenen«. Doch der
DDR-Kritiker konnte sich vom Parteidogma nicht lösen: »Solche Fakten mögen in kriegserfüllten Zeiten und Situationen für
die gerecht Kämpfenden und Hoffenden gewiß unerhört wichtig
sein, aber die mächtigste moralische Reserve ist doch letztlich
das Vertrauen aus Klassenposition und politischem Bewußtsein.
Dem einstigen Kleingewerbetreibenden Jakob Heym fehlt solches, aber gerade wegen dieser Tatsache hätte der Autor [...]

seinem Buch sicherlich eine noch tiefere soziale, kritische Dimension verleihen können.« Und auch Sybille Pawel von der *Berliner Zeitung* wollte den Roman partout ins Regal mit der »deutschen antifaschistischen Literatur« stellen. Y. Michal Bodemann hat unter dem Motto »Verstaatlichtes Erinnern, freundliche Gleichgültigkeit« die Rezeption in der DDR zu charakterisieren versucht.

Die westdeutschen Kritiker stimmten hingegen fast unisono Lobeshymnen auf das Buch an. Fritz J. Raddatz etwa meinte, dass dem Autor mit seinem Romanerstling »eine neue Definition von den Möglichkeiten der Literatur gelungen« sei: »Jurek Becker hat Märchen und Wahrheit, Knobelbechergrausamkeit und blinzelnde Schläue, Brutalität und immer wieder aufflackernde Zärtlichkeit zu einer Erzählfolge von Charme und Reife mit überzeugender Eindringlichkeit verschmolzen.« Marcel Reich-Ranicki mochte dieser Eloge in seiner Kritik in der *Zeit* nicht nachstehen: »ein Stück Literatur mit Charme und Grazie und mit viel Humor«. Auch die Rezension von Rolf Michaelis in der *Frankfurter Allgemeinen Zeitung* gleicht einem Hymnus. Der Roman sei wie »ein blutiger Witz, wie eine Humoreske mit Trauerrand«. Michaelis lobt den »melancholischen Witz, die lächelnde Trauer und die ungeschminkte Wahrheit dieses Buches«. Auch die übrigen Besprechungen reflektieren zumeist die Erzählfreude und Komik des Autors, die zwischen den Zeilen für die Lebensnotwendigkeit des Erzählens plädieren. Einzig Wolfgang Joho moniert in der Literaturzeitschrift *Neue deutsche Literatur* die Schlusspassagen des Romans: »Nachdem Becker durch den Mund seines Erzählers sich immer wieder bemüht hat, seiner Geschichte den Stempel der Authentizität zu geben, [. . .] schlägt er gleichsam einen Salto und fürchtet, seinem Publikum das ›einfallslose Ende‹ nicht zumuten zu dürfen. Warum das, nachdem er ihm, mit Recht vertrauend auf seine Fähigkeit zum Miterleben, die Geschichte vom stillen Helden Jakob erzählt hat, wie sie gewesen ist oder gewesen sein könnte?«

Mehr als ein Jahrzehnt nach Erscheinen des Buchs beginnt sich die Literaturwissenschaft intensiver mit dem Roman zu beschäftigen. Im Rahmen eines Seminars an einer kanadischen Universität stellt man die Frage, ob Literatur nicht per se Gefahr laufe, das Leiden zu trivialisieren. Man fragt nach dem Widerstand im Ghetto, den es im Roman nicht gebe, und bemängelt aus der Sicht der Opfer und Überlebenden, ob Jakob nicht auch so ein Täuscher und Verführer sei, dem man im Rahmen der Erzählhandlung – auf Gedeih und Verderb ausgesetzt sei. Man wirft Becker vor, das Außergewöhnliche der Ghetto-Erfahrung dadurch gewöhnlich und genussfähig zu machen, dass er auf die Darstellung des Schreckens weitgehend verzichtet und freundliche und nachdenkliche Menschen geschildert habe. Die Bewertung des Romans im Rahmen literaturwissenschaftlicher Interpretationen verläuft, v. a. im Hinblick auf den Schluss des Romans, kontrovers. Heinz Wetzel spricht von der »unerträglichen Trivialität« der fiktionalen Alternative, Sigrid Lüdke-Haertel bemängelt die Unverbindlichkeit einer spielähnlichen Handlung, die eine Wirklichkeit denunziere, die nichts Spielerisches aufzuweisen habe. Andere Stimmen rühmen den Roman als »Paradigma für die Banalität des Guten« (Heidelberger) und als »Geschichte über die lebenserhaltende Macht der Fiktionen« (Demetz). Einige Arbeiten wie die von Sander Gilman und Thomas Jung widmen sich der Interpretation des Romans im Kontext jüdischer Literaturtradition.

Jakob der Lügner wurde bislang zweimal verfilmt und kam 1975 und 1999 in die Kinos. Die erste Verfilmung war eine Koproduktion der DEFA, des Fernsehens der DDR und des Filmstudios Barrandov, Prag, unter der Regie von Frank Beyer. Ursprünglich sollte Heinz Rühmann (1902–1994) den Jakob spielen, Proteste der politischen Führungsriege machten diesen Plan indes zunichte. Die Rolle übernahm Vlastimil Brodsky (* 1920), Erwin Geschonneck spielte den Friseur Kowalski. Blanche Kommerell und Armin Mueller-Stahl (* 1930) wirkten in Nebenrollen. Der Film gewann den Silbernen Bären 1975 bei der Berlinale und wurde für den »Oscar« als bester ausländischer Beitrag nominiert. Die Kritiker reagierten euphorisch: »Kammerspiel ohne falsche Töne, Dokument der Menschlichkeit, bewegendes Ereignis« (Klunker); »faszinierend, setzt Maßstäbe« (Schmidt); »ein Film, der von einer Poesie erfüllt ist, wie ich es bei diesem Thema in dieser Form nicht für möglich gehalten hätte« (Schüler); »ausgewogene Qualität einer großen Tragikomödie« (Ullrich); »dieser Film wird zu Millionen Herzen finden und neuen Kampfeswillen gegen die Feinde der Menschheit fördern« (Hofmann); »kaum zuvor ist in einem Film das Unfaßbare so greifbar gestaltet worden« (Herrmann). Das Remake unter der Regie von Peter Kassowitz, das Jurek Becker als Drehbuchfassung noch autorisiert hatte, mit Hollywoodstar Robin Williams in der Titelrolle erreichte bei weitem nicht die Qualität seines Vorgängers. Peter Körte sah »eine Fabel voller düsterem jüdischen Witz, voller tragikomischer Verwechslungen – und mit zu viel Schmalz. Die Figuren taumeln hilflos zwischen Klischee und Karikatur, die Dialoge klingen wie Textbausteine aus der Datei ›Jüdischer Galgenhumor‹, und der Ghetto-Alltag wirkt nicht nur kulissenhaft-steril, sondern vor allem erschreckend harmlos.« Und H. G. Pflaum meinte lapidar angesichts spektakulärer Szenen nur: »Wahrheit sieht anders aus. Der Preis solcher Effekte ist immer wieder die Genauigkeit.«

Literaturhinweise

Wissenschaftliche Literatur

Arnold, Heinz Ludwig (Hg.): *Jurek Becker*. München 1992 (= edition text + kritik, H. 116)

Baum, Gregory: Jakob der Lügner *in Christian Perspective*. In: *Seminar*, 19. Jg., 1983, H. 4, S. 285–288

Brecheisen, Claudia: *Literatur des Holocaust: Identität und Judentum bei Jakob Lind, Edgar Hilsenrath und Jurek Becker*. Augsburg (Diss.) 1993

Brown, Russell E.: *Jurek Becker's Holocaust Fiction. A Father and Son Survive*. In: *Critique. Studies in Contemporary Fiction*. 30. Jg., 1989, H. 3, S. 193–209

Demetz, Peter: *Über Auschwitz und das Schreiben in deutscher Sprache: Jurek Becker*. In: ders.: *Fette Jahre, magere Jahre. Deutschsprachige Literatur von 1965 bis 1985*. München 1988, S. 58–63

Dresden, Sam: *Holocaust und Literatur. Essay*. Frankfurt/M. 1997, S. 131–134

Frei, Hannah Liron: *Das Selbstbild des Juden, entwickelt am Beispiel von Stefan Heym und Jurek Becker*. Zürich (Diss.) 1992

Gilman, Sander L.: *Jüdische Literaten und deutsche Literatur. Antisemitismus und die verborgene Sprache der Juden am Beispiel von Jurek Becker und Edgar Hilsenrath*. In: *Zeitschrift für deutsche Philologie*. 107. Jg., H. 2, 1988, S. 269–294

ders.: *Jüdischer Selbsthaß. Antisemitismus und die verborgene Sprache der Juden*. Frankfurt/M. 1993, S. 302–314

Graf, Karin/Konietzny, Ulrich (Hg.): *Jurek Becker*. München 1991

Heidelberger-Leonard, Irene: *Schreiben im Schatten der Shoah. Überlegungen zu Jurek Beckers* Jakob der Lügner, Der Boxer *und* Bronsteins Kinder. In: H. L. Arnold (Hg.): *Jurek Becker*. A.a.O., S. 19–29

dies. (Hg.): *Jurek Becker*. Frankfurt/M. 1992

Hirschbach, Frank F.: *1945 – World War II Ends, and Eight-Year-Old Jurek Becker is Freed from a Concentration Camp and Begins to Learn German*. In: Sander L. Gilman/Jack Zipes (Hg.): *Yale Companion of Jewish Writing and Thought in German Culture 1096–1996*. New Haven/London 1997, S. 621–626

Jung, Thomas: »*Widerstandskämpfer oder Schriftsteller sein*«. *Jurek Becker – Schreiben zwischen Sozialismus und Judentum. Eine Interpretation der Holocaust-Texte und deren Verfilmungen im Kontext*. Frankfurt/M. 1998 (Osloer Beiträge zur Germanistik, Bd. 20)

Karnick, Manfred: *Die Geschichte von Jakob und Jakobs Geschichten*. In: Irene Heidelberger-Leonard (Hg.): *Jurek Becker*. A.a.O., S. 207–221

Kasper, Elke: *Nicht zu erinnernde Vergangenheit. Zu Jurek Beckers Ro-*

man Jakob der Lügner. In: Stephan Braese u. a (Hg.): *Deutsche Nach-kriegsliteratur und der Holocaust*. Frankfurt/New York 1998, S. 141–156 (Wissenschaftliche Reihe des Fritz-Bauer-Instituts, Bd. 6)

Koelbl, Herlinde: *Jurek Becker*. In: dies.: *Im Schreiben zu Haus. Wie Schriftsteller zu Werke gehen. Fotografien und Gespräche*. München 1998, S. 16–21

Krauss, Hannes: *Jurek Becker. Ein jüdischer Autor?* In: Jost Hermand/Gert Mattenklott (Hg.): *Jüdische Intelligenz in Deutschland*. Hamburg 1988, S. 139–146

Krüger, Brigitte: *Zum Zusammenhang von künstlerisch-ästhetischer Wertung ethisch-moralischer Wirkungspotenzen im literarischen Kunstwerk als Rezeptionsvorgabe, untersucht an Jurek Beckers Jakob der Lügner*. Potsdam (Diss.) 1977

Krumbholz, Martin: *Standorte, Standpunkte. Erzählerpositionen in den Romanen Jurek Beckers*. In: H. L. Arnold (Hg.): *Jurek Becker*. A.a.O., S. 44–50

Lesley, Arthur M.: *Jacob as Liar in Jurek Becker's Jakob der Lügner*. In: *Seminar*, 19. Jg., 1983, H. 4, S. 273–279

Lüdke-Haertel, Sigrid/Lüdke, Martin W.: *Jurek Becker*. In: Heinz Ludwig Arnold (Hg.): *Kritisches Lexikon zur deutschsprachigen Gegenwarts-literatur*. München 1988 (56. Nachlieferung), S. 1–12

Lukens, Nancy: *Schelm im Ghetto – Jurek Beckers Roman Jakob der Lügner*. In: *Amsterdamer Beiträge zur neueren Germanistik*. H. 20, 1985/86, S. 199–218

Müller, Heidy M.: *Wertsetzung als Implikation der Erzählhaltung. Bemerkungen zur Judendarstellung in Jurek Beckers Romanen*. In: *Philosophica* (Gent), 38. Jg., 1986, H. 2, S. 61–76

Mugnolo, Domenico: *Die unbewältigte Geschichte Jakobs. Zu Jurek Beckers Jakob der Lügner*. In: *Connaissance de la RDA*. 1986, H. 22, S. 91–108

Nägele, Rainer: *Discourses about Absent Trees. Fiction, Lie, and the Reality in Jurek Becker's Jakob der Lügner*. In: *Seminar*, 19. Jg., 1983, H. 4, S. 280–284

Naschitz, Fritz: *Jurek Becker, der jüdische Geschichtenschreiber*. In: ders.: *Literarische Essays. Bekenntnisse und Rezensionen*. Gerlingen 1989, S. 266–268

Paschek, Carl (Hg.): *Jurek Becker. Begleitheft zur Ausstellung der Stadt- und Universitätsbibliothek Frankfurt am Main* (24. Mai bis 30. Juni 1989). Frankfurt/M. 1989

Paver, Chloe E. M.: *Jurek Becker: Jakob der Lügner*. In: dies.: *Narrative and Fantasy in the Post-War German Novel*. Oxford 1999, S. 117–163

Prévost, Claude: *Die Wahrheit der Lüge und die Lüge der Wahrheit*. In: Gudrun Klatt (Hg.): *Passagen. DDR-Literatur aus französischer Sicht*. Halle 1989, S. 102–108

Schmiedt, Helmut: *Das unterhaltsame Ghetto. Die Dimension des Raumes in Jurek Beckers Jakob der Lügner*. In: H. L. Arnold (Hg.): *Jurek Becker*. A.a.O., S. 30–38

Kommentar

Stenberg, Peter: *Journey to Oblivion. The End of the East European Yiddish and German Worlds in the Mirror of Literature.* Toronto 1991, S. 121–132

Wetzel, Heinz: *Four Questions about Jurek Becker's* Jakob der Lügner. *An Introduction.* In: *Seminar,* 19. Jg., 1983, H. 4, S. 265–269

ders.: »*Unvergleichlich gelungen«, aber »einfach zu schön«? Zur ethischen und ästhetischen Motivation des Erzählens in Jurek Beckers Roman* Jakob der Lügner. In: Albrecht Schöne (Hg.): *Kontroversen, alte und neue. Akten des VII. Internationalen Germanisten-Kongresses,* Göttingen 1985. Bd. 8. Tübingen 1986, S. 107–114

ders.: *Fiktive und authentische Nachrichten in Jurek Beckers Romanen* Jakob der Lügner *und* Aller Welt Freund. In: Roland Jost/Hansgeorg Schmidt-Bergmann (Hg.): *Im Dialog mit der Moderne. Zur deutschsprachigen Literatur von der Gründerzeit bis zur Gegenwart.* Frankfurt/M. 1986, S. 439–451

ders.: *Holocaust und Literatur. Die Perspektive Jurek Beckers.* In: *Colloquia Germanica.* 21. Jg., H. 1, 1988, S. 70–76

White, I. A./White, J. J.: *Wahrheit und Lüge in Jurek Beckers Roman* Jakob der Lügner. In: Gerd Labroisse (Hg.): *Zur Literatur und Literaturwissenschaft der DDR.* Amsterdam 1978, S. 207–231 (= Amsterdamer Beiträge zur neueren Germanistik, Bd. 7)

Wiese, Lothar: *Jurek Becker:* Jakob der Lügner. München 1998

Zierlinger, Ursula: *Jurek Becker:* Jakob der Lügner. *Inhalt, Hintergrund, Interpretation.* München 1995

Zimmermann, Werner: *Jurek Becker:* Jakob der Lügner. In: ders.: *Deutsche Prosadichtungen des 20. Jahrhunderts.* Bd. 3, Düsseldorf 1988, S. 10–39

Literatur zum Ghetto Lodz

Diamant, Adolf: *Getto Litzmannstadt. Bilanz eines nationalsozialistischen Verbrechens.* Frankfurt/M. 1986

Dobroszycki, Lucjan (Hg.): *The Chronicle of the Lodz Ghetto 1941–1944.* New Haven/London 1984

Jüdisches Museum, Frankfurt/M. (Hg.): »*Unser einziger Weg ist Arbeit«. Das Getto in Lodz 1940–1944.* Redaktion: Hanno Loewy und Gerhard Schoenberner. Wien 1990 (mit Beiträgen von Georg Heuberger, Jurek Becker, Wolfgang Scheffler, Florian Freund, Bertrand Perz, Karl Stuhlpfarrer, Arnold Mostowicz, Oskar Singer, Oskar Rosenfeld, Dan Diner, Shmuel Krakowski, Hanno Loewy, Jakub Poznanski)

Loewy, Hanno/Andrzej Bodek (Hg.): »*Les Vrais Riches« – Notizen am Rand. Ein Tagebuch aus dem Ghetto Lodz (Mai bis August 1944).* Leipzig 1997 (Schriftenreihe des Fritz-Bauer-Instituts, Bd. 13)

Rosenfeld, Oskar: *Aufzeichnungen aus dem Ghetto Lodz.* Hg. v. Hanno Loewy. Frankfurt/M. 1994

Rezensionen

Borchers, Elisabeth: *Seit gestern ist morgen auch noch ein Tag. Jurek Beckers Roman* Jakob der Lügner *wiedergelesen*. In: *Buchmagazin*, Nr. 7, Herbst 1987

Hage, Volker: *Die Wahrheit über Jakob Heym. Über Meinungen, Lügen und das schwierige Geschäft des Erzählens – eine Lobrede auf den Schriftsteller Jurek Becker*. In: *Die Zeit*, 15.3.1991

Herburger, Günter: *Ein Radio im Getto*. In: *Der Spiegel*, 28.9.1970

Joho, Wolfgang: *Lüge aus Barmherzigkeit*. In: *Neue deutsche Literatur*, Dezember 1969

Korn, Eric: *Hope Proffered*. In: *Times Literary Supplement*, 6.2.1976

Michaelis, Rolf: *Der andere Hiob*. Jakob der Lügner – *Der moralische Roman aus den mörderischen Jahren von dem Ost-Berliner Jurek Becker*. In: *Frankfurter Allgemeine Zeitung*, 30.3. 1971

Neubert, Werner: *Wahrheitserpichter Lügner*. In: *Neues Deutschland*, 14.5.1969

Pawel, Sybille: *Heldentum im Ghettoalltag*. In: *Berliner Zeitung*, 20.6.1969

Raddatz, Fritz J.: *Wie DDR-Autoren resignieren. Literarische Ausflucht und bedenkliche Vereinzelung in neueren Werken namhafter Schriftsteller des sozialistischen Arbeiter- und Bauern-Staates*. In: *Süddeutsche Zeitung*, 20./21.6.1970

Reich-Ranicki, Marcel: *Der Prinzip Radio. Jurek Beckers Roman* Jakob der Lügner. In: *Die Zeit*, 20.11.1970

Schulz-Rauch, Martin: *Wahre Lügen. Jurek Beckers* Jakob der Lügner, *theologisch betrachtet*. In: *Die Zeichen der Zeit. Lutherische Monatshefte* 2 (1999)

Wallmann, Jürgen P.: *Lügner aus Menschlichkeit*. In: *Der Tagesspiegel*, 7.3.1971

Wb.: *Jurek Becker. Zu seinem ersten Buch* Jakob der Lügner. In: *Neue Zürcher Zeitung*, 6.12.1970

Werth, Wolfgang: *Das imaginäre Radio*. In: *Monat*, H. 260, Januar 1971

Zu den Verfilmungen von Frank Beyer und Peter Kassovitz

Conrad, Andreas: *Gute Filmstoffe sind rar*. In: *Der Tagesspiegel*, 14.10.1998

Herrmann, Gisela: *Der Traum vom besseren Leben. Zum Fernseh- und DEFA-Film* Jakob der Lügner. In: *Berliner Zeitung*, 24.12.1974

Klunker, Heinz: *Unsere tägliche Lüge gib uns heute. Jurek Beckers erfolgreicher Roman* Jakob der Lügner *als Film: Kammerspiel ohne falsche Töne, Dokument der Menschlichkeit*. In: *Deutsches Allgemeines Sonntagsblatt*, 20.7.1975

Körte, Peter: *Mit den Clowns kommen die Tränen. Von Benigni zu Roland Suso Richter und Robin Williams: Wie nostalgisch ist der Holocaust?* In: *Frankfurter Rundschau*, 9.10.1999

Lukas, Christian: *Im Gespräch – Robin Williams zum Film* Jakob der Lügner. In: *Titel. Magazin für Literatur und Film.* Oktober 1999

Pflaum, H. G.: *Greller, gröber, breiter. Robin Williams ist Jakob der Lügner – Wahrheit sieht anders aus.* In: *Süddeutsche Zeitung,* 28.10.1999

Schäfer, Karl-Heinz: *Held wider Willen.* In: *Rheinischer Merkur,* 22.10.1999

Schmidt, Eckhart: *Ein Traum von Freiheit.* In: *Süddeutsche Zeitung,* 9.3.1976

Schüler, Klaus: *Unzerstörbar die Würde des Menschen.* Jakob der Lügner, *ein Film von Frank Beyer nach dem gleichnamigen Roman von Jurek Becker.* In: *Neues Deutschland,* 22.2.1975

Stoll, Andrea: *Das Lebensthema Jurek Beckers im Wechsel der Perspektiven. Zu den literarischen Verfilmungen der Romane* Jakob der Lügner, Der Boxer *und* Bronsteins Kinder. In: Irene Heidelberger-Leonard (Hg.): *Jurek Becker.* A.a.O., S. 332–344

Thurm, Brigitte: *Kraft und Versagen einer Illusion. Zum Film* Jakob der Lügner *von Frank Beyer.* In: *Film und Fernsehen* 3 (1975), S. 27–30

7.1 **Jakob der Lügner**: Zu dem Titel des Buches heißt es bei Irene Heidelberger-Leonard: »Vieles schwingt im Titel mit: die Geschichte vom ›Betrüger‹ Jakob aus dem Alten Testament, der seinem Bruder Esau das Erstgeburtenrecht stiehlt; auch das Cliché vom lügenden Juden, das der Jude Otto Weininger seinem philosophischen Konstrukt *Geschlecht und Charakter* als These zugrunde legt. Beckers Jakob führt sie beide ad absurdum – er ist ein altruistischer Betrüger, er ›lügt‹, um zu retten. Die Lüge wird ihm zur Korrektur einer verbrecherischen Welt« (Irene Heidelberger Leonard 1992, S. 196).

9.1 **Baum**: Die Baum-Symbolik umrahmt die Romanhandlung und verweist auf die verschiedenen Bedeutungen, wie sie aus dem Alten Testament in den Büchern Mose und Hiob überliefert sind: Baum der Erkenntnis (1. Mose 2,17), Baum des Lebens (1. Mose 3,22) und Baum der Hoffnung (Hiob 14,7). Entscheidende Lebenssituationen des Erzählers stehen in engem Bezug zu Bäumen: die Verhinderung seiner Karriere als Geiger, sein erstes Liebeserlebnis, der Tod seiner Frau und der bildhafte, zumindest vorübergehende Verlust der Hoffnung im Ghetto und im Zug während der Deportation. Spielerische Verbindungen offenbaren sich in den Namensgebungen »Kirschbaum«, »Schtamm« und »Hardtloff« (sprich ›Hartlaub‹). Auch Jakob wird als »Kerl wie ein Baum« beschrieben.

Baum-Allegorien finden sich zudem in den Ghettoromanen von Edgar Hilsenrath *Nacht* (1964) und Jorge Semprun *Was für ein schöner Sonntag* (1981). Bertolt Brechts Gedicht *An die Nachgeborenen* (1939) liefert in der zweiten Strophe eine direkte Anknüpfung: »Was sind das für Zeiten, wo / Ein Gespräch über Bäume fast ein Verbrechen ist / Weil es ein Schweigen über so viele Untaten einschließt!«

10.22–23 **Verordnung Nr. 31**: Am 18.9.1939 begann mit dem Verbot von Gottesdiensten die Reihe der Verordnungen gegen die Juden in Lodz. Es folgten die willkürliche Einziehung zur Zwangsarbeit, die Sperrung sämtlicher Bankguthaben, das Verbot aller jüdischen Organisationen und Institutionen, die Einführung der

Ausgangssperre von 19 Uhr bis 8 Uhr, das Verbot, mit Leder oder Textilerzeugnissen zu handeln, die ›Arisierung‹ sämtlicher jüdischer Betriebe, die Einziehung aller Radiogeräte, das Verbot, Droschken, Lastwagen und andere Fahrzeuge zu benutzen.

Jakob: Über den Namen des Titelhelden heißt es bei Manfred Karnick: »Der Vorname Jakob kann in dem Zusammenhang fast programmatisch verstanden werden: In der Bibel ist Jakob der, der später ›Israel‹ heißt. Das gibt auch dem ›ganz privaten Kram‹ des Erzählers, soweit er sich mit der Verzweiflung über die Passivität des ›unterdrückten Volkes‹ verbindet, eine kollektive Dimension und dem Aspekt der Wunscherfüllung bei einem Verfasser jüdischer Herkunft und bei seinen jüdischen Lesern ein zusätzliches Grundinteresse« (Karnick 1992, S. 218). Karnick zufolge könne Jakobs Nachname in Anlehnung an die hebr. Lautung auch als ›Chaim‹ wiedergegeben werden, was auf dt. ›Leben‹ bedeutet. ›Heym‹ ließe sich allerdings auch als ›Heim‹ schreiben und riefe dann Gefühlserinnerungen an Wärme, Vertraut- und Bei-den-Seinen-Sein herauf: »Es ist aufschlußreich, daß das unklare Heimweh, das den Erzähler aus der Nachkriegsgesellschaft und aus der Baumlosigkeit des Ghettos über die Reihe seiner Erinnerungen hinweg in die Kindheit zurückleitet, dort in einer Kommunikationsgemeinschaft mit den Juden ankommt: da hatte er Aufgehobenheit erfahren, da ist er bei den Seinen« (ebd.). 11.26

Kurländischen: Straßenname, wie alle anderen im Roman genannten Straßen im Ghetto Lodz nicht existent. Benannt nach einer Landschaft in Lettland zwischen Ostsee, Düna und Rigaer Meerbusen. 1795 wurde Kurland auf Antrag des Kurländischen Landtags von Russland annektiert und war fortan eine der russ. Ostseeprovinzen. Es behielt weitgehend seine eigenständige Verfassung und der dt.-balt. Adel seine wirtschaftlich, politisch und kulturell beherrschende Stellung. Nach der Proklamierung der Republik Lettland 1918 wurde Kurland lett. Provinz. In den beiden Weltkriegen war Kurland Kriegsschauplatz. 12.10–11

der Stern auf der Brust: Am 19.9.1941 wurden die Juden laut Polizeiverordnung angewiesen, »sichtbar auf der auf der linken Brustseite der Kleidung« und »fest angenäht« einen gelben Davidstern zu tragen. Der sechszackige Stern war schwarz umran- 12.30–31 det und trug in schwarzen, die hebr. Schrift parodierenden Buchstaben die Aufschrift »Jude«. Diese öffentliche Stigmatisierung führte den Prozess der sozialen Ausgrenzung fort und signalisierte zugleich den Beginn der planmäßigen Deportation in die Vernichtungslager im Osten. In den besetzten Gebieten Polens waren der »Judenstern« und andere Methoden der diskriminierenden Kennzeichnung bereits 1939 eingeführt worden.

16.14 **Volksempfängern**: Typenbezeichnung VE 301, ein einfach konstruiertes, preisgünstiges Radioempfangsgerät im NS-Deutschland, das 1941 in 65 % aller dt. Haushalte stand.

16.22–23 **bolschewistischen**: Der Bolschewismus (von russ. Bolschewiki, »Mehrheitler«) ist ein von Wladimir Iljitsch Lenin (1870–1924) und Josef Wissarionowitsch Stalin (1879–1953) aus dem Marxismus entwickeltes System politischer Ideen und Strategien. Der Begriff geht zurück auf die Spaltung der russ. Sozialdemokratie auf dem Parteitag 1903 in Bolschewiki und Menschewiki (Minderheitler). Lenin gelang es in der Folgezeit, seine politisch-revolutionäre Konzeption durchzusetzen und damit in Russland den Umsturz herbeizuführen. Der Partei wies er dabei die Rolle einer Kaderorganisation von Berufsrevolutionären zu, die sich am Prinzip des »demokratischen Zentralismus« auszurichten hatte. Ursprünglich nur parteitaktisches Zeitprogramm im zaristischen Russland, wurde der Bolschewismus nach der Revolution 1917 ideologische Grundlage der politischen Erneuerung. Dabei sah man – in Abänderung der Gedanken von Karl Marx (1818–1883) und Friedrich Engels (1820–1895) – die Möglichkeit des Aufbaus des »Sozialismus in einem Land«, dem agrarisch geprägten Russland, in dem die Partei als Kaderorganisation eine proletarische Massenbasis schaffen sollte. Die diktatorische Ordnung der Sowjetunion wurde mit dem Weiterbestehen kapitalistischer Staaten gerechtfertigt, die die errungene Herrschaft gefährdeten. Auf Grund dieser These kam es zur stalinistischen Terrorherrschaft.

16.23 **Bezanika**: Wie Mieloworno, Pry, Kostawaka fiktive polnische Ortschaften.

28.24 **Tatare**: Ursprünglich Angehöriger eines kleinen mongol. Stammes. Der Begriff wurde zur Zeit des Mongolischen Reichs (seit dem 13. Jh.) für die Mongolen überhaupt verwendet und seit dem 14. Jh. speziell auf das Turkvolk übertragen, das sich aus der Verschmelzung von Mongolen, z. T. schon früher ansässigen Türken, Wolgafinnen und Slawen an der mittleren und unteren Wolga, auf der Krim sowie in Westsibirien herausbildete und den sunnitischen Islam annahm.

koscher: (hebr.) Nach den jüd. Speisegesetzen rituell rein und 29.10
den Gläubigen zum Genuss erlaubt, im Gegensatz zu »treife«: unrein. Die Speisegesetze verlangen v. a. eine strenge Trennung von Fleisch- und Milchspeisen.

Tscholent: (hebr.) Traditioneller Eintopf aus Fleisch, Kartof- 31.27
feln, Bohnen und Graupen, wird am Freitagabend zubereitet und am Samstagmittag, dem Sabbat, an dem nicht gekocht werden darf, gegessen.

Wochenschau: Kurzer filmischer Nachrichtenüberblick (15–20 35.30
Min.; in der NS-Zeit z. T. 40 Min.) über Ereignisse aus Politik, Kultur, Sport und Gesellschaft, der seit 1910 in fast allen Kinos vor dem Hauptfilm gezeigt wurde. Während der NS-Zeit nahm sie zunehmend den Charakter eines Massenindoktrinationsmittels an und wurde später auf reine Kriegsberichterstattung reduziert.

Moissi: Alexander M., österr. Schauspieler ital. Herkunft 43.27
(1880–1935), spielte unter Max Reinhardt (1873–1943) in Berlin und Wien und bei den Salzburger Festspielen und wurde berühmt in Ibsen-, Tolstoj- und Shakespeare-Rollen.

Meerschaum: Weißes bis gelblich mattes Mineral, wird für 49.16
Schmuckgegenstände, Tabakspfeifen und Zigarettenspitzen seit dem 18. Jh. verwendet.

Tell: *Wilhelm Tell* (1802–1804), Schauspiel in fünf Akten von 51.8
Friedrich von Schiller (1759–1805). Wilhelm Tell, sagenhafter Nationalheld der Schweiz (vermutlich um 1300) soll zur Gründung der Eidgenossenschaft entscheidend beigetragen haben. Nach der erst um 1470 einsetzenden Überlieferung wurde Tell bei Altdorf von dem habsburgischen Reichsvogt Hermann Geßler gezwungen, einen Apfel vom Haupt seines Sohnes zu schießen, da er sich zuvor geweigert hatte, Geßlers auf einer Stange ausgestellten Hut die vorgeschriebene Ehrbezeugung zu erweisen.

Othello [. . .] Desdemona: Titelheld der gleichnamigen Tragö- 51.11–13 die (~ 1604) von William Shakespeare (~ 1564–1616). Der Mohr Othello, ein hochgeachteter General im Dienst der Republik Venedig, wird von seinem teuflischen Ratgeber, dem Fähnrich Jago, zur Eifersucht auf seine unschuldige Gattin Desdemona verleitet und erdrosselt sie.

55.12 Rabbiner: (hebr. Rabbi, Rab) Im Mittelalter und in der Neuzeit Berufsbezeichnung jüd. Gesetzesgelehrter als Angestellte jüd. Gemeinden. Der Rabbiner ist Religionslehrer und Prediger; er entscheidet in Fragen der religiösen und rituellen Praxis.

55.23 Allegorie: (griech.) Verbildlichung eines abstrakten Begriffs wie Tugend, Poesie, Gerechtigkeit oder eines Denkvorgangs, v. a. durch Personifikation (Alter als Greis, Liebe als Amor).

61.14 Gestapo: Abk. für Geheime Staatspolizei, die politische Polizei des NS-Regimes in Deutschland 1933–1945. Die Gestapo, zunächst auf Veranlassung Hermann Görings (1893–1946) als Ministerpräsident und Innenminister im April 1933 in Preußen eingerichtet, war seit 1936 reichseinheitlich organisiert. Ab 1940 war die Gestapo als Amt IV dem Reichssicherheitshauptamt eingegliedert. Amtschef der Gestapo war seit September 1939 SS-Gruppenführer Heinrich Müller (1900–1945). Ihre Aufgabe war neben der Ermittlung politischer Straftaten (Hoch- und Landesverrat; Verstoß gegen Blutschutz-, Rundfunk-, Heimtückegesetz u. a. NS-Gesetze), die Verfolgung aller Personen und Einrichtungen, die das NS-Regime als seine Gegner betrachtete (Juden, Freimaurer, Marxisten,»Reaktionäre«, christliche Kirchen, »östliche Untermenschen« u. a.). Die Vernichtung der Juden war eine Aufgabe des Referats IV B 4 (SS-Obersturmbannführer Adolf Eichmann; 1906–1962). Im Deutschen Reich und in den während des Zweiten Weltkriegs besetzten Gebieten war die Gestapo durch ihre schrankenlose, oft willkürliche Gewalt und ihre unmenschlichen Methoden das gefürchtetste Instrument politischen Terrors.

71.4 Synagoge: (griech.) Im Judentum Versammlungshaus, Lehrhaus, Schule, v. a. für den Gottesdienst. Der Bau der Synagoge war in der Antike oft basilikal, später jeweils herrschenden Zeit- und Landesstilen angepasst. Die Haupteinrichtung besteht aus: Bimah (Podium/Pult für die Schriftlesung); Tora-Schrein (Aron ha-kodesch) an der nach Jerusalem gewandten Seite für die

Schriftrollen; in Reformsynagogen (19./20. Jh.) auch Kanzel und Orgel.

Schläfenlocken: Auch genannt Peies (jidd.; hebr. Pelot), die   71.6
Schläfenlocken, die nach jüd. (heute nur mehr orthodoxem und chassidischem) Brauch nicht abgeschnitten werden (3. Mose 19,27).

Standrecht: Das im Kriegszustand und im innerstaatlichen Aus-   81.28
nahme- oder Belagerungszustand von der Exekutive z. B. bei Aufruhr oder Plünderung in Anspruch genommene Recht, mittels abgekürzter Gerichtsverfahren Vergehen – u. U. auch mit dem Tod – zu bestrafen und das Urteil sofort zu vollstrecken. Während der NS-Zeit wurden Standgerichte zunächst zur Bekämpfung des Widerstands im okkupierten Polen eingerichtet. Ihre Besetzung erfolgte mit Polizei- und SS-Angehörigen.

Albert Schweitzer: Evangelischer Theologe, Musiker, Medizi-   83.3
ner und Philosoph (1875–1965), hatte bereits grundlegende Werke zur Religionsphilosophie, Theologie und Musikgeschichte veröffentlicht, als er sich entschloss, Medizin zu studieren, um als Missionsarzt im damaligen Französisch-Äquatorialafrika tätig zu werden. 1913 begann er seine Tätigkeit in Lambaréné, die er in einer Reihe von Schriften geschildert hat. Seine Philosophie ist aus einer Kulturkritik hervorgegangen und gipfelt in einer weltbejahenden Ethik tätiger Nächstenliebe und der »Ehrfurcht vor dem Leben« (*Kultur und Ethik*, 1923). Schweitzer erhielt 1951 den Friedenspreis des Deutschen Buchhandels und 1952 den Friedensnobelpreis.

Majdanek oder Auschwitz: Im Lubliner Stadtteil Majdan Ta-   86.20
tarski wurde 1941 von der SS ein Kriegsgefangenen- und Konzentrationslager errichtet, das seit 1942 auch als Vernichtungslager diente. Wie die Ermittlungen im Majdanek-Prozess gegen ehemalige Aufseherinnen vor dem Landgericht Düsseldorf (1975–1982) ergaben, wurden dort bis Juli 1944 mindestens 250 000 Menschen getötet, davon 60–80 000 Juden.

In der Nähe der poln. Stadt Oswiecim (Auschwitz) wurde im Mai/Juni 1940 von der SS auf einem ehemaligen Kasernengelände ein Konzentrationslager errichtet, das bis 1945 dazu diente, die Arbeitskraft der (nicht nur jüdischen) Häftlinge in eigens eingerichteten Industriebetrieben auszubeuten. Der Gesamtkomplex Auschwitz mit Stamm- und Nebenlagern umfasste 40 km². 1941/42 wurde Auschwitz durch den Bau spezieller Vergasungsanlagen in Birkenau (A. II) zum Vernichtungslager erweitert. Opfer der Massenvernichtung waren in erster Linie Juden, daneben Roma und Sinti, Polen und sowjetische Kriegsgefangene. Bei Ankunft der Transporte fand eine »Selektion« statt: Arbeitsfähige wurden ausgesondert, die Übrigen sofort durch Giftgas getötet. Insgesamt wurden in Auschwitz bis November 1944 weit über eine Million Menschen ermordet.

92.28 **Stalins**: Eigentlich Jossif (Josef) Wissarionowitsch Dschugaschwili, sowjet. Politiker (1879–1953); seit 1898 Mitglied der Russischen Sozialdemokratischen Partei, seit 1904 der Bolschewisten-Gruppe, betätigte sich in der revolutionären Bewegung im Kaukasus, wurde 1912 in das Zentralkomitee der bolschewistischen Partei kooptiert. Den Ersten Weltkrieg verbrachte er in sibirischer Verbannung. In der ersten Sowjetregierung war Stalin 1917–1923 Volkskommissar für Nationalitätenfragen. Seit 1922 brachte er als Generalsekretär den Parteiapparat der KPdSU unter seine Kontrolle. Nach dem Tod Lenins (der in seinem »Testament« vor Stalin warnte) schaltete er in der KPdSU nacheinander Leo Trotzki (1879–1940), Grigorij Jewsejewitsch Sinowjew (1883–1936), Leo Borissowitsch Kamenew (1883–1936), Nikolaj Iwanowitsch Bucharin (1888–1938), Aleksej Iwanowitsch Rykow (1881–1938) und andere prominente Bolschewiki aus. Seit Ende der 1920er Jahre war Stalin unumschränkter Diktator der Partei und des Landes.

102.8–9 **Warschau und Buchenwald**: Pogrome in Südrussland bewirkten ab 1882 einen massiven jüd. Bevölkerungszustrom nach Warschau. Hier entstand die größte jüd. Gemeinde Europas und, im 20. Jh., die zweitgrößte der Welt nach New York. Kurz vor Beginn des Zweiten Weltkriegs betrug Warschaus jüd. Bevölkerung 375 000 Menschen, rd. ein Drittel der gesamten Einwohnerschaft. Am 16.10.1940 ordnete die dt. Besatzungsmacht die Ansiedlung der gesamten jüd. Bevölkerung im Warschauer Ghetto an. Unter dem Vorwand der Seuchengefahr sperrte Polizei kurz darauf den Bezirk ab; im Sommer 1941 vollendete eine 16 km lange Mauer die Abriegelung. 500 000 Menschen fanden sich auf 73 Straßenzüge zusammengedrängt und auf eine Tagesration von weniger als 200 Kalorien reduziert. Seuchen, Hunger und Kälte bedrohten die Ghettobewohner. Zwischen Juli und Oktober 1942 wurden über 310 000 Juden aus dem Ghetto in die Gaskammern des Vernichtungslagers Treblinka deportiert. Nach dem Befehl Heinrich Himmlers zur endgültigen Vernichtung der Ghettobevölkerung erhoben sich erstmals am 18.1.1943 Juden mit Waffen gegen ihre Deportation. Nach einigem Zögern eröffneten SS-Kommandos am 19.4. mit Panzergeschützen den Kampf um das Warschauer Ghetto; am 16.5. war der zähe Widerstand gebrochen. Etwa 56 000 Juden starben während der Kampfhandlungen; die Überlebenden wurden in den Vernichtungslagern ermordet. Das Warschauer Ghetto wurde anschließend von den Deutschen dem Erdboden gleichgemacht.

Buchenwald, 1937 von der SS auf dem Ettersberg bei Weimar angelegtes Konzentrationslager für Kriminelle und aus politischen, religiösen oder »rassischen« Gründen Verfolgte. In Buchenwald waren bis 1945 insgesamt rd. 238 000 Menschen aus 33 Ländern inhaftiert, die während des Kriegs v. a. in der Rüstungsindustrie eingesetzt wurden; von ihnen kamen schätzungsweise 56 000 um.

Sabotage: (franz.) Vorsätzliche Schädigung oder Zerstörung von Arbeitsmitteln und Waren oder von wirtschaftlichen und militärischen Einrichtungen sowie Vereitelung eines Ziels durch Arbeitsverzögerung oder Fehlerverursachung. 103.19

Kiepura: Jan K., poln. Sänger (1902–1966); zunächst Konzert- und Opernsänger (u. a. in Wien, Mailand, Berlin, New York), später auch in Operetten und Filmen erfolgreich. 104.14

Scholem Alejchem: (hebr.: »Friede mit euch«) Eigentlich Schalom Rabinowitsch (1859–1916), gilt als einer der bedeutendsten jidd. Schriftsteller. In seinen Erzählungen und Romanen schildert er die alltägliche Welt der Ostjuden um die Jahrhundertwende. Sein bekanntester Roman ist *Die Geschichte Tewjes, des Milchhändlers* (1894), der in einer erweiterten Fassung 1916 u. d. T. *Tewje, der Milchmann* erschien. Nach diesem Buch entstand das Musical von J. Stein und J. Bock *The Fiddler on the Roof* (1964; dt. Erstaufführung u. d. T. *Anatevka*). 105.33

Gauleiter: Die höchsten regionalen Funktionäre der NSDAP 115.21

von 1925 (Neugründung der Partei) bis 1945. Sie unterstanden Adolf Hitler (1889–1945) unmittelbar und trugen gemäß dem »Führerprinzip« ausschließlich ihm gegenüber die Gesamtverantwortung für den ihnen anvertrauten Bereich. 1928 wurden die Grenzen der Gaue, die territorialen Gebietseinheiten der NSDAP, ungefähr denen der 35 Reichstagswahlkreise angepasst; seit 1938 kamen mehrere österr. Gaue, das Sudetenland und das Wartheland hinzu (Gesamtzahl 1937: 33, 1942: 43). Die Gauleiter trugen in ihren Bereichen erheblich zur Machtübernahme und zur Festigung der Macht des Nationalsozialismus bei. Nach 1933 verfügten sie durch die Übernahme staatlicher Ämter, aber auch in ihrer parteiamtlichen Funktion über beträchtlichen politischen Einfluss.

115.26 **Volksgerichtshof**: Ein von der Reichsregierung 1934 als Provisorium geschaffenes, 1936 in ein ständiges Organ umgewandeltes Gericht, dem die Rechtsprechung in politischen Strafsachen, v. a. wegen Hoch- und Landesverrats, übertragen war. Damit wurde die Zuständigkeit für diese Delikte dem als unzuverlässig geltenden Reichsgericht entzogen. In seinen Verhandlungen mussten jeweils nur der Vorsitzender und ein Beisitzer (von vier) Berufsrichter sein; die ehrenamtlichen Beisitzer rekrutierten sich aus der NSDAP, der Polizei und der Wehrmacht. Der Volksgerichtshof war ein politisches Werkzeug des NS-Regimes; er diente zur Unterdrückung politischer Gegner und im Krieg v. a. zur Bekämpfung von »Wehrkraftzersetzung« und »Feindbegünstigung«. Er urteilte in erster und letzter Instanz, Rechtsmittel waren nicht zulässig. Insgesamt wurden ca. 5 200 vom Volksgerichtshof gefällte Todesurteile vollstreckt. Nach 1945 wurde gegen Richter und Staatsanwälte des Volksgerichtshofs ermittelt, doch kam es in keinem Fall zu einer rechtskräftigen Verurteilung. Die letzten Ermittlungen wurden 1986 eingestellt. Der Deutsche Bundestag erklärte 1985 alle Entscheidungen des Volksgerichtshofs für nichtig.

116.24 **jiddischen**: Jiddisch ist die Verkehrssprache der osteurop. Juden und eine wichtige dt. Nebensprache. Entstanden im 12./13. Jh., enthält sie german. Elemente (v. a. Mitteldeutsch, Bairisch) als überwiegenden Bestandteil, semit. Elemente (Hebräisch, Aramäisch) und slaw. Elemente (Polnisch, Weißrussisch, Ukrainisch); durch gemeinsame Schicksale und gegenseitige Beziehungen der jüd. Gemeinden ist sie weitgehend einheitlich gestaltet. 1938 wurde sie von etwa zwölf Mio. Menschen gesprochen, heute wird sie noch von ca. sechs Mio. verstanden und rd. 0,7 Mill. gesprochen.

Duce: Gemeint ist Benito Mussolini, ital. Politiker (1883– 118.8
1945). Nach zweijähriger Teilnahme am Ersten Weltkrieg gründete er, der ehemalige Sozialist, in Mailand 1919 eine Organisation von Kriegsveteranen, den ersten Fascio di combattimento (»Kampfbund«), dem weitere folgten. Die Fasci bekämpften mit terroristischen Mitteln die Arbeiterorganisationen. Am 7.11.1921 formierte Mussolini die Fasci zu einer politischen Partei, dem Partito Nazionale Fascista (PNF). Nach dem »Marsch auf Rom« (28.10.1922) wurde er von König Viktor Emanuel III. (1869–1947) mit der Regierungsbildung beauftragt. Mussolini erreichte mit dem Staatsstreich vom 5.1.1925 diktatorische Vollmacht; er wurde Duce (»Führer«) des Faschismus und Capo del Governo (»Regierungschef«). Mit dem Eintritt Italiens in den Zweiten Weltkrieg am 10.6.1940 übernahm Mussolini den Oberbefehl über die ital. Truppen. Nach Niederlagen in Griechenland und Afrika sprach ihm der Faschistische Großrat am 25.7.1943 sein Misstrauen aus. Mussolini wurde auf Befehl des Königs gefangen gesetzt. Nach seiner Befreiung durch dt. Fallschirmjäger proklamierte er am 23.9. in Norditalien die Republik von Salò (Repubblica Sociale Italiana), die völlig von Hitler abhängig war. Kurz vor Kriegsende wurde er beim Versuch, in die Schweiz zu flüchten, mit seiner Geliebten von ital. Partisanen gefangengenommen und ohne Gerichtsverfahren erschossen.

Flandernoffensive: Der Krieg an der Ostfront zwang die Deut- 131.2
schen 1915–1917 zur Defensive an der Westfront (Champagne, Artois, Flandern; 1916 Sommeschlacht, Schlacht um Verdun; 1917 dt. Rückverlegung in die Siegfriedstellung, Tankschlacht bei Cambrai). Fünf dt. Offensiven, die 1918 mit Hilfe der an der Ostfront frei gewordenen Truppen unternommen wurden, erreichten nicht den Durchbruch durch die franz. Front, brauchten aber die letzten dt. Reserven auf. Vor der Großoffensive der durch US-amerik. Truppen entscheidend verstärkten Alliierten

mussten die dt. Truppen weichen. Sie zogen sich bis zum 4.11.1918 auf die Linie Antwerpen–Maasstellung zurück.

131.3 **Verdun**: Stadt in Lothringen. Die Schlacht von Verdun im Ersten Weltkrieg (Februar bis Dezember 1916) ging auf den Plan des Chefs der Obersten Heeresleitung Erich von Falkenhayn (1861–1922) zurück, durch einen Angriff auf die Festung Verdun der franz. Somme-Offensive zuvorzukommen und den Gegner durch Menschen- und Materialverluste zu schwächen. Die dt. Truppen eroberten einige Außenstellungen, nicht aber die Festung selbst. Die Kämpfe waren äußerst verlustreich; nach Schätzungen fielen 360 000 Franzosen und 335 000 Deutsche.

131.3 **Besetzung der Krim**: Halbinsel in der südl. Ukraine, am Schwarzen Meer. Im Ersten Weltkrieg, Anfang 1918, hielten dt. Truppen die Halbinsel besetzt; gleiches ereignete sich während des Zweiten Weltkriegs, zwischen 1941 und 1944.

131.3 **Champagne**: Nordostfranz. Landschaft im Pariser Becken. Während des Ersten Weltkriegs, v. a. in den ersten beiden und im letzten Kriegsjahr, war sie Schauplatz schwerster Kämpfe.

132.18 **Eisernes Kreuz**: 1813 anlässlich der Befreiungskriege gestifteter preuß. Orden. Am 1.9.1939 wurde das Eiserne Kreuz (EK) in vier Abstufungen für besondere Tapferkeit und Truppenführung erneuert: Großkreuz, Ritterkreuz und zwei Klassen (EK I und EK II).

135.19 **Sir Winston**: Gemeint ist der brit. Politiker Sir Winston Churchill (1874–1965). Er begann seine politische Laufbahn 1900 als konservativer Abgeordneter. Er warnte schon seit 1932 vor einem Deutschland unter Hitler und geriet damit in Opposition zur Beschwichtigungspolitik Neville Chamberlains (1869–1940). Bei Kriegsausbruch 1939 wurde Churchill, wie schon während des Ersten Weltkriegs, Erster Lord der Admiralität, 1940–1945 Premierminister und Verteidigungsminister; in ihm erwuchs dem kriegführenden Deutschland ein kompromissloser Gegner. Er koordinierte seit Ende 1941 die brit. Kriegsanstrengungen mit den USA. Obgleich er sich keine Illusionen über den Kommunismus machte, zog er 1942 auch die Sowjetunion in die »Anti-Hitler-Koalition«. Churchill war so das Rückgrat der Allianz gegen Hitler, das sowjet. Vordringen in Europa vermochte er als schwächster Partner des Pakts dabei nicht zu verhindern.

Obwohl Churchill als Staatsmann internationales Ansehen genoss, verlor seine Partei die Unterhauswahl 1945; Churchill musste während der Potsdamer Konferenz zurücktreten. Als Oppositionsführer inspirierte er die Gründungen der NATO und des Europa-Rats, propagierte das Bündnis mit den USA und warnte vor der Gefahr der sowjet. Expansion. 1951 wurde er erneut Premierminister und trat 1955 aus gesundheitlichen Gründen zurück. Er erhielt 1953 den Nobelpreis für Literatur, 1956 den Karlspreis.

Assimilinski: Spöttische Anspielung auf Schmidts Bemühen um   135.32
seine Anpassung an die dt. Gesellschaft. Im Gegensatz zu orthodoxen Juden, die zur kulturellen Selbstabgrenzung tendieren, werden nichtreligiöse Juden als assimiliert bezeichnet.

Ali Baba: *Ali Baba und die 40 Räuber* ist ein Märchen aus *Tau-*   149.3
sendundeiner Nacht, in dem ein armer Holzhauer Räuber belauscht, die mit der Zauberformel »Sesam, öffne dich« Zugang zu einem Berg mit Schätzen erhalten. Er dringt in die Höhle ein und holt drei Esellasten Gold. Sein neidischer Bruder, dem er das Geheimnis mitteilt, vergisst das Tor öffnende Wort, nachdem er in die Höhle gelangt ist, und wird von den Räubern umgebracht.

Sodom und Gomorrha: Im Alten Testament zwei Städte am To-   149.22
ten Meer, die wegen der Sündhaftigkeit ihrer Bewohner von Gott durch einen Feuer- und Schwefelregen vernichtet wurden (vgl. 1. Mose 19).

Kretin: (franz.) Mensch, der an Kretinismus leidet, einer ange-   158.29
borenen körperlichen und seelisch-geistigen Entwicklungsstörung, die durch ein Fehlen des Schilddrüsenhormons infolge Jodmangels oder Schilddrüsenunterfunktion der Mutter oder durch eine Schilddrüsenstörung beim Kind hervorgerufen wird. Es kommt zu unterschiedlich stark ausgeprägter Intelligenzschwäche, kleinem Hirnschädel, Minderwuchs, Schwerhörigkeit oder Taubheit, teilweise auch Kropfbildung. Hier als Schimpfwort gebraucht.

Pomeranzen: (ital.) Kleiner Baum aus der Familie der Rauten-   189.12
gewächse mit aromatischen Blüten und Blättern. Die goldgelben, wohlschmeckenden Früchte bilden neben Orangen den Hauptbestandteil der Orangenmarmelade. Die Fruchtschalen werden arzneilich als appetitanregendes Mittel sowie als Ge-

schmackskorrigens und zur Herstellung von Likören (z. B. Curaçao) verwendet.

213.18–19 **Partisanen**: (franz.) Üblicherweise bezeichnet der Begriff Partisanen in durch feindliche Truppen besetztem Gebiet operierende irreguläre Verbände, die in Form militärischer Widerstandshandlungen einen meist nationalen Befreiungsanspruch erheben. Partisanen werden vom Völkerrecht bislang nicht als Kombattanten anerkannt.

215.2 **Siphon**: (griech.) Gefäß zum Ausschank von Bier oder Mineralwasser, die durch den Druck zugefügten Kohlendioxids beim Öffnen eines Ventils herausgedrückt werden.

221.27 **Antisemit**: Anhänger des Antisemitismus. Begriff für Judengegnerschaft aus sog. rassischen Gründen. Seit der Mitte des 19. Jh. betonen Judengegner unter Verfälschung wissenschaftlicher Theorien die Ungleichwertigkeit der menschlicher Rassen. Der Antisemitismus führt das angebliche Anderssein der Juden auf ihre Rasse zurück. In Deutschland erfuhr der Antisemitismus durch den Nationalsozialismus seine extremste Ausprägung. Hitler lernte den Antisemitismus in Wien kennen; nach dem Ersten Weltkrieg schloss er sich den Thesen des »Deutschvölkischen Schutz- und Trutzbundes« und Erich Ludendorffs (1865–1937) an, die Juden seien an der dt. Niederlage im Ersten Weltkrieg schuld. Auf Hitlers Betreiben steuerte die NSDAP einen scharf antisemitischen Kurs. Die Punkte 4, 5 und 6 des Parteiprogramms von 1920 (»kein Jude kann Volksgenosse sein«, er muss »unter Fremdengesetzgebung stehen«, er dürfe kein öffentliches Amt bekleiden) und die Äußerungen Hitlers (»Kampf, bis der letzte Jude aus Deutschland entfernt ist«) bereiteten eine schrankenlose antisemitische Rassenpolitik vor. In *Der Mythus des 20. Jahrhunderts* des NS-Chefideologen Alfred Rosenberg (1893–1946) und in dem antisemitischen Hetzblatt *Der Stürmer* von Julius Streicher (1885–1946), der maßgeblich am Zustandekommen der Nürnberger Gesetze beteiligt war, sowie in der von Heinrich Himmler aufgebauten SS fand Hitler extreme und fanatische Anschauungen zur Praktizierung des Antisemitismus nach der Machtergreifung. Die Judenverfolgung durch Boykott und Sondergesetze (u. a. Nürnberger Gesetze) erreichte schließlich ihren Höhepunkt mit der systematischen Massenvernichtung der Juden in Europa.

Lebensmittelmarken: Zum Kauf bestimmter Lebensmittel, 230.33
Textilien, Tabak und anderer Waren berechtigende Gutscheine.
Sie sind ein Instrument der Mangelwirtschaft zur Zuteilung von
knappen Gütern unter Ausschaltung des Marktes und der Prei-
se. Vier Tage vor Kriegsbeginn, am 28.8.1939, setzte, für die
Bevölkerung überraschend, die Rationierung ein.

Sippenhaft: Repressionsmaßnahmen, die sich gegen Familien- 247.26
angehörige politischer Gegner richtete und diese mit Vermögen,
Freiheit oder Leben haftbar machte. Diese Bestrafungs- bzw.
Abschreckungsmaßnahme wurde zu Beginn des Dritten Reichs
vereinzelt, nach dem gescheiterten Umsturzversuch vom
20.7.1944 erstmals umfassend eingesetzt. Die Sippenhaft wurde
später auch auf die Familien von Deserteuren und von Wehr-
machtsangehörigen angewendet, denen vorgeworfen wurde, in
der Kriegsgefangenschaft Landesverrat begangen zu haben.

Husaren: (ung.) Ursprünglich eine ung. berittene Miliz. In Preu- 257.3
ßen durch Friedrich den Großen (1712–1786) als leichte Reite-
rei stark vermehrt. Die Uniform bestand aus einer farbigen Jacke
mit Verschnürungen und einer Pelzmütze.

Rote Armee: Kurzform für Rote Arbeiter- und Bauernarmee, 275.19–20
1918–1946 Bezeichnung für das Heer der Sowjetunion, danach
in Sowjetarmee umbenannt.